Prawie
siostry

Maria Ulatowska

Prawie

siostry

Prószyński i S-ka

Projekt serii
Olga Reszelska

Zdjęcie na okładce
Horváth Botond/Fotolia.com

Redaktor prowadzący
Anna Derengowska

Redakcja
Ewa Witan

Korekta
Małgorzata Denys

Łamanie
Ewa Wójcik

ISBN 978-83-7839-694-9

Warszawa 2014

Wydawca
Prószyński Media Sp. z o.o.
02-697 Warszawa, ul. Rzymowskiego 28
www.proszynski.pl

Druk i oprawa
MORAVIA BOOKS
www.cpi-moravia.com

Moim wszystkim przyjaciołom bydgoskim

Prolog

Kwiecień 1979 – styczeń 1980

ZBYSZEK

Zbigniew Hojski wysiadł ze swojego pięknego, lśniącego głęboką czerwienią poloneza, delikatnie zamknął drzwi i przeciągnął się mocno. Samochód nowy i sprawny, owszem, ale taką trasę, Warszawa – Bydgoszcz, niby tylko trzysta kilometrów (z kawałkiem), dawało się odczuć, głównie w plecach. Jechał prawie pięć godzin z przerwą na kawę na obrzeżach Włocławka. Kawa i jabłecznik – oto był jego cały dzisiejszy posiłek, więc poza zmęczeniem czuł też głód.

Mieszkanie rodziców znajdowało się przy ulicy Kopernika, prawie na rogu alei Ossolińskich. Wahał się chwilę: najpierw się wypakować czy od razu jechać na obiad? Przeważyła wizja prysznica, wyjął więc walizkę z bagażnika i wszedł do środka. Oczywiście najpierw trzeba było otworzyć okno, mimo dość brzydkiej pogody.

7

Puste i ciemne wnętrze zrobiło na nim przykre wrażenie, ale wiedział przecież, że rodziców tu nie ma. Mama odeszła kilka lat temu, a teraz ojciec przeszedł rozległy zawał. Lekarz ze szpitala zatelefonował do Zbyszka, bo pod obwolutą dowodu osobistego Hojskiego seniora tkwiła karteczka: „W razie wypadku proszę zawiadomić...". Z kawiarni we Włocławku Zbyszek dodzwonił się do szpitala i usłyszał, że nastąpiła lekka poprawa, niemniej jednak stan chorego cały czas jest poważny. Żadnych bardziej dokładnych informacji nie chciano przekazać przez telefon. Poproszono, żeby przyszedł jutro, bo dziś lekarz dyżurny zakończył już pracę, a do ojca na razie i tak go nie dopuszczą. Cóż, Zbyszek miał dwa tygodnie urlopu, tyle udało mu się załatwić; przypuszczał, że w tym czasie coś już się wyjaśni.

Hojski był dyrektorem jednego z oddziałów Stołecznego Przedsiębiorstwa Handlu Wewnętrznego; po skończeniu studiów prawniczych zrezygnował z walki o aplikację, ożenił się, w zasadzie z musu – i teść załatwił mu dyrektorski stołek. Zbyszek najpierw był zastępcą do spraw pracowniczych, a po sześciu latach awansował na stanowisko dyrektora naczelnego, po odejściu na emeryturę poprzedniego szefa oddziału SPHW.

Te dwa tygodnie dobrze mu zrobią, odpocznie od Katarzyny, bo psuło się między nimi coraz bardziej. Gdyby nie Maciek, pewnie byliby już po rozwodzie, choć żona i tak zaczęła napomykać o takiej ewentualności. Zbyszek sądził, że Kasia ma kogoś lub zaczyna mieć, ale ta ewentualność nie spędzała mu snu z powiek. I tak nie spali ze sobą mniej więcej od roku. A żadnej czułości i przyjaźni chyba nigdy między nimi nie było. Pobrali się, bo zmajstrowali Maćka. Mieszkali z teściami w starej willi na Mokotowie, dużej, wygodnej, mieli na piętrze swój azyl i było im tam wygodnie.

– Jestem w ciąży. – Katarzyna oznajmiła to rodzicom beznamiętnym tonem, bo po prostu wszelka ekscytacja nie leżała w jej naturze.

Była jedynaczką, tatuś dużo znaczył w dzielnicowej organizacji partyjnej; „przedślubne" dziecko nie stało się dla jej rodziców powodem do zmartwienia – pod warunkiem że młodzi ten ślub wezmą. Wzięli, bo lepszego pomysłu żadne z nich nie miało. Tatuś znalazł Zbyszkowi posadę, Kasia przez kilka lat nie pracowała. Synkiem opiekowała się pani Wandzia, wynaleziona przez babcię. Gdy mały skończył pięć lat, zapisano go do przedszkola. Nie dlatego, że nie było komu nim się zajmować, tylko dlatego, by się przyzwyczaił do dzieci przed pójściem do szkoły.

Wtedy Katarzyna postanowiła podjąć pracę, a ponieważ po swojej historii sztuki nie umiała znaleźć odpowiedniego zajęcia, poszła tam, gdzie skierował ją tata, czyli do Wydziału Kultury urzędu dzielnicowego. Siedziała tam sobie od ósmej do trzeciej, przekładając papiery i sporządzając tabelki. Nudziłoby jej się bardzo, gdyby nie to, że w tym samym pokoju pracowała inna dziewczyna, która stała się jej najlepszą przyjaciółką. Miały identyczne poglądy na życie i czas mijał im na pogawędkach, niezbyt służbowych oczywiście, bardzo szybko. Zbyszek niespecjalnie lubił Magdę, nie przepadał też za Jankiem, jej mężem. Znosił jednak dzielnie wszystkie wspólne kolacje i inne spotkania we czwórkę, organizowane przez obydwie panie. Z czasem zresztą częstotliwość tych wspólnych spotkań zmalała, wzrosła natomiast częstotliwość wyjść z domu Zbyszkowej żony.

– Maciuś nakarmiony, wykąp go za pół godziny i połóż do łóżka – dyrygowała Kasia. – Ja lecę do Magdy, Janek znowu wyjechał, robimy sobie babski wieczór.

Zbyszek radził sobie z synem, nie obchodziło go, dokąd idzie żona, cieszył się nawet, że będzie miał święty spokój. I tak im płynęło to wspólne życie. Choć, oczywiście, czasami miał poczucie, że nie tak miało być. Jednak chyba był za leniwy lub za mało energiczny, żeby próbować zrobić jakieś zmiany.

Zbyszek wyszedł spod prysznica i raz jeszcze zadzwonił do szpitala. Stan ojca nie uległ zmianie, dopytał się więc tylko, o której będzie mógł jutro porozmawiać z lekarzem prowadzącym. Gdy wychodził, by coś zjeść, otworzyły się sąsiednie drzwi.

– Tak mi się wydawało, że ktoś się kręci obok waszego mieszkania – odezwała się, wystawiając głowę zza tych drzwi pani Małgorzata Adamiak, sąsiadująca z Hojskimi chyba od urodzenia Zbyszka.

– Ach, to ty, dzień dobry. – Mówiła Zbyszkowi po imieniu, bo przecież znała go od dziecka. – Jak tata?

Młody Hojski lubił panią Małgosię i ucieszył się, że do tej pory tu mieszka. Pomyślał nawet, że gdyby tata wyszedł ze szpitala, taka przyjazna dusza obok to byłoby coś najlepszego.

– Dopiero przyjechałem, na razie wiem tylko, że jest trochę lepiej. Jutro mam zamiar porozmawiać z lekarzem, wszystko pani opowiem po powrocie – oznajmił. – Jeżeli można – dodał po chwili.

– Ależ oczywiście. Jestem w domu i będę na ciebie czekała. Zrobię gołąbki na obiad.

Następnego dnia Hojski junior dowiedział się, że najprawdopodobniej ojciec najgorsze ma już za sobą.

– Jednak, rozumie pan – tłumaczył lekarz – serce to delikatny organ i czasami nie zachowuje się tak, jak my, lekarze, chcielibyśmy. W tej chwili mogę więc tylko powiedzieć, że stan pana ojca jest stabilny, aczkolwiek w dalszym ciągu poważny. Chory nie wymaga już stałego monitorowania, jak pan widzi, nie leży w sali intensywnej opieki, tylko na oddziale ogólnym. Oczywiście ma opiekę całodobową, więc proszę się nie martwić.

Cóż, dużo się nie dowiedział. Ale przecież cudów się nie spodziewał. Najważniejsze, że tata żyje i jest w kompetentnych rękach. Taką miał nadzieję…

– Zbyszek? – usłyszał cichy głos.

Odwrócił się. Stała za nim młoda kobieta w pielęgniarskim stroju, z miłą, uśmiechniętą buzią. Nie kojarzył jej, a przecież chyba powinien, skoro zwróciła się do niego po imieniu.

– Taaak – odpowiedział niepewnie, nie do końca przekonany, że nieznajoma mówi do niego.

– Nie poznajesz mnie, prawda? – Uśmiech na miłej buzi stał się trochę mniej radosny, ale nie zgasł zupełnie. – Teresa Balicka. Z jedenastej B, rocznik tysiąc dziewięćset sześćdziesiąty piąty, „szóstka".

„Szóstka" była liceum ogólnokształcącym przy ulicy Staszica. Zbyszek robił tam maturę, właśnie w tysiąc dziewięćset sześćdziesiątym piątym roku. W klasie jedenastej A. Teresy Balickiej w ogóle nie pamiętał. Nie dosyć, że zdawał tę maturę czternaście lat temu, to na dodatek dziewczyn z „szóstki" do pamiętania było dość dużo, chodziło ich tam pewnie ze dwa razy więcej niż chłopaków. A za Zbyszkiem oglądały się nie tylko równolatki, ale te z młodszych klas również. Skąd więc miałby pamiętać akurat tę? Na dodatek, był tego pewien, nie stanowiła wówczas obiektu jego zainteresowania. Zbyszek – mimo dużego powodzenia – był stabilny uczuciowo i przez całe cztery licealne lata tak poważniej interesował się tylko dwiema dziewczynami. Najpierw, chyba w dziewiątej klasie, obiektem jego westchnień stała się Ewa Kamilska, ale odkochał się, gdy oznajmiła, że nie lubi psów, zrażając go tym absolutnie. Psy bowiem były dla Zbyszka najważniejsze, stojąc w hierarchii ważności zaraz po rodzicach. Ktoś, kto nie lubił psów, w ogóle nie mógł być więc brany pod uwagę nawet jako bliższy znajomy Zbyszka, a co dopiero gdyby ta osoba miała zostać jego dziewczyną. Przez ponad rok chłopak nie obdarzył żadnej dziewczyny głębszym uczuciem, choć spotykał się z kilkoma. W klasie maturalnej zakochał się – wydawało mu się, że na zawsze – w pewnej Ani, która jednak, po niezbyt długo trwającej fascynacji, raptem wybrała innego. Zbigniew bardzo to przeżył i stwierdził, że miłość jako taka jest mocno przereklamowana, w związku z czym on już kochać nikogo – czyli żadnej dziewczyny – nie zamierza. I wytrwał w swoim postanowieniu do czasu pomaturalnego, czyli do dnia, kiedy to podkusiło go, żeby pójść na pewną studniówkę. Któregoś bowiem dnia, na skwerku obleganym przez uczniów z „szóstki", spotkał Weronikę – a miał na nią oko jeszcze w czasach, gdy sam chodził do tego liceum. Dziewczyna była wtedy poza jego zasięgiem, bo bez przerwy widywał ją z tym samym chłopakiem, kolegą z jej klasy. Teraz jednak już któryś raz z rzędu siedziała na tych Sielankach – tak nazywano ów prawie szkolny skwer – sama. To znaczy nie sama, tylko z koleżankami, ale bez tego jakiegoś tam Janusza. Zaczęli rozmawiać, a potem...

Hojski potrząsnął głową, odsuwając wspomnienia sprzed lat. Było, minęło, chociaż wciąż pamiętał. Teraz jednak stała przed nim jakaś Teresa, chyba pielęgniarka z oddziału, na którym leżał jego ciężko chory ojciec. Stała i patrzyła, jakby z nadzieją, że Zbyszek ją sobie przypomni.

– Teresa! – Usiłował nadać głosowi radosny ton, ale zamilkł, gdy zamachała mu przed oczyma ręką.

– Przestań – zaśmiała się leciutko, cicho, bo przecież byli w szpitalu. – Wiem, że mnie nie poznałeś, ale nie martw się, i tak będę dobrze się opiekować twoim tatą. Bo ten nasz pacjent, Ignacy Hojski, to twój ojciec, prawda? Dzisiaj kończę dyżur o czternastej, więc jeśli masz trochę czasu, możesz mi postawić kawę, powspominamy trochę szkolne czasy i opowiem ci, co wiem o stanie taty.

Na kawę poszli. I chodzili codziennie, przez tydzień. A potem...

– Jutro zapraszam cię na domowy obiad. Nic wymyślnego, zwykły schaboszczak z kapustą i smażone ziemniaki. – Teresa zacisnęła kciuki, z żarliwą nadzieją, że Zbyszek przyjmie zaproszenie.

– Wiesz, ten schaboszczak z kapustą sprawił, że aż pociekła mi ślina. – Rzeczywiście, prawie się oblizywał. – Ale czy to dla ciebie nie kłopot? Mąż, chłopak, rodzice? – Choć widywali się codziennie, do tej pory jakoś nie rozmawiali o sytuacji Teresy. Zbyszek uprzytomnił sobie, że sam opowiedział dziewczynie prawie całe swoje życie, a o niej nie wie nic. – Nic o tobie nie wiem, nie wiem nawet, gdzie mieszkasz.

– Na Pierwszego Maja, *vis-à-vis* Polskiego Radia. Rodzice nie żyją, męża nie mam, chłopak... – Zamyślona obracała w dłoni łyżeczkę, którą przed chwilą mieszała kawę. Nie zwracała uwagi na to, że kilka kropli spadło z łyżeczki na kawiarniany stolik. – Chłopak wyjechał, nie ma go już drugi miesiąc, jest w Szwecji u ciotki. To starsza pani, która poza Jurkiem nie ma żadnej rodziny. Wraca za miesiąc. Z kawałkiem. Jurek oczywiście, nie ciocia. Więc żaden kłopot, chętnie zrobię obiad, przecież sama też muszę coś zjeść.

– W takim razie jutro przyjdę do szpitala około pierwszej i jak będziesz już wolna, pomaszerujemy do ciebie. – Zbyszek starł serwetką krople kawy ze stolika. Nie mógł się powstrzymać, żeby tego nie zrobić, cóż, był pedantem, taka prawda.

TERESA

Ignacy Hojski. Teresa wpatrywała się w kartę pacjenta, zastanawiając się, czy to ojciec Zbyszka, obiektu westchnień uczennic Liceum Ogólnokształcącego nr VI w pierwszej części lat sześćdziesiątych, czyli wtedy, gdy ona sama chodziła do tej szkoły. Zbyś śpiewał, grał na gitarze, występował na różnych szkolnych akademiach. Czarnowłosy, z czarnymi oczami, śniady, wysoki, czyż ktoś mógłby być doskonalszy? Nie.

Zbyszek nie chodził do tej samej klasy co Teresa, był uczniem klasy równoległej. Ale spotykali się – jak większość licealistów – na szkolnych potańcówkach, na skwerku przylegającym do boiska szkolnego, w mieście wreszcie. Za Hojskim zawsze snuła się chmara wielbicielek, ale on, jak się zdawało, nie miał tej jednej jedynej. Do pewnego czasu, w klasie maturalnej bowiem względami szkolnego idola zaczęła się cieszyć Anka Poradzka, która chyba jednak tego nie doceniała, bo na studniówce widziano ją z kimś innym, z kimś w ogóle nie z ich szkoły. Podobno był z „jedynki", ale dokładnie nikt tego nie wiedział.

Teresy zresztą w ogóle to nie obchodziło, cieszyła się, że Hojski jest sam, i bardzo pilnowała, żeby znaleźć się jak najbliżej niego, gdy ogłoszą białego walca. Zdążyła – i tańczyła tego walca w ramionach Zbyszka. Potem jeszcze zatańczyła z nim kolejny taniec, ale później już grali jakieś szybkie kawałki, każdy tańczył sam i, niestety, się rozdzielili. Ale miała jeszcze jedno wspomnienie, pielęgnowane w myślach do dziś – otóż kiedyś byli razem w kinie. Choć tak naprawdę to nie tyle razem,

15

ile obok siebie, szczęśliwym przypadkiem. Obydwoje – jak zresztą mnóstwo innych koleżanek i kolegów – byli członkami Dyskusyjnego Klubu Filmowego. Seanse odbywały się w Kino-Teatrze na Dwernickiego. Siadało się, gdzie popadnie. I na jednym z seansów Teresa raptem odkryła, że obok niej siedzi Zbyszek. Do tej pory nie wie, o czym był ów film. Wyrzucała sobie tylko, że strasznie się wtedy zgapiła, zanim bowiem zdecydowała się odezwać po projekcji, Hojskiego już nie było.

Natomiast dzisiaj, prawie po piętnastu latach (no dobrze, po niespełna czternastu) przywieziono na kardiologię Ignacego Hojskiego. Ojca Zbyszka, bez dwóch zdań. To nazwisko nie zdarzało się zbyt często w mieście, Hojskich w Bydgoszczy było trzech – Zbyszek, jego młodszy brat Mirek i ich tata, cóż, chyba właśnie Ignacy. Sprawdziła w karcie adres pacjenta – i już była pewna. Ulica Kopernika, wiedziała przecież, gdzie Zbyszek mieszkał. Kilka razy pałętała się po tej ulicy, w nadziei, że obiekt jej uwielbienia wyjdzie z domu i spotkają się wtedy, „o, popatrz, co za przypadek, akurat tędy przechodziłam"… A on zaprosi ją do kawiarni, do kina, na spacer, ach, gdziekolwiek – albo nawet przez parę minut postoi z nią na ulicy. Ech, nie zdarzyło się, niestety.

Zaśmiała się sama do siebie, nie miała pojęcia, że takie coś można przez tyle lat pamiętać. I że można być takim głuptasem. Okazało się natychmiast, że bycie głuptasem nie jest trudne i zostaje człowiekowi – cóż, przynajmniej do wieku średniego. Otóż Teresine serce zaczęło wyczyniać hopki-galopki (na kardiologii!), bowiem z sali, w której leżał pan Ignacy, wyszedł czarnowłosy i czarnooki mężczyzna po trzydziestce, wysoki i szczupły. W ogóle nie widać było po nim przemijania czasu. Takie tam kilkanaście lat to jak parę dni dla kogoś obdarzonego świetnym zestawem genów. Czyli dla panów Hojskich, bo i pan Ignacy trzymał się nieźle. Owszem, przeszedł zawał, ale nie był otyły, miał niezłą sylwetkę, jak na swoje prawie sześćdziesiąt lat. I prawie nie wyłysiał, jego włosy straciły tylko swój dawny kolor, teraz był uroczo szpakowaty. Jak wyglądał najmłodszy Hojski, Teresa nie miała pojęcia, coś tam słyszała, chyba dziesięć lat temu, że Mirek jest albo w Berlinie, albo w Paryżu, gdzieś za granicą w każdym razie. Ale nim nie była zainteresowana. Mówiąc szczerze, to i zainteresowanie Zbyszkiem nie było takie ogromne, a już z pewnością nie trwało długo. Cóż, w szkole, owszem, ale potem on wyjechał, a ona miała swoje sprawy, swoich znajomych, swojego chłopaka (nawet kilku przez te lata). Dlatego teraz tak ją zdziwiło to pikanie serca, które wyczyniało podskoki na widok szkolnej sympatii. I codziennie pikało z identycznym entuzjazmem, aż się wreszcie doczekało...

Po tygodniu spotkań w szpitalnej kawiarence Teresa zaprosiła więc Zbyszka na obiad. Do domu. Ot, taki tam obiad ze starym szkolnym kolegą. Czemu więc jej mieszkanie nigdy – naprawdę nigdy – nie było tak wypucowane jak wtedy? Czemu w ten obiad – zwykły schaboszczak z kapustą – włożyła tyle starań? Czemu to jej pikające serce w ten dzień, zimny, pochmurny, brzydki, o mało z piersi nie wyskoczyło? I czemu włożyła tyle trudu w wybór stroju na to spotkanie? Nowa bielizna, no tak, kiedyś wreszcie trzeba ją założyć. Krótka sukienka? Owszem, seksowna, chociaż to chyba niedobrze. Musi wyglądać pięknie, ale tak, jakby w ogóle jej na tym nie zależało. Więc taka sukienka niekoniecznie. W końcu zdecydowała się na czarne wełniane spodnie i błękitną koszulową jedwabną bluzkę. Wiedziała, że przy jej niebieskich oczach błękitna bluzka będzie idealna. Włosy, na szczęście krótkie, nie wymagały specjalnych zabiegów, kręciły się bowiem „same z siebie", wystarczyło je tylko umyć (zrobi to rano) i kilka razy wyszczotkować.

Przed wyjściem do pracy Teresa ze trzy razy sprawdzała, czy wszystko przyszykowane. Wykrochmalony obrus leżał na stole, powinien się dobrze „uleżeć", nakrycia położy po przyjściu do domu. Na kredensie z boku stał wazon z zanurzonymi w wodzie gałązkami brzozy. Pokazywały się na nich delikatne zielone listki. Nie wiedziała, że według wierzeń ludowych brzoza symbolizuje miłość, małżeństwo, wesele, rodzinę i czystość – bo akurat wbrew temu wszystkiemu zamierzała postąpić. Tydzień spotkań ze Zbyszkiem Hojskim spowodował, że cofnęła się w czasie i znów była nastolatką spacerującą po ulicy Kopernika lub wysiadującą na Sielankach w nadziei na ujrzenie (chociaż ujrzenie) idola. Ale teraz jej zainteresowanie dawnym ukochanym było niepomiernie większe niż niegdyś. Wtedy nie znała jeszcze smaku miłości fizycznej, teraz pragnęła Zbyszka wszystkimi zmysłami. Może dlatego, że jej chłopak, Jerzy, wyjechał przed dwoma miesiącami i ten czas, czas bez seksu, zaczął jej doskwierać. Lubiła seks i nie zamierzała się tego wypierać. Mieszkała razem z Jerzym od kilku miesięcy i po jego powrocie ze Szwecji mieli się pobrać. Ale teraz Jerzego nie było. Seksu też nie było. A Zbyszek wręcz emanował męskością – i... był. Codziennie. I chociaż nie można powiedzieć, że wysyłał w kierunku Teresy jakieś sygnały seksualne, to ona... po prostu te sygnały odbierała. Jakieś spojrzenie, rzucone z ukosa na jej biust (kształtny, owszem, owszem), jakieś przytrzymanie za ramiona przy podawaniu płaszcza, jakieś drgania głosu, czasami, gdy niby niechcący oparła się o niego. I takie tam...

Wieczór był taki, o jakim marzyła. Wypili dwie butelki wina, w nierównych proporcjach, o co się postarała zapobiegliwa pani domu. Teresa miała dla Zbyszka miłą wiadomość, stan jego ojca poprawił się na tyle, że lekarze zaczęli już planować datę wypisu.

– Jeszcze typowe badania kontrolne, kilka dni obserwacji i do domu. – Przyniosła z kuchni filiżanki z kawą i postawiła je na małym stoliku przy wersalce. – Porozmawiaj jutro z ordynatorem, dobrze byłoby załatwić teraz sanatorium, bezpośrednio po szpitalu.

– Za takie wieści powinienem cię ucałować. – Zbyszek usiadł na wersalce obok Teresy i... od całowania się zaczęło.

To, co nastąpiło potem, powtarzało się jeszcze cztery razy, bo piątego dnia Hojski musiał wracać do Warszawy. Do pracy, do żony i syna. Za Maćkiem bardzo się stęsknił, ale żona i praca mogłyby jeszcze trochę poczekać. Tak mówił, a Teresa w to wierzyła. Wiedziała jednak, że te kilka dni to tylko ulotny sen, miły epizod w jej życiu, coś, co zapewne się nie powtórzy. Coś,

19

co ukryła głęboko w pamięci, postanawiając wyrzucić klucz od tego miejsca. Nie dane jej to było...

W czerwcu bowiem lekarz potwierdził to, o czym i tak sama już wiedziała. Na początku przyszłego roku zostanie mamą. Dziecko było z pewnością Zbyszka, ale ta informacja miała pozostać tajemnicą. Dla wszystkich, dla Zbyszka także. Teraz czas wprowadzić w życie plan „ślub". Na szczęście o ślubie mówili z Jurkiem jeszcze przed jego wyjazdem do Szwecji, teraz więc, kiedy wrócił – a wrócił dwa miesiące temu – wystarczyło ustalić szczegóły. Data, miejsce, lista gości.

– Data, miejsce, lista gości – tak właśnie powitała Jurka następnego dnia po diagnozie lekarskiej.

– Pobieramy się? Nareszcie! – ucieszył się przyszły pan młody; do tej pory to on w tym związku był stroną bardziej zainteresowaną. Jeszcze nie wiedział, że to się zmieniło.

– Tak planowaliśmy, prawda? A teraz mamy dodatkowy powód, jestem w ciąży.

Przyszły pan młody ucieszył się jeszcze bardziej, choć tym razem nie powinien. Ale o tym miał się nigdy nie dowiedzieć.

Czternastego stycznia tysiąc dziewięćset osiemdziesiątego roku przyszła na świat dziewczynka. Rodzice, Teresa i Jerzy, byli przeszczęśliwi i od pierwszego wejrzenia w córeczce zakochani. Malutka była tak bardzo podobna do matki, jak rzadko się zdarza. Zdarta skóra z Teresy, mówił każdy, kto tylko spojrzał na dziecko. Obydwoje rodzice byli z tego bardzo zadowoleni, ale mama bardziej, och, o wiele bardziej.

– Jakie to szczęście, że nie ma na przykład mojego nosa – mówił zakochany tata.

– Albo twoich uszu – chichotała mama.

Nos taty dostał się synkowi, urodzonemu dwa lata później. W ogóle syn był podobny do ojca, chociaż nie przesadnie. I uszy miał w porządku.

Czas przeszły

WERONIKA

Czerwiec 2010

Weronika przesunęła uważnym wzrokiem po salonie. Na stole, niedbale rozłożona, grzbietem do góry, najnowsza powieść Mary Higgins Clark, obok kubek z herbatą. Nie, zdecydowała, herbata nie. Odniosła kubek do kuchni, wypłukała go i odstawiła na suszarkę. Na stole w salonie postawiła kieliszek, w jednej trzeciej napełniony białym winem. Tak, teraz lepiej, skinęła głową zadowolona.

Czekała na miłość swojego życia. Nie, nie chodziło o żadnego narzeczonego ani nawet o kandydata na narzeczonego. Weronika miała sześćdziesiąt dwa lata, co oczywiście teoretycznie nie wykluczało narzeczonego. Ale tylko teoretycznie, bo w praktyce Weronika twierdziła, że ta sfera życia już dawno za nią – i bardzo dobrze! Miłością życia pani Nowaczyńskiej był Karol, syn nieżyjącej siostry, dziecko, które wychowała po jej śmierci, to jest od dnia, w którym Lolek ukończył dziesięć lat, bo to właśnie w jego urodziny obydwoje Koźmińscy, rodzice chłopca, zginęli w wypadku samochodowym. Wracali z zakupów, w bagażniku samochodu leżał granatowy składak, wymarzony rower dla ich syna. Było to trzydzieści lat temu, ale przecież nie mogła nie pamiętać swojej siostry Marii i jej męża Zdzisława. A szczególnie w każde urodziny Karola, czyli w każdą rocznicę ich śmierci. Dziś właśnie była taka rocznica...

– Ciociu ukochana. – Młody mężczyzna odstawił filiżankę z kawą, wina nie pił, bo przyjechał samochodem i zamierzał wrócić nim do domu. – Nie wiem, jak ci to powiedzieć... – Wziął do ręki książkę i zaczął wertować strony. Zauważył leżącą obok zakładkę, wsunął ją między kartki i zamknął książkę. – Wiesz, że nie lubię, jak kładziesz książki grzbietem do góry. Rozpadną się kartki, tyle razy ci tłumaczyłem, że teraz już nie ma książek zszywanych. One są sklejane i... co ja plotę, przepraszam. – Spojrzał na ciotkę, która siedziała spokojnie i tylko patrzyła na siostrzeńca. Znała go przecież i wiedziała, że skoro krąży wokół tematu, to ma coś naprawdę trudnego do opowiedzenia.

– No dobrze, już mówię, skoro zacząłem. – Karol widocznie musiał trzymać coś w ręku, bo znowu podniósł książkę. – Będę miał dziecko – wykrztusił i uciekł spojrzeniem w bok. Weronika nie odzywała się, po prostu czekała na ciąg dalszy. I cóż tu można powiedzieć, pomyślała, dolewając sobie wina do kieliszka.

– Przepraszam. – Koźmiński poderwał się, wyjął delikatnie cioci butelkę z rąk i dokończył napełnianie kieliszka. – Z Jolą.

Weronika dopiero teraz podniosła oczy na Karola.

– Z naszą Lusią? – upewniła się, patrząc, jak jej siostrzeniec potakująco kiwa głową.

Rozdział 1

Weronika Nowaczyńska była kierowniczką schroniska dla zwierząt Cztery Łapy. Mimo że wynagrodzenie było kiepskie (strefa budżetowa, było nie było), pracowała tam dziesięć lat i wprawdzie już kiedyś stuknęła jej okrągła sześćdziesiątka (plus), lecz Weronika ani myślała o emeryturze. Swoją pracę po prostu uwielbiała, choć codziennie przeżywała stresy, patrząc na te kupki nieszczęścia, przebywające w jej schronisku. Starała się bardzo – i ona, i jej pracownicy, i wolontariusze – żeby te futrzaste biedactwa miały tak dobre życie, jak to tylko możliwe w takim miejscu. Dzięki swoim znajomościom prawie jej się to udawało – jako że tych znajomości było niemało – Weronika mieszkała przecież w Bydgoszczy od urodzenia. Tu kończyła liceum, powszechnie uważane za najlepsze, przynajmniej w czasach gdy ona się tam uczyła, a potem całe swoje życie zawodowe, po kilku latach studiów w Toruniu, spędziła również w swoim rodzinnym mieście. Rodzinnym i ukochanym, dla Weroniki najpiękniejszym. Tych znajomych w mieście miała więc niemało, tym bardziej że przez dwie kadencje piastowała urząd radnego miejskiego.

I do tej pory umiała wydębić od różnych ludzi sporo pieniędzy na swoje schronisko. Zawsze mówiła „moje schronisko", choć przecież było to schronisko miejskie. Ale ona oddała mu całe swoje serce. Po studiach uczyła angielskiego, skończyła bowiem filologię angielską, co dało jej niewiele, niestety. Tłumaczem nie została, na żadną placówkę zagraniczną nikt jej nie wysłał, cieszyła się więc, kiedy trafiła jej się praca w liceum. Tym zresztą, które sama kończyła. Po dziesięciu latach pracy nauczycielskiej czuła się, jakby przepracowała już jakieś pół wieku, i pewnego dnia postanowiła, że ani dnia dłużej. Wytrwała do końca roku szkolnego, pożegnała się ze swoim miłym liceum i, los tak chciał, została radną. Później, przez następne pięć lat – z tym swoim stopniem magistra filologii angielskiej – była urzędniczką w urzędzie miasta. I tam właśnie po raz pierwszy zetknęła się ze schroniskiem, jako że do jej zadań należało między innymi rozdzielanie funduszy miejskich na różne cele społeczne.

Zwierzęta kochała od dziecka, w jej rodzinnym domu zawsze było kilka kotów, a ostatnio trzy psy z rzędu. Dom był spory, z kawałkiem ogrodu, więc cała zwierzęca czereda miała się tam dobrze. Gdy Weronika po raz pierwszy zobaczyła Cztery Łapy, było to ponure i nieprzyjazne miejsce. O mało jej serce nie pękło i postanowiła zrobić wszystko, co w jej mocy, żeby poprawić los i warunki bytowe zwierzaków. Zwolniła się z urzędu i zatrudniła w schronisku, co nie było trudne, bo zawsze brakowało tam rąk do pracy. Po roku była już kierowniczką tego przybytku. I powoli, z miesiąca na miesiąc, schronisko zmieniało się na korzyść, na co wpływ miały również – a może głównie – koneksje Weroniki. Poza środkami z kasy miejskiej zawsze udawało jej się znaleźć jakiegoś sponsora, a szczerze mówiąc, kilku – prośbą, groźbą, znajomością. I zgromadziła wokół siebie sporą grupę wolontariuszy, wielu z nich było jej uczniami z VI LO.

Rozdział 2

TE TRZY

– Ale dlaczego piątego września? – chciała wiedzieć Aleksandra. – Skoro już ma być wrzesień, niech to będzie pierwszy dzień tego miesiąca. O pierwszym nie zapomnę, bo wojna, a o piątym zapomnę natychmiast, co dopiero po pięciu latach.

– Oj, Leksi, nie marudź, dobrze? – Teodora aż tupnęła nogą. – Sama mówisz, że wojna, więc nie chcę, żeby tak się nam kojarzyło. To ma być tylko nasz dzień. Wrzesień, bo po wszystkich wakacjach i urlopach, a piąty, bo... no bo piąty, i już.

– Tak jest, szefowo. – Jolanta stanęła na baczność. – Piąty, i już. Zapamiętamy, bo przecież co pięć lat. A może powinnyśmy się spotykać piątego maja? – zapytała i zaraz sama odpowiedziała. – Nie, wrzesień lepszy, masz rację, po urlopach – rozmarzyła się – bo my już będziemy kobietami pracującymi. Poważnymi bizneswomankami, nie? Jakkolwiek by to brzmiało.

31

Leksi, Teo i Luśka stały na ulubionym skwerku wszystkich uczniów chodzących teraz i kiedykolwiek do VI LO w Bydgoszczy, przy ulicy Sielanki. Skwer, obecnie noszący imię Mariana Turwida, niemal przylegał do szkolnego boiska i dopóki pogoda pozwalała, Te Trzy spędzały tam każdą dużą przerwę. Mianem Tych Trzech dziewczyny zostały obdarzone przez pozostałe koleżanki z klasy, zazdrosne o zażyłość, koleżeństwo i prawdziwą przyjaźń, łączącą Trzy Gracje, jak również na nie mówiono. W ich klasie nie było innej tak zintegrowanej grupy, owszem zawierano przyjaźnie, to jasne, ale raczej dwuosobowo – i nie na tak długo. Inne dziewczyny kłóciły się i rozstawały w złości i gniewie. Inne – ale nie Aleksandra, Jolanta i Teodora.

One same mówiły o sobie, że są jak siostry.

– Prawie siostry – uściślała Aleksandra, która jedyna z tej trójki miała dwie siostry rodzone i twierdziła, że siostry to zgagi i gangreny, natomiast „prawie siostry" to po prostu wybór serca.

Teraz, piątego września, parę miesięcy po zdanej maturze, wszystkie trzy stawiły się na Sielankach, jak nazywano ten skwer, bo kazała im tam przyjść Teośka, samozwańcza przywódczyni grupki. Rządziła, acz nie nachalnie, i obejmowała przewodnictwo tylko wtedy, gdy już zdecydowanie trzeba było podjąć jakąś decyzję. Tak jak teraz – a postanawiały właśnie, że bez względu na wszystko będą się tu spotykać co pięć lat. Piątego września o piątej po południu. Trochę nawet się śmiały z tych ustaleń, bo nie przewidywały rozstań na pięć lat. Nie mogą przecież bez siebie żyć, to już sprawdzone. Ale – ustalono, co ustalono, i każda teraz pieczętowała tę decyzję uściskiem dłoni, ułożonych jedna na drugiej.

– A teraz, dziewczyny, idziemy uczcić fakt, że jesteśmy studentkami.

Wszystkie dostały się na studia i z niecierpliwością czekały na początek roku akademickiego.

Te Trzy były pewne, że świat stoi przed nimi otworem. Postanowiły, że będą bogate – bo młodości i urody na razie nie musiały pragnąć, te dwie rzeczy już były ich udziałem. Co do sławy miały mieszane uczucia, mogła być, ale niekoniecznie. Natomiast bogactwo tak. No przecież każda z nich miała mieć ten swój wymarzony dom z ogrodem gdzieś na obrzeżach miasta. Koniecznie na obrzeżach, żadne miejscowości pod Bydgoszczą nie wchodziły w grę, nawet te najbliższe. A Teodora, która pochodziła właśnie z takiej miejscowości, myślała nawet, że chyba woli jakieś piękne mieszkanie w samym centrum miasta. Problem tylko w tym, że centrum Bydgoszczy to same stare kamienice, piękne, owszem, ale jakoś nowych mieszkań w nich nie było. Na razie jednak Teośka nie przejmowała się swoim przyszłym miejscem zamieszkania, wkrótce wyjeżdżała do Poznania, tam bowiem miała studiować, i czekała na to, co los jej przyniesie.

Wszystkie czekały.

ALEKSANDRA

Niewysoka smukła czarnulka, dla przyjaciółek Leksi, a w domu Ola, rozebrała się w przedpokoju i zajrzała do kuchni, w której, jak zwykle, mama mieszała coś w garnkach.

– Mamunia, pachnie oszałamiająco. Zrazy? – Objęła matkę od tyłu i przycisnęła policzek do jej pleców.

– Zrazy, zrazy, moja panno studentko. Myj ręce i siadaj do stołu. – Studentka nie studentka, matka o myciu rąk przypominała każdemu. Robiła to z zawodowego przyzwyczajenia, była pielęgniarką na oddziale ortopedii w szpitalu miejskim.

Leksi mieszkała z rodzicami – ojciec pracował w szpitalnej administracji – oraz dwiema młodszymi siostrami. Magda, szesnastolatka, chodziła do tego samego liceum, które właśnie skończyła Ola, a Dorotka, dwunastolatka, jeszcze uczyła się w podstawówce. Członkiem rodziny był także Miodek, rudy pręgowany kocur, ulubieniec całej rodziny, który sam szczególnie uwielbiał tatę Lucjana. „Wie, kto w domu rządzi" – śmiał się tata, choć tak naprawdę rządy trzymała w swej szczupłej dłoni mama Helena.

Rodzina Marianowiczów mieszkała w dużym, czteropokojowym mieszkaniu przy Kościuszki, tuż obok Świętojańskiej. Na jednym rogu był sklep spożywczy, a na drugim – cukiernia, z której przez cały dzień dochodziły upojne zapachy. Ale według członków rodziny Marianowiczów najpiękniej pachniało w ich własnej kuchni.

Panna studentka umyła więc ręce i zobaczywszy, że mama nie oczekuje od niej pomocy, zamyśliła się. Tak, od października będzie studentką – dostała się na Akademię Techniczno-Rolniczą. Śmiała się, że po prostu musiała iść na studia właśnie tam, do szkoły wyższej imienia Jana i Jędrzeja Śniadeckich. Dlaczego? Bo przecież ich liceum ogólnokształcące nosi to samo imię – J.J. Śniadeckich. Wybrała biotechnologię.

– Co? Takie nuuudyyy... Piwo będziesz warzyć? – śmiały się z niej przyjaciółki.

– Też. I może opatentuję jakąś nową broń biologiczno-chemiczną. Względnie jakiś rewolucyjny kosmetyk bądź coś farmakologicznego – odpowiadała poważnie, bo wiedziała swoje. Biologia i chemia były jej szkolnymi żywiołami, a badania naukowe zawsze wydawały jej się czymś fascynującym. Była pełna zapału i wiedziała, że te studia są dla niej wymarzone.

JOLANTA

Dla wszystkich Lusia, a czasami Luśka, była najspokojniejsza z Tych Trzech. I chyba najładniejsza. Dość wysoka, szczupła, z grzywą miodowozłotych włosów. Długonoga i bardzo zgrabna, przyciągała prawie wszystkie męskie spojrzenia, ale niewiele sobie z tego robiła.

Lubiła rysować, choć ubolewała nad tym, że talentu nie ma za wiele. Najlepiej wychodziły jej pejzaże i kwiaty. Doszła więc do wniosku, że może powinna projektować ogrody i w ogóle duże tereny zielone. Pomyślała o architekturze krajobrazu i ku swojemu zdziwieniu dostała się na te studia.

Jolanta miała studiować na tej samej uczelni co Leksi. I nawet na tym samym wydziale – tylko kierunek wybrała inny. Ona też bardzo lubiła biologię, ale lubiła także matematykę i geometrię, a ponad wszystko uwielbiała projektować. Pejzaże i portrety – choć próbowała, oczywiście – nie wychodziły jej jakoś nadzwyczajnie, świetnie potrafiła natomiast rozplanować ustawienie mebli w każdym mieszkaniu i rozrysować całą nieruchomość, jaką każda z nich niebawem będzie miała – czyli domek z obowiązkowym ogródkiem, gdzie była wytyczona każda grządka, a także zaplanowane miejsce na piaskownicę, budę dla psa i ogrodową huśtawkę. Tak więc architektura krajobrazu wydawała jej się idealna.

Lusia mieszkała w ścisłym centrum Bydgoszczy, w starej kamienicy przy Gdańskiej, prawie naprzeciwko pięknej willi zaprojektowanej przez Heinricha Seelinga, stanowiącej od tysiąc dziewięćset czterdziestego piątego roku siedzibę Polskiego Radia Pomorza i Kujaw. Oprócz niej i rodziców mieszkał tam też jej młodszy brat, z którym od dziecka kłócili się i tłukli, kiedy tylko mogli. Teraz, gdy już dorośli, tego walenia się, czym popadło, było nieco mniej, a nawet wcale, spory trwały jednak bezustannie i dziewczyna nie mogła się doczekać, kiedy będzie mogła się wyprowadzić z rodzinnego domu – a właściwie mieszkania. Na razie jednak nie miała dokąd.

– Będę musiała szybko dobrze wyjść za mąż – oznajmiła przyjaciółkom. Dobrze wyjść za mąż to był plan każdej z nich. Ale tylko jedna Luśka chciała to zrobić szybko. Leksi i Teosi wcale się nie spieszyło.

Lusia czasami całkiem poważnie zastanawiała się nad przeprowadzką na działkę Biegańskich. Działka znajdowała się w Myślęcinku, w ładnej okolicy. Wprawdzie miała tylko czterysta metrów kwadratowych, ale była proporcjonalna i – dzięki domowemu architektowi krajobrazu – ciekawie zagospodarowana. Wokół ogrodzenia gęsto rosły tuje, w nasadzeniach dominowały iglaki, zresztą zgodnie z otoczeniem, w pobliżu znajdował się przecież las. Domek nie był duży, miał zaledwie dwa maciupeńkie pomieszczenia i tycią kuchnię, ale została doprowadzona do niego woda, była też mała toaleta z kabiną prysznicową, a z tyłu domu znajdowało się szambo.

Można więc tu było mieszkać, nawet w zimie, na upartego, bo gdy się napaliło w murowanej kuchni, rozgrzewało się całe wnętrze domku.

Oczywiście rodzice Jolanty nigdy nie pozwoliliby córce na koczowanie na działce, dziewczyna wiedziała, że to tylko taka mrzonka.

Kiedyś jednak, dumała, pomna marzenia Tych Trzech o domu z ogrodem, będę tak mieszkać. Tylko dom będzie większy.

Lusia zamknęła się w swoim pokoju i raz jeszcze obejrzała starannie skompletowaną „wyprawę studencką". Kilka notesów w sztywnych okładkach, żadnego zeszytu, rzecz jasna, kilka różnych długopisów, garść mocno zatemperowanych ołówków, sześć dobrych gumek. Osiem kolorowych mazaków i cztery czarne

cienkopisy. Książek na razie żadnych. Nie mogła się doczekać pierwszych zajęć.

TEODORA

– Mój pies nie będzie miał budy – protestowała Teo,
słuchając opowieści o ogrodowym projekcie Aleksandry, w którym na wypielęgnowanym trawniku pocze-
sne miejsce zajmowała psia buda i choć była obszerna,
podobno ciepła i wygodna, jednak to buda. A Teodora
bardzo kochała psy.

Ona jedyna nie zdawała na ATR w Bydgoszczy.
Miała studiować w Poznaniu. Weterynarię na Wydziale
Hodowli i Biologii Zwierząt. Usilnie namawiała przyjaciółki, żeby cała trójka zdawała na Uniwersytet Przyrodniczy w Poznaniu, przecież były tam wszystkie wy-
brane przez nie kierunki. Przeważyły wszakże względy
ekonomiczne, rodziców Aleksandry i Jolanty po prostu
nie stać było na pięcioletnie studia córek poza domem.
Rodzice Teosi też nie byli szczególnie majętni, w Poznaniu mieszkała jednak ciocia dziewczyny, młodsza siostra
jej mamy, osoba niezamężna i bezdzietna, która zgodziła
się na udzielenie gościny siostrzenicy, aczkolwiek – jak
przypuszczała sama Teo – może po prostu nie wypadało
jej się nie zgodzić. Do tej pory ciocia i siostrzenica dosyć
się lubiły, miała więc nadzieję, że tak zostanie.

– Ten pierwszy rok będzie sprawdzianem – oświadczyła Krystyna Kamińska. – Jeśli nie będzie nam się
układało, przez następne lata studiujesz już bez mojego
udziału, uczciwie ostrzegam.

Teodora, zachwycona tym, że dostała się na wymarzone studia, i tym, że pomieszka w Poznaniu – mieście, które lubiła i które bardzo jej się podobało, kiwała tylko głową, godząc się na wszystkie warunki ciotki. Tak, o dwudziestej drugiej zawsze będzie w domu, a jeśli miałaby z jakichś powodów wrócić później, zawsze o tym uprzedzi. Tak, nie będzie przyjmowała wielu gości naraz; jedną czy dwie koleżanki ciocia akceptowała. Kolegów też, oczywiście pod warunkiem zakończenia wizyt, bez względu na płeć gości, przed dziesiątą wieczorem. Tak, będzie kupowała jedzenie za własne pieniądze, a z kuchni będzie korzystała umiarkowanie i tylko wtedy, gdy to nie będzie przeszkadzało cioci.

Nic Teodory nie przerażało, chociaż przyjaciółki łapały się za głowy, słysząc o tych ograniczeniach.

– A gdyby któraś z nas chciała cię odwiedzić – zasmuciła się Luśka – to musiałaby spać w hotelu?

– Ej, nie będzie tak źle. – Teo dobrze znała ciocię Krysię. – Ciocia tylko udaje taką groźną. Przed moimi rodzicami, żeby się o mnie nie bali. A naprawdę jest bardzo fajna i cieszę się, że będę u niej mieszkać. – Teodora była niezmiennie pozytywnie nastawiona do całego świata, a teraz do pobytu w Poznaniu i swoich studiów w szczególności. Wsunęła palce we włosy i rozczochrała do reszty i tak już nastroszoną fryzurę. Włosy miała bardzo gęste i trochę kręcone, lekko brązowe.

– Nijakie – mówiła sama Teośka. – W ogóle cała jestem taka nijaka, średniego wzrostu i średniego wyglądu.

Nie była zadowolona ze swego wyglądu, ale całkiem niesłusznie. Miała bardzo miłą buzię z dołeczkami.

Piękne niebieskie oczy otoczone były nieprawdopodobnie długimi rzęsami, a gdy Teo się uśmiechała, cały świat jaśniał i każdemu, kto na nią spojrzał, od razu przychodziło na myśl jedno słowo: „urocza".

W Bydgoszczy Teosia mieszkała na Osiedlu Leśnym, przy Gdańskiej, naprzeciwko stadionu Zawiszy. Jej domem rodzinnym był jednak piętrowy domek w Solcu Kujawskim, miejscowości oddalonej od Bydgoszczy o dwadzieścia kilometrów. Tam od urodzenia mieszkał jej tata, Antoni Rybczyński, który odziedziczył dom po rodzicach, zmarłych niedługo po ślubie swojego jedynaka. Mama Teodory, Janina, z urodzenia bydgoszczanka, dzieciństwo i młodość spędziła przy ulicy Chodkiewicza, gdzie mieszkali jej rodzice, w starej kamienicy prawie na rogu Paderewskiego. Wkrótce po tym, gdy Janeczka wyszła za mąż i wyprowadziła się do Solca, a druga córka, Krystyna, przeniosła się do Poznania, zmarł mąż babci Dory. Wtedy babcia zamieniła swoje duże mieszkanie na niewielki pokój z wnęką przy Gdańskiej. Teo otrzymała imię po babci – nie była jednak Dorą, tylko Teosią, od dziecka. Gdy skończyła szkołę podstawową, rodzice zdecydowali, że chcą dać córce możliwie najlepsze wykształcenie, i tak Teo trafiła do liceum na Staszica. Zamieszkała z babcią, wielce tym zachwyconą. Choć w niewielkim mieszkanku obu im było dość ciasno, jakoś sobie poradziły. Teosia spała w kuchni, na rozkładanej amerykance. Kuchnia była na tyle spora, że dziewczyna urządziła tam sobie jeszcze – na kawałku blatu – coś w rodzaju biurka, na którym odrabiała lekcje.

– Dziecko kochane – biadoliła babcia. – A co ty będziesz tak w kuchni siedziała? Chodźże przecież do pokoju, urządzimy ci kącik w tej wnęce. Ja mogę spać na amerykance.

Na kącik we wnęce Teo się zgodziła, na babcine spanie w kuchni oczywiście nie. Babcia spała na metalowym łóżku, przewiezionym z Chodkiewicza, zajmującym ćwierć pokoju. Ale wygodnym (z nowym sprężynowym materacem) i – dla babci – swojskim. Nie było więc o czym mówić.

Zgrały się lepiej, niż można było sobie wyobrazić, i teraz, gdy Teodora miała zamieszkać i studiować w Poznaniu, martwiła się, jak też babcia bez niej da sobie radę.

Rozdział 3

TE TRZY

Przyjaciółki stały na skwerku Mariana Turwida i wzruszone ściskały się za ręce.

Przyszły tu dzisiaj zgodnie z umową. Oczywiście w ciągu tych minionych pięciu lat widziały się niejednokrotnie, ale ten dzień, piąty września, był szczególny i tak też go traktowały.

– No co, dziewczyny – Teo, jak zwykle w takich „zbiorowych" sytuacjach, objęła przewodnictwo. – Zleciało szybko, prawda? Leksi, pani magister – proszę o wypowiedź.

Aleksandra patrzyła w głąb ulicy, poprzez krzewy, widziała kontury pięknych willi stojących wzdłuż skweru i wybierała tę jedną, dla siebie. Przecież teraz, po studiach, miały już do swoich wymarzonych domów z ogrodami bliżej niż dalej.

– O, taki mógłby być. – Wskazała palcem na dom prawie na wprost wyjścia z ich zielonego zakątka. – Od pierwszego października będę na niego zarabiać.

W tym dniu zaczynała swoje życie zawodowe. Dzięki koneksjom swojego promotora z ATR dostała etat w Centrum Biznesowym Zachemu*, przy produkcji tworzyw sztucznych. Profesor bardzo ją namawiał do pozostania na wydziale i pójście na studia doktoranckie. Była najlepszą studentką, jaką miał od dawna. Ale Aleksandra chciała czegoś innego. Uznała, że zdobytą przez siebie wiedzę musi teraz przemienić w coś pożytecznego. Więc załatwił jej te tworzywa sztuczne. Niestety, tymi tworzywami sztucznymi najlepsza studentka była nieco... zawiedziona. Pomyślała jednak, że zrobiłaby afront profesorowi, nie przyjmując pracy, do której ją polecił. Przynajmniej spróbuje...

– Ja też zaczynam od października – powiedziała Lusia. – Wydział Gospodarki Komunalnej i Ochrony Środowiska urzędu miejskiego już czeka na swojego najnowszego architekta krajobrazu. Inżyniera całą gębą.

Ale najwspanialszą nowinę miała dla nich Teośka.
– No więc robię to – ogłosiła. – Wychodzę za Wiktora. – Specjalnie nic nie mówiła, trzymając w tajemnicy fakt zaręczyn przez ponad trzy miesiące. Czekała na ten specjalny moment. Gdy Wiktor pytał, czemu nie nosi pierścionka, odpowiadała, że przeszkadza jej w pracy. Rozumiał to, wiedział bowiem, jak wygląda praca weterynarza. Obydwoje pracowali już od sierpnia.

* Zachem – firma chemiczna z siedzibą w Bydgoszczy.

43

Dziewczyny rzuciły się na nią z piskiem.

– Nie mów nic teraz – poprosiły. – Opowiesz nam Pod Orłem.

Restauracja w bydgoskim hotelu Pod Orłem była uważana za jedną z najlepszych w mieście. Podawano tam potrawy według przepisów z lat 1920–1930, przyrządzone wyłącznie z naturalnych produktów – i ciągle były tak samo smaczne.

Przyjaciółki wybrały się na kaczkę z kluskami kładzionymi i pieczonym jabłkiem nadziewanym żurawiną. Do tego modra kapusta i butelka dobrego czerwonego wina. Szaleństwo. Na języku, na podniebieniu i... w kieszeni.

– A co tam – zadecydowała Teo – raz na pięć lat możemy się szarpnąć. – I ani słowa – uprzedziła Aleksandrę, która już otwierała usta – ani słowa o oszczędzaniu na dom z ogrodem. Będziesz na niego pracować od pierwszego października, sama powiedziałaś. Więc dzisiaj szalejemy.

Rozdział 4

TEODORA

Październik 2002 – maj 2003

– Mam na imię Wiktor. Posuń się kawałek, bo po prostu muszę usiąść obok ciebie.

Teo spojrzała w górę. Obok ławki stał najprzystojniejszy chłopak – nie, nie chłopak, tylko mężczyzna – jakiego w życiu widziała. Sto dziewięćdziesiąt centymetrów wzrostu, jasne rozwichrzone włosy, ciemne oczy, koloru nie mogła dokładnie dostrzec. Później zauważyła, że były brązowe, lubiła ten kolor. W ogóle lubiła kolory jesieni i Wiktor wpasował się w tę kolorystykę; poza brązowymi oczami miał na sobie ciemnobrązowy sweter w szpic, spod którego wystawał kołnierzyk koszuli w delikatną złotobrązową kratkę. Tylko spodnie miał niedobrane, powinny to być jakieś ciemnobrązowe sztruksy, a nie niebieskie sprane dżinsy. Cóż, *nobody is perfect*, pomyślała i dała spokój dalszym obserwacjom. Dostrzegła jeszcze, że jest szczupły i proporcjonalnie zbudowany. Więc tak w ogóle raczej *perfect*, stwierdziła.

Rozpoczynał się ostatni rok na uczelni i Teodora natychmiast doszła do wniosku, że to udany początek. Lubiła wszystkie lata swoich studiów, kochała zwierzęta, weterynarię wybrała z przekonania i potrzeby serca, a choć w trakcie nauki zdarzały się także momenty trudne, ogólnie była zadowolona. Jeszcze wczoraj, przed rozpoczęciem nowego roku akademickiego, nie wiedziała, czy ma się cieszyć, że przed nią już tylko jeden rok nauki, czy też raczej martwić się z tego powodu. Teraz stał przed nią taaaki facet i zapewniał, że musi przy niej siedzieć. Ekstra po prostu, więc... posunęła się, a ów ideał usiadł obok.

– Wiesz? – opowiadała Leksi, telefonując do niej jak zwykle, w sobotę. – Poznałam kogoś. Naprawdę KOGOŚ – oznajmiła z emfazą i w jej głosie słychać było te duże litery. – Nie dosyć, że idealny pod każdym względem, to na dodatek z Bydgoszczy. Poznacie go podczas ferii świątecznych. Aha – dodała – Lusce też zaraz wszystko opowiem. I każdej wyślę nasze wspólne zdjęcie. Same zobaczycie, że jest najprzystojniejszym facetem, co najmniej w kraju.

Lusia i Leksi poznały Wiktora w grudniu dwa tysiące drugiego roku. Spotkali się w Bydgoszczy, chłopak Teośki nie tylko był z ich miasta – na dodatek mieszkał też na Osiedlu Leśnym, o ulicę dalej od Teodory, na Czerkaskiej, przy Świerkowej. Mieszkał sam, bo rodzice już nie żyli, a żadnego rodzeństwa nie miał.

Mieszkanie wykupił i był dumnym właścicielem dwóch pokoi z kuchnią, razem trzydzieści siedem metrów kwadratowych.

– Teo – orzekły przyjaciółki – to po prostu dobra partia. Zarzucić można mu tylko jedno.

– Co? – zjeżyła się Teodora, gotowa wyciągnąć pazury. Uznała już Wiktora za doskonałość, a te tu…

– Tylko to – spokojnie kontynuowała Jola – że jest zbyt przystojny. Ciągle bym drżała, że jakaś małpa mi go ukradnie.

– Trudno. – Teo wzruszyła ramionami. – Jeśli da się ukraść, to znaczy, że nic nie był wart. Nie będę płakać. A raczej będę, ale w ukryciu.

Znajomość, nawiązana na początku ostatniego roku studiów, powoli przekształcała się w coraz bardziej trwały związek. Był już maj, niedługo życie akademickie miało się skończyć i Teosia wiedziała, że czas na jakąś decyzję. Wiktor na razie z niczym się nie deklarował, tak oficjalnie, ale z rozmów wynikało, że z góry zakłada, iż będą razem już na zawsze.

Teo nie chciała przyjąć tego do wiadomości, ponieważ nagle i niespodziewanie na horyzoncie pojawił się pewien Michał… I był w jej życiu już drugi miesiąc. Obok Wiktora, jakoś tak.

– Przecież stoisz mi na bucie, nie czujesz? – usłyszała któregoś marcowego dnia roku dwa tysiące trzeciego, w autobusie linii dziewięćdziesiąt jeden, jadąc z Witosa.

– W ogóle na niczym nie stoję, unoszę się w powietrzu. Widzisz chyba, że jestem aniołem – odrzekła i uśmiechnęła się, dostrzegłszy przed sobą najbardziej niebieskie oczy, jakie zdarzyło jej się widzieć. I oczywiście natychmiast wygłosiła komunikat o ich pięknie: – Ale masz te oczyska, no, no. – Stojący obok chłopak zadarł nos i poważnie przytaknął: – No wiem, mam, każda mi to mówi. Ale – dodał natychmiast – żadna inna nie sprawiła mi takiej radości jak ty. Chciałbym ci się spodobać, bo zakochałem się w tobie od pierwszego wejrzenia. Właściwie powinienem powiedzieć, że od pierwszego nastąpienia mi na odcisk, jednak już nie będę ci tego wypominał. Cieszę się, że raczyłaś wejść właśnie na mój odcisk.

Informacji o zakochaniu Teodora nie przyjęła poważnie, ale... dała się namówić na kawę. Potem, następnego dnia, na lody, a potem znowu na kawę. I nagle stało się tak, że więcej czasu spędzała z Michałem niż z Wiktorem. Wiktor miał te swoje treningi, siatkówka i siatkówka, e tam, Teośkę to nudziło. Misiek był dowcipny i umiał ją rozśmieszyć. Tyle że... z Wiktorem wiązało ją coś więcej, a z Michałem w zasadzie tylko flirtowała. Tak uważała. Michał naciskał, tworzył okazje, doprowadzał do rozmaitych sytuacji, a ona nie dawała się namówić na nic bardziej intymnego niż uściski i pocałunki. Nawet gorące, owszem, ale... Ale zawsze w ostatniej chwili Teo widziała przed oczami twarz Wiktora i włączała jej się jakaś blokada. „Nie", mówiła i było w jej głosie coś takiego, że Michał rozumiał, iż to „nie" naprawdę znaczy „nie". Tylko nie mógł zrozumieć dlaczego. A było tak dlatego, że przecież to Wiktor był najdoskonalszy, wiedziała o tym od początku. Ten Michał to po prostu jakieś zawirowanie, w ogóle głupie i niepotrzebne. Kochała Wiktora, była tego pewna.

Więc co z Michałem? Nie mogła tego pojąć, nawet gdyby chciała przyjąć tezę, że kobieta zmienną jest. Ona zmienna przecież nie była. Wiedziała, że tym jedynym jest Wiktor Fotecki. Czemu więc traci czas z Michałem? Męczyło ją to, mówiła sobie, że dzisiaj widzi się z nim ostatni raz i... następnego dnia jak gdyby nigdy nic szła z Miśkiem do kina.

– Wiesz? – mówiła przez telefon do Aleksandry. – Ja chyba jestem nienormalna.

– Jesteś – potwierdzała przyjaciółka.

Ale dopiero Luśka postawiła ją do pionu.

– Nie jesteś nienormalna, tylko po prostu głupia jakaś. Przecież świata nie widzisz poza Wiktorem, więc co wyprawiasz? Niebieskie oczy? I co z tego? Puknij się w ten pusty łeb i opamiętaj się, do cholery. Więcej mnie nie denerwuj, w ogóle nie chcę słuchać tych twoich głupot.

– Widziałem cię wczoraj z jakimś przystojniakiem. Siedzieliście w Teatralnej i byłaś tak w niego wpatrzona, że nawet mnie nie zauważyłaś, choć przechodziłem dwa razy obok waszego stolika. Trzymał cię za rękę. Masz mi coś do powiedzenia? – Wiktor zmrużył oczy i przez zaciśnięte szczęki cedził słowo po słowie.

Teo nie wiedziała, co powiedzieć. Nie mogła oświadczyć, że to było spotkanie pożegnalne, bo wczoraj zdecydowała się wytłumaczyć Michałowi, że żadne takie i że z tej mąki chleba nie będzie. Nie przyjął tego ze zrozumieniem, stąd to trzymanie ją za rękę i inne przymilanki. Nie mógł pojąć, dlaczego Teo go nie chce. Mimo tych jego oczu i wszystkich innych walorów.

W końcu obraził się, sądząc, że dopiero tym zrobi na niej wrażenie. Miał nadzieję, że jak Teo pomyśli, że naprawdę go traci, zastanowi się i zmieni zdanie.

A Wiktor akurat w tym dniu musiał wejść do tej samej kawiarni, wściekała się dziewczyna.

– Słuchaj, to nie tak, jak myślisz. – Patrząc na Wiktora, wygłosiła komunikat najgłupszy ze wszystkich możliwych. – To taki tam jeden, no, kolega. Może chciałby być kimś więcej niż kolegą, ale ja przecież tylko ciebie kocham – zaczęła się plątać, czując, jak płoną jej policzki.

– Coś za bardzo się tłumaczysz. – Wiktor spojrzał na nią spode łba. – Czyli masz coś na sumieniu. To może zastanów się, którego wybrać, choć nie wiem, doprawdy, czy jeszcze cię chcę.

Odwrócił się na pięcie – szli nabrzeżem Warty – i szybkim, zdecydowanym krokiem poszedł w stronę miasta.

Teodora nie wiedziała, co robić. Trochę miała na sumieniu, czuła to, w końcu obściskiwała się z Miśkiem. Gdyby tak Wiktor z jakąś... aż się wzdrygnęła. Ale z drugiej strony on o tych uściskach nie miał pojęcia. Więc takie fochy po tym, jak zobaczył ją z kimś w kawiarni? Owszem, Michał trzymał ją za rękę, no i co z tego? Przyjaciele często tak robią. Inna sprawa, że wszystkich jej przyjaciół Wiktor znał. Tak jak i ona jego. Teraz już w ogóle mieli wspólnych przyjaciół. Ale gdyby tak, no na przykład jakiś dawny kolega ze szkoły albo ktoś tam. Tak, no właśnie, ktoś tam. Roztrząsała to wszystko w myślach, wyciągając telefon i chowając go z powrotem. Co pół godziny sprawdzała pocztę, nasłuchiwała, czy nie ma sygnału SMS-a – nic. Zawziął się, pomyślała. Dobrze, to ja też się zawezmę, postanowiła.

– Głupia jesteś! – krzyczała na nią Jolka. – Jak do niego nie zadzwonisz, to ja sama zadzwonię. Takiego faceta to, to... – Aż zamilkła z oburzenia.

– Lusia – tłumaczyła jej Teo. – Jeśli on się obraża o takie nic, jeśli zachowuje się jak napakowany mastodont, to ja przecież nie będę błagać o uwagę.

– Mastodont? No, proszę cię... – Jolanta była już autentycznie zła i dało się to słyszeć w jej głosie. – Uważaj, kochana, żebyś nie przedobrzyła, mówię ci to. Myślisz, że on długo tak sam będzie chodził? Sama bym się do niego ustawiła w kolejce, gdybym mieszkała w Poznaniu.

– Ale przecież on też jest z Bydgoszczy – zaśmiała się przewrotnie Teosia.

Luśka się rozłączyła.

Teo wybiegła z uniwersytetu i prawie wpadła na Michała. Rozpostarł ręce i złapał ją w objęcia, okręcając się z nią w koło. W pół obrotu dostrzegła Wiktora, który stał w drzwiach wyjściowych i patrzył na nich, wirujących radośnie, jakby byli bardzo ze sobą szczęśliwi.

– Puść mnie, idioto! – wrzasnęła dziewczyna, lecz gdy wyrwała się z objęć Michała, Wiktora już w zasięgu wzroku nie było. Pobiegła w stronę akademika, gdzie mieszkał, nie zwracając uwagi na mówiącego coś Michała.

Przysiadła na najbliższym skwerku i wystukała SMS. „Jeśli myślisz to, co myślę, że myślisz, to znaczy, że tak naprawdę cię nie znałam".

Po chwili telefon pisnął i Teo odczytała: „Nie wiem, co myślisz, i ty nie wiesz, co ja myślę. A myślę, że tak naprawdę to ja ciebie nie znałem. Nie pisz do mnie i nie dzwoń. Kocham cię, ale już ci nie ufam, więc nie mogę być z tobą".

Siedziała, wpatrując się w tę wiadomość, i uznała, że głupszego tekstu nigdy nie zdarzyło jej się czytać.

– Leksi, ty mi powiedz, co mam zrobić. – Zadzwoniła do Aleksandry. – Bo Luśka tylko mnie ochrzania i mówi, że głupia jestem. Jakbym sama nie wiedziała. Ale ja chcę wiedzieć, co mam zrobić, nie jaka jestem.

Ola niestety jej nie pomogła, bo sama nie wiedziała, co robić. Poza „przetrzymaj to". Dobrze, spróbuję, obiecała sobie Teodora i poszła do domu. Czyli do cioci Krysi.

Uniwersytet Przyrodniczy grał przeciwko politechnice. W tenisie zwyciężyła politechnika, w koszykówce też. Mecz piłki nożnej zakończył się remisem. Uniwerek miał już tylko jedną szansę na wygraną – żeńska drużyna siatkarska poległa, teraz na placu boju pozostali mężczyźni. Na razie prowadzili w setach dwa do zera. Rozgrywali trzeci set – może decydujący. Było dwadzieścia trzy do dwudziestu dla „naszych" – Teodora i wszyscy z uniwersytetu mocno ściskali kciuki. Teo kibicowała uniwerkowi nie tylko z patriotyzmu lokalnego, ale też dlatego, że w tej drużynie grał Wiktor. Smukły, skoczny, świetnie serwujący, po prostu podpora drużyny.

I nagle, gdy wyskoczył do piłki, tak trochę zmyłkowo, bo zagranie miał odebrać ktoś inny, umieli przecież doskonale się porozumiewać i przeróżne triki mieli doskonale opanowane – piłka, puszczona bokiem zupełnie przez innego gracza niż ten, który miał ją odbić, wylądowała na skroni Wiktora. Widocznie drużyna przeciwna też miała opanowane jakieś swoje triki, bo ciosu z tej strony w ogóle nie przewidziano. Wiktor padł jak długi na boisko. Grę przerwano, i to na dłużej, bowiem Fotecki nie wstawał. Teodora zaczęła się przeciskać z trybuny na dół, lecz do Wiktora jej nie dopuszczono.

– Proszę odejść i nie utrudniać. – Uprzejmy ochroniarz stanowczo zagrodził jej drogę.

– Ale... – Teo jeszcze nie płakała, choć mało brakowało. – Ale to mój narzeczony – nagięła trochę rzeczywistość.

– Trudno, ja nie mogę nikogo przepuszczać. Zaraz przyjedzie karetka, to proszę ewentualnie z lekarzem porozmawiać – mężczyzna próbował ją zbyć.

Teodorze udało się dowiedzieć tylko tyle, że Wiktora zabierają do Szpitala Wojewódzkiego. Żadnych informacji o stanie pacjenta ani o tym, co go czeka, nikt jej nie chciał udzielić.

Oczywiście natychmiast pojechała do szpitala, jednak poinformowano ją tylko, że dzisiaj nikt jej niczego nie powie i ma przyjść jutro. A kiedy przyszła następnego dnia i ustaliła, gdzie jest Wiktor, zastała go już ubranego. Siedział obok łóżka i czytał „Politykę".

Podbiegła do niego, objęła dłońmi jego głowę i przytuliła do piersi, płacząc.

– Och, jak się martwiłam, kocham cię, tak bardzo cię kocham, czemu tu siedzisz, co ci jest? – zarzuciła go pytaniami. – Myślałam, że oszaleję, całą noc tak bardzo się denerwowałam, nikt mi nie chciał nic powiedzieć.

– Puściła jego głowę, przysiadła na szpitalnym łóżku i złapała go za rękę, ściskając ją tak mocno, jakby już nigdy nie miała przestać.

Okazało się, że Wiktor wychodzi do domu, czekał już tylko na wypis. Cały wczorajszy dzień robiono mu badania, które wykazały, że – poza lekkim wstrząsem mózgu – nic mu nie jest. Lekarz prowadzący chciał przetrzymać go w szpitalu jeszcze przynajmniej jeden dzień na obserwacji, ale Wiktor podpisał oświadczenie, że wychodzi na własną prośbę.

– Jakbym się gorzej poczuł, gdybym miał jakieś mdłości czy mroczki w oczach albo inne dziwne objawy, mam się tu natychmiast stawić – opowiadał Teosi. – Ale nic mi nie jest, naprawdę. Poza tym, że chyba mam omamy, bo słyszę, że bardzo mnie kochasz.

– Cicho bądź, przestań się wygłupiać. Przecież wiesz, że zawsze cię kochałam i kocham. Zabieram cię ze sobą – oświadczyła dziewczyna i już dzwoniła z komórki do cioci Krystyny.

– Ciociu... – opowiedziała całą historię i poprosiła o zgodę na przywiezienie Wiktora do mieszkania pani Krystyny. – Wiesz przecież, że... – Ciocia nie dała jej skończyć.

– Przyjeżdżajcie, nie ma sprawy, wiem przecież... – Zaśmiała się lekko. – Też byłam młoda, nie tak dawno zresztą. A twojego Wiktora bardzo lubię. Na ślub oczywiście przyjadę.

– Kocham cię, ciociu. I dziękuję. – Skinęła głową w stronę chłopaka. – Załatwione – powiedziała. – Nie zniosłabym następnej nocy bez świadomości, jak się czujesz. Jedziesz ze mną, ciocia się zgodziła.

*

– *Will you marry me?* – Wiktor wyciągał w jej stronę otwarte pudełeczko, w którym leżał dość skromny pierścionek z migoczącą brylantowo kropeczką.

– Oszalałeś? – wysyczała Teodora, a takiej odpowiedzi stojący przed nią mężczyzna raczej się nie spodziewał. Nie zdążył jednak nic powiedzieć, gdyż Teo błyskawicznie dodała: – Po angielsku? Najważniejsze pytanie życia zadajesz mi w obcym języku? Pewnie, że wyjdę za ciebie, ale zacznij jeszcze raz od początku.

– Wyjdziesz za mnie? – Tym razem Wiktor lekko przyklęknął na kolano.

– *Yes, yes, yes* – przewrotnie zaśpiewała jego, od tej chwili, prawowita narzeczona.

*

Następnego dnia opuszczali Poznań, by wrócić do rodzinnego miasta. Mieli świetnie zaplanowaną przyszłość. Ślub, tak, teraz to już ostatecznie zdecydowane. Ale najpierw praca, a przed tym wszystkim – odpoczynek. Za miesiąc jechali do Zakopanego, obydwoje kochali Tatry, chcieli się trochę powłóczyć po górach.

Praca, ślub i cała przyszłość poczeka.

Marzec 2004

Przepiękna panna młoda włożyła obrączkę na palec męża po wypowiedzeniu sakramentalnej formuły: „...przyjmij tę obrączkę jako znak mojej miłości i wierności, w imię Ojca i Syna i Ducha Świętego". Przed chwilą te same słowa wypowiedział Wiktor i na palcu Teodory złociło się już małżeńskie kółko.

Szloch babci Dory słychać było w całym kościele. O miejsce ślubu przyszli państwo młodzi prawie się pokłócili. Wiktor chciał, żeby to stało się w bazylice Świętego Wincentego à Paulo, w alei Ossolińskich. Mówił, że to najpiękniejszy kościół w całej Bydgoszczy. Uwielbiał profesora Wiktora Zina (takie wspaniałe imię!) i bardzo podobał mu się wystrój wnętrza świątyni*.

Jednak Teo wolała kościół Świętego Piotra i Pawła na placu Wolności. Neoromański, częściowo neogotycki, odbudowany po zniszczeniach wojennych i każdego roku upiększany, jest jedną z najbardziej lubianych świątyń bydgoskich. A znajdujące się tam organy mają czterdzieści dwa głosy i brzmią przepięknie.

W sporze zwyciężyła – oczywiście – Teodora i teraz właśnie te pięknie brzmiące organy wraz ze skrzypcami wygrywały *Ave Maria* Schuberta, akompaniując przyjacielowi Wiktora, Pawłowi, obdarzonemu wspaniałym głosem.

Płakała nie tylko babcia Dora, płakali też Janina i Antoni – rodzice Teosi, których przecież nie mogło na tym ślubie zabraknąć – a także ciocia Krysia z Poznania,

* Od 1967 r. pracami nad odbudową bazyliki kierował prof. Wiktor Zin. Według projektu Zina w kościele zamontowano marmurowe pilastry o koryncki kapitelach, zbudowano chór muzyczny, zainstalowano mozaikowe lustra odblaskowe. Prof. Zin zaprojektował także mozaiki na sklepieniach, wystrój prezbiterium oraz rozety w kasetonach kopuły i witraże.

dumna, że młodzi poznali się właśnie w jej mieście i że troszkę pomogła tej miłości. Natomiast Luśka i Leksi, roześmiane od ucha do ucha, stały przy samym wyjściu, gdyż chciały pierwsze obrzucić młodą parę ryżem i grosikami, zbieranymi od miesiąca.

Ślub był przepiękny, wesele też, w restauracji obok stadionu bydgoskiego Zawiszy. Młodzi oddali do dyspozycji rodzicom Teodory mieszkanie przy Czerkaskiej, a sami wynajęli sobie na noc poślubną pokój w hotelu Pod Orłem. Ciocia Krysia ulokowała się u babci Dory, czyli swojej mamy – i cała rodzina była zadowolona.

Marzec 2006

Jolanta i Aleksandra stały na cmentarzu tuż przy przyjaciółce. Żadna z nich nie wierzyła w to, co się właśnie działo. Teo, trzymająca się dzielnie przez całą mszę żałobną, teraz wrzuciła do grobu długą czerwoną różę, osunęła się na kolana i wydała z siebie tak rozpaczliwy szloch, że wszystkim ścisnęły się serca. Dziewczyny pochyliły się ku niej i wyciągnęły dłonie. Teo podniosła się sama; już nie płakała, miała tylko przeraźliwie puste spojrzenie.

Pytania: „dlaczego", „za co", „jakim prawem" Teodora zadawała Panu Bogu już kilkakrotnie. Ponieważ do tej pory nie odpowiedział, przestała pytać. Właściwie to trzymała się dość dzielnie, do momentu gdy wchodziła do pustego mieszkania na Czerkaskiej.

Zrzucała z nóg buty i opierając się o ścianę, wybuchała głośnym płaczem. Wyła po prostu. Trwało to kilka minut, a potem szła do łazienki, obmywała twarz i zabierała się do najbardziej znienawidzonych zajęć. Ścierała kurze, polerowała meble, myła okna, przecierała szafki w kuchni, pucowała kafelki w łazience. Jej mieszkanie wcale takich porządków nie wymagało, wręcz nienaturalnie lśniło czystością. Wszystko się świeciło, błyszczało i pachniało. Mimo to czyściła wszystko od początku, ogarnięta jakimś niezrozumiałym szalonym pragnieniem ekspiacji. Jakby to, co się stało, było jej winą, którą teraz musiała odpokutować.

Było tak od momentu, gdy zadzwonił telefon. Jakiś głos, upewniwszy się, że ma do czynienia z panią Fotecką, poinformował ją, że jej mąż znalazł się w szpitalu i powinna przyjechać do nich jak najprędzej.

– Do was? Gdzie? To jakaś pomyłka. – Teo już chciała się rozłączyć, lecz coś jej powiedziało, żeby tego nie robiła. Ściskała więc tylko w dłoni komórkę tak mocno, że omal jej nie zgniotła.

– Szpital Uniwersytecki, Jurasza, przy Curie-Skłodowskiej. – Kobieta w telefonie podawała informacje jednym tchem, a Teodora nie rozumiała tak naprawdę, co słyszy.

– No tak, proszę pani, ja wiem, gdzie jest szpital Jurasza, ale nie rozumiem, co się stało. Skąd wziął się u państwa mój mąż i co mu jest? Czy miał jakiś wypadek? W jakim jest stanie? – pytała, opadając ciężko na stołek w kuchni. – Jest pani pewna, że to nie pomyłka? Chodzi o Wiktora Foteckiego? – zadawała pytania, ale już znała odpowiedź. Tak, z pewnością chodziło o JEJ Wiktora, inaczej skąd mieliby numer jej komórki?

JEJ Wiktor trzymał numer jej telefonu za obwolutą dowodu osobistego. I na Teo wymógł to samo.

– Ale proszę mi powiedzieć, czy chodzi o Wiktora Bożydara Foteckiego – upewniała się rozpaczliwie. Bo przecież Wiktorów Foteckich mogło być dwóch, prawda? Ale Wiktorów Bożydarów... to drugie imię to taka prywatna podzięka rodziców niebiosom za syna. No i bez względu na to, ilu w Bydgoszczy czy w całej Polsce było Wiktorów Foteckich, ilu było Wiktorów Bożydarów Foteckich, z pewnością tylko jeden miał przy sobie numer jej telefonu komórkowego. Nie w telefonie, nie w notesie, lecz przy dowodzie osobistym, z adnotacją: „W razie wypadku proszę dzwonić do...".

W słuchawce usłyszała westchnienie.

– Proszę pani, mnie tylko polecono przekazać pani to, co powiedziałam. Wszystkie szczegóły poda lekarz, osobiście. Klinika Medycyny Ratunkowej.

– Ja, ja już do państwa jadę, natychmiast! Przepraszam, że tak wypytuję, ale chyba pani rozumie... – Teo odłożyła słuchawkę i wybiegła z domu, zastanawiając się gorączkowo, co się stało i dlaczego nic jej nie chcą powiedzieć przez telefon.

A stało się to, że Wiktor w drodze do domu, wracając od chorego na cukrzycę psa, któremu trzeba było zrobić kroplówkę, doznał rozległego zawału serca, tak ostrego, że w mgnieniu oka stracił przytomność i lekko wbił się samochodem w narożną latarnię. Lekko, bo dopiero zmieniły się światła i właśnie ruszał. Zmarł w kwadrans po przywiezieniu do szpitala, nie pomogła żadna reanimacja.

– Ale, panie doktorze – mówiła Teo, patrząc bezradnie na lekarza, który podawał jej do podpisu zgodę na sekcję zwłok. – Mąż wprawdzie palił papierosy, jednak... przecież... był ogólnie zdrowy i sprawny... – Pociągnęła nosem. – Nie rozumiem, jak to mogło się stać? Dlaczego?

Na pytanie „dlaczego" lekarz nie odpowiedział, wyjaśnił tylko, że odpowiedź na pytanie, jak to się mogło stać, najprawdopodobniej dadzą wyniki sekcji zwłok.

Tyle że dla Teodory to „jak?" przestało być już ważne. Na pytanie „dlaczego?" nie odpowiedział jej nikt.

Usiłując znaleźć odpowiedź, sama wydedukowała sobie, że wszystkiemu winny był śnieg. Sypał od rana i zapewne zasypał jakąś zamarzniętą kałużę, na której samochód wpadł w poślizg i walnął w latarnię. Tego, że uderzenie w latarnię było już następstwem zawału Wiktora, nie brała pod uwagę. Jej mąż po prostu nie mógł mieć zawału, był młody i zdrowy. Nie pił, palił mało, nie był otyły. Uprawiał sport. Był sprawny, aż raptem... nie żył. Teo nie chciała tego przyjąć do wiadomości. COŚ musiało go zabić.

I od tamtego marca dwa tysiące szóstego roku Teodora nie znosiła śniegu. Gdy padał, najchętniej nie wychodziła z domu, a jeśli już musiała wyjść, nigdy nie wsiadała do samochodu. Nie jechała też taksówką ani autobusem. Dopuszczała jedynie tramwaj. Choć tak naprawdę Teo nie widziała powodów, dla których musiałaby żyć. Gdyby miała pewność, że... wsiadłaby w samochód i jeździłaby po tym śniegu dopóty, dopóki nie wpadłaby na jakąś zamarzniętą kałużę, a z niej wprost na latarnię. Pewności co do życia pozagrobowego jednak nie miała, tkwiła więc w swojej codzienności, która bardzo się różniła od tej sprzed marca dwa tysiące szóstego roku.

Rozdział 5

JOLANTA

Październik 2003

Jolanta rozpoczęła swoją pierwszą w życiu pracę bardzo nieprzyjemną przygodą – pierwszego dnia tak się śpieszyła, żeby się nie spóźnić, że potknęła się przy wejściu do gmachu urzędu. Potknęła się – to właściwie niedokładnie powiedziane, po prostu źle stąpnęła i wywichnęła sobie nogę. Czując okropny ból, z kostką opuchniętą jak bania, dokuśtykała jednak tam, gdzie jej kazano, i zaraz po załatwieniu wstępnych formalności zapytała o możliwość skorzystania z pomocy lekarskiej. Możliwość istniała, na pierwszym piętrze była niewielka przychodnia, taka zakładowa. Lekarka zaleciła okłady z wody z octem i opaskę uciskową, przepisała także środki przeciwzakrzepowe. I wyciągnęła z szuflady bloczek z drukami L4.

– O, nie, dziękuję. – Jola kręciła przecząco głową. – Żadnego zwolnienia.

– Ale przecież pani powinna leżeć – zaprotestowała lekarka. – A przynajmniej ograniczać chodzenie.

Lusia skwapliwie obiecała, że będzie ograniczać, tłumacząc pani doktor, że to pierwszy dzień w jej życiu zawodowym i nie może przecież rozpoczynać pracy od zwolnienia lekarskiego.

Koleżanka, z którą przyszło jej dzielić pokój, patrzyła na nią jak na dziwoląga.

– Nie wzięłaś zwolnienia? – W powietrzu wisiał nie tylko znak zapytania, ale też wykrzyknik.

Luśce nawet nie chciało się wyjaśniać, że istotnie nie wzięła i dlaczego.

Nie bardzo zgrały się z Ireną, ową koleżanką z pokoju. Irena w Wydziale Gospodarki Komunalnej i Ochrony Środowiska urzędu miejskiego pracowała już piętnaście lat, przeżyła tam, jak mówiła, trzech dyrektorów i kilku kierowników. Wiedziała wszystko o wszystkich – i to nie tylko z ich wydziału, wiedziała też, co trzeba było wiedzieć o różnych pracownikach innych wydziałów, i znała życie rodzinne, towarzyskie i, oczywiście, zawodowe, sekretarek prezydenta miasta. Czy wiedziała cokolwiek o samym prezydencie, nie mówiła, ale Jola była przekonana, że tak.

Od razu – to znaczy, jak tylko kostka Luśki na to pozwoliła – Irena oprowadziła nową koleżankę po całym gmachu, wyjaśniając, gdzie, co i po co. Dziewczynę ucieszyła wiadomość, że w urzędzie jest biblioteka beletrystyczna – i szybko się do niej zapisała.

– A tu jest siedziba naszego związku zawodowego – wskazała Irena, zdziwiona, że Jolanta natychmiast nie ruszyła do tych drzwi.

– Aha. – Jola poszła dalej przed siebie. – Ja, wiesz, nigdzie nie należę. Jestem absolutnie bezpartyjna, bezzwiązkowa i bezprzynależnościowa. I mam nadzieję, że tak pozostanie.

Na zakończenie wędrówki urzędoznawczej wylądowały w bufecie, gwarnym i zapchanym po brzegi. Irena znała wszystkich i przedstawiała Jolancie niektóre osoby, choć tej aż migało w oczach i większości nie poznałaby po pięciu minutach od wyjścia z pomieszczenia.

A następnego dnia po tej wyprawie eksploracyjnej, na korytarzu, którym Jola wędrowała do pewnego ustronnego miejsca, zaczepił ją niewysoki mężczyzna, wyciągając do niej rękę, z miłym uśmiechem.

– Dzień dobry, pani Jolanto. – Ukłonił się szarmancko. – Do bufetu?

– Nie – odpowiedziała krótko Lusia, podając mu wszakże rękę.

– Antek jestem. Antoni Korolczak. – Ukłonił się jeszcze raz. – Pani mnie nie kojarzy? Irena przedstawiła nas sobie wczoraj, właśnie w bufecie.

Antek, czyli Antoni, był mężczyzną w średnim wieku, tak się przynajmniej Joli wydawało. Oceniła go na trzydzieści pięć, a nawet czterdzieści lat, a tak naprawdę miał ich trzydzieści, po prostu wyglądał starzej. Miał zmęczoną, jakby zmiętą twarz i szarą cerę. Ale w tej przywiędłej twarzy błyszczały całkiem wesołe czarne oczy, a gdy kąciki ust unosiły się w uśmiechu, całe oblicze aż jaśniało i tych „wirtualnych" lat natychmiast mu ubywało.

Antoni pracował w Wydziale Mienia i Geodezji. Pełnił funkcję kierownika jednego z referatów, co było, jak sam mawiał, chyba szczytem jego kariery. Przynajmniej w sferze zawodowej. Poza pracą Korolczak działał w jednej z większych partii, bezskutecznie – jak dotąd – starając się o miejsce na liście wyborczej do Sejmu. Był młody, wytrwały i partyjnie lojalny, wierzył więc, że kiedyś tam dochrapie się swojego.

Na razie jednak siedział na tym urzędniczym stołku, przynosząc do domu niezbyt dużą pensję. Niezbyt dużą na wykarmienie rodziny, to znaczy żony i dwojga dzieci. Nudziło mu się, szczerze mówiąc – i w pracy, i w domu. Dzieci teoretycznie kochał, ale najbardziej kiedy był poza domem. Żona? Sam nie wiedział, co do niej czuje po ośmiu latach małżeństwa. Pobrali się jeszcze na studiach, bo pchało się na świat dziecko – starszy syn. Teraz chyba, jak mawiał Boy-Żeleński, mu wychłódło i żona była, bo była. I tyle.

Gdy ujrzał Jolantę w zatłoczonym bufecie, pomyślał, że dawno nie widział piękniejszej kobiety. Jola może nie była aż piękna, ale ładna owszem. Nawet bardziej niż ładna. I na dodatek zgrabna, a te jej miodowozłote włosy wpadały w oczy każdemu.

Antoni starał się więc jak najczęściej wpadać na Jolę „przypadkiem", czy to na korytarzach urzędu, czy w bufecie, czy nawet po wyjściu z pracy. Z początku traktowała go jak zwykłego kolegę, z czasem jednak zaczął dla niej znaczyć coś więcej.

Przyjaciółki nie były zachwycone tą znajomością.

– Po co ci żonaty palant, no po co? – Leksi, która w owym czasie była „bez przydziału", krytykowała

wszystkie związki, z wyjątkiem oczywiście związku Teośki, o którym i ona, i Jola, wiedziały, że skończy się ślubem, bez względu na wszystko.

– Lusia, daj sobie spokój. Jeszcze jakieś nieszczęście
ci się przydarzy – ostrzegała Teo. – Potrzebna ci poza-
małżeńska ciąża? – straszyła ją. – A poza wszystkim on
nawet nie jest przystojny. W ogóle cię nie rozumiem.
– Machała ręką – Leksi też nie.

Ciąża na szczęście jej się nie przydarzyła. Ale pewnego dnia, gdy Jola z Antonim siedzieli w jednej z kafejek
na Starym Rynku, przy ich stoliku stanęła młoda kobieta, trzymająca za rękę dziecko.

– Alek zachorował na grypę i zostawiłam go u babci
– powiedziała, zwracając się do Antoniego i zupełnie
ignorując Lusię. – Z Bartkiem trzeba iść do dentysty,
zapomniałeś? A ja mam przecież zebranie w szkole. Też
zapomniałeś, prawda? Bo widzę, że zupełnie coś innego
zaprząta twoją uwagę. Cudem chyba wypatrzyłam cię
przez okno w tej kawiarni. Zakończ to swoje spotkanie
i zaprowadź syna do dentysty. – Posadziła oszołomione
dziecko, mniej więcej sześcioletnie, na krześle. – Dobrze, że właśnie tędy szłam – dodała jeszcze i wybiegła.

– To moja żona – powiedział bez sensu Korolczak,
mieszając uparcie herbatę, do której chyba wcale nie
wsypał cukru.

Jolanta nigdy w życiu nie poczuła się tak zlekce-
ważona i nigdy nie było jej tak głupio. Nie przykro,
nie nieprzyjemnie, ale po prostu głupio. Popatrzyła
na chłopca, który siedział jak trusia tam, gdzie go po-
sadzono. Odwróciła głowę i ujrzała za oknem kawiarni

żonę Antoniego, sprawdzającą chyba, czy z dzieckiem wszystko w porządku. Sam Antoni siedział z tak bezdennie tępą miną, że Joli w mgnieniu oka przeszło całe zainteresowanie jej adoratorem.

– Jezu – powiedziała, wstając. – Naprawdę byłam na skraju totalnego ogłupienia umysłowego, zadając się z tobą. Kup temu małemu jakieś ciastko jeszcze przed wizytą u dentysty. O ile w ogóle wiesz, gdzie i na którą masz go zaprowadzić. A jeśli nie wiesz, to twoja żona tam stoi. – Machnęła ręką w stronę szyby. – Idź i zapytaj. A mnie skreśl, jako i ja skreślam ciebie – zakończyło jej się jakoś biblijnie, mimo że chciała się wściekać i wrzeszczeć. Tylko na kogo? Najbardziej na takie nawrzeszczenie zasługiwała ona sama.

Koniec historii, jak obwieściła przyjaciółkom, zapraszając je na obiad.

– Z okazji odzyskania rozumu – odparła, pytana o okazję.

Ucieszyły się. Z obiadu też.

Wrzesień 2006

Praca Joli w urzędzie miejskim była, delikatnie mówiąc, taka sobie. Owszem, powierzono jej opiekę nad bardzo prestiżowym miejscem w Bydgoszczy, miała dbać o zieleń w parku imienia Jana Kochanowskiego. Jolanta, jak wszyscy bydgoszczanie, zachwycała się tym parkiem, jego ukształtowaniem, położeniem w „dzielnicy muzycznej" oraz, oczywiście, Łuczniczką, posągiem, który z czasem stał się symbolem miasta. Doznała jednak wielkiego rozczarowania, gdy nie pozwolono jej na własny projekt choćby kobierców kwiatowych wokół pomnika. Nie pozwolono jej nawet na zmianę gatunków roślin, które chciała tam posadzić.

– Ma pani przecież ubiegłoroczne plany – usłyszała.

– Proszę zadbać, aby wszystko było tak jak zawsze.

Jasne, świetnie, tylko czy do tego jest potrzebny architekt krajobrazu?

Dostawała niekiedy zlecenia na projekt zieleni na jakimś nowo budującym się osiedlu, ale jej inwencję ograniczały wytyczne: „tu mają być garaże, a tu piaskownica" i tym podobne uwagi.

Jolanta powoli dojrzewała więc do rezygnacji z tego całego „urzędowego" stanowiska. Koleżanka ze studiów namawiała ją na przystąpienie do spółki – one dwie i Kajtek lub Kaj, czyli Kajetan Kowalski, mieliby stworzyć prywatną firmę projektującą ogrody. Kajetan – „cóż, skoro Kowalski, to chociaż Kajetan", mawiał o sobie – był starszy od obu pań o rok. Studiował logistykę na Wydziale Ekonomii i Zarządzania w Toruniu, jednak praca w oddziale regionalnym Kujawy Ruchu SA nie dała mu satysfakcji. Roznosiła go energia, której nie miał gdzie spożytkować. I – a stało się to tylko przez przypadek – niebiosa wskazały mu właściwą drogę. W podbydgoskim Myślęcinku, gdzie rodzice Kaja mieli maleńki skrawek ziemi i niewielki domek, szybko rozrastało się podmiejskie osiedle bogatych bydgoszczan.

– Kajku – tata oderwał wzrok od gazety, gdy syn wszedł do kuchni – wiesz, Markowscy, ci nasi najbliżsi sąsiedzi, no ci, którzy odkupili działkę od Suwalskich, szukają kogoś, kto zaprojektuje im ogród. I wykona projekt oczywiście. – Ojciec opuścił okulary na nosie i patrzył na syna, zdziwiony, że ten nie reaguje. – Kaj, słyszysz?

– No przecież słyszę, tato, ale czemu mi to opowiadasz? Dobrze, rozumiem, że powinienem się interesować życiem całej społeczności Myślęcinka i okolicy, bo to wasi sąsiedzi i przyjaciele, ale nie znam Markowskich, nie znałem Suwalskich i, wybacz, mało obchodzi mnie ich działka. – Kaj otworzył lodówkę i zastanawiał się, co tu zjeść na śniadanie.

– Zamknij tę lodówkę, bo ją zalodzisz, i nie grzeb tam. Wszystko, co jest na śniadanie, stoi na stole, nie widzisz? A kontynuując naszą rozmowę, powiem ci, że ze smutkiem obserwuję twój rozwój wsteczny, z szacunkiem się wyrażając. – Ojciec złożył gazetę i rzucił ją na krzesło. Z irytacją wycelował w syna palec. – Sam mówisz, że ta praca w Ruchu nudzi cię i męczy. Otóż masz okazję wykazać się swoim logistycznym wykształceniem i zrobić ogród Markowskim. Masz chyba znajomych po różnych studiach? Załóżcie spółkę czy co tam – i łapcie okazję, skoro się nawinęła. A jeśli Markowskim ogród się spodoba, do końca życia nie zabraknie wam pracy, bo sam wiesz, ilu oni mają znajomych. Nowobogackich, wykupujących działki wokół Bydgoszczy. W Wudzynie, Łochowie, Nowej Wsi Wielkiej, Kątach koło Ostromecka, Osielsku, Smukale i wielu innych miejscach.

Kajetan wpatrzył się w ojca z zachwytem i wdzięcznością, bo oto starszy pan jednym złożeniem gazety być może zbudował mu przyszłość.

Tak powstała firma „Kajtek. Ogrody – projekty, wykonawstwo, pielęgnacja".

Mirka, Jola i Kajetan robili wszystko; Kaj wspaniale organizował całą pracę, wynajdywał klientów, załatwiał transport materiałów, umawiał kogo trzeba i gdzie trzeba. Inkasował pieniądze, prowadził księgowość i rozliczenia, słowem – rządził. A dziewczyny były od czarnej roboty. Dosłownie czarnej, bo grzebanie w ziemi stanowiło największą cześć prawie każdego zlecenia. O dziwo, Luśka pokochała to grzebanie w ziemi i realizacja, osobista realizacja własnego projektu, napawała ją dumą i radością. Z pracy w urzędzie miejskim nie zrezygnowała, udało jej się zamienić ten swój etat na coś w rodzaju pół etatu. Dostawała regularną pensję (w śmiesznej wysokości, jak to na połówce etatu – ale zawsze) i wykonywała to, co do niej należało, w godzinach i dniach, które sama wybrała. Ważne było, żeby zrobiła to, co jej zlecono, w wyznaczonym terminie.

Na razie wszystko szło dobrze i Joli udawało się wywiązywać ze swoich obowiązków i tu, i tam. Czuła się świetnie, nareszcie lubiła swoją pracę, a suma na koncie powoli rosła.

Zbierała na dom z ogrodem, jak one wszystkie. Te Trzy, pamiętacie?

Rozdział 6

ALEKSANDRA

Marzec 2006

Nie przypuszczała, że upadek w miękki śnieg może być taki bolesny. Ale noga bolała ją nie od zetknięcia ze śniegiem, lecz dlatego, że z całej siły walnęła nią w nartę jakiegoś ofermy, wygrzebującego się właśnie z zaspy.

– Jak jeździsz, człowieku – napadła winowajcę, w ogóle nie myśląc, że to ona wjechała „człowiekowi" pod narty i zwaliła go z nóg impetem uderzenia.

– Jak JA jeżdżę? – Facet schylał się właśnie po kask, który musiał być po prostu źle umocowany lub niezapięty, bo prawidłowo założony kask nie ma prawa spaść ot tak, bez powodu. A nawet z tak błahego powodu, jak zderzenie z...

Marian zapatrzył się na sprawczynię wypadku. Stała przed nim roziskrzona młoda kobieta, z najpiękniejszymi oczami, jakie w życiu widział. Tak, „roziskrzona" to było właściwe określenie, bowiem z tych oczu buchały iskry, a z nozdrzy – wydawało się – wydobywał się dym.

– Jestem Marian i bardzo się cieszę, że mnie staranowałaś. Chyba się zakochałem. – Wyciągnął rękę i odebrał nieznajomej złamany kijek, na który bezmyślnie patrzyła, stojąc bez ruchu. Po tym pierwszym ataku słownym na, jak się okazało, Mariana, który się w niej zakochał, teraz uleciało z niej powietrze i nie mogła o niczym myśleć. Oddała posłusznie kikut swojego kijka, i tak już teraz nieprzydatny.

– Aleksandra – powiedziała wbrew sobie, bo przecież w ogóle nie miała zamiaru bratać się z łamagą, który nie dość, że nie umie jeździć na nartach, to jeszcze wpada ludziom na kijki.

Tak się poznali. W Zakopanem, w ostatnim dniu pobytu każdego z nich. Marian był z Torunia; stwierdził, że to zrządzenie losu, bo przecież mógł być na przykład z Rzeszowa i co wtedy?

– Wtedy moglibyśmy się widywać tylko co tydzień, a z Torunia mogę do ciebie jeździć codziennie – ustalił zasady, wręczając dziewczynie karteczkę ze swoimi danymi.

Adres zamieszkania, adres mejlowy, numer komórki. Oraz numer telefonu do pracy – a pracował w Fabryce Cukierniczej „Kopernik", bo gdzież by indziej, skoro był z Torunia? Był jednym z szefów produkcji, ale Leksi w ogóle nie obchodziło, kim jest. Mógł być nawet stróżem nocnym. Utonęła w jego szarych oczach i przepadła na amen. Jeździli do siebie na przemian – raz on przyjeżdżał do Bydgoszczy, raz ona jechała do Torunia. Wolała to drugie, bo kiedy on przyjeżdżał do niej, nigdy nie mogli być sami. Zawsze kręciła się obok nich któraś z sióstr Oli albo mama zapraszała na ciasto do kuchni. Na spacerze też wokoło byli ludzie, a ona chciała tylko jego. Jego pocałunków, wszędobylskich rąk, ciepła całego ciała i tej najbliższej intymności. Z nikim nigdy nie było jej tak dobrze. Przyjaciółki były zazdrosne, bo zawsze zdanie Mariana liczyło się najbardziej, jego plany miały pierwszeństwo, on był teraz na pierwszym miejscu.

Przepełniało ją szczęście i nie potrafiła tego ukryć, choć się starała, bo przecież na świecie nie było już Wiktora, więc jak ona, Leksi, może być taka szczęśliwa, skoro Teo nie jest. I Luśka też nie jest; od chwili gdy jeszcze na czwartym roku studiów zerwała z Heńkiem, swoim ówczesnym chłopakiem, pomijając ów nieszczęsny epizod z Antonim, nie miała nikogo. Aleksandra to rozumiała i współczuła przyjaciółkom. Przecież chciałaby, żeby i one były szczęśliwe. Ale nie były, a ona była i nic na to nie mogła poradzić, jakkolwiek dziwnie to brzmiało.

Najbardziej martwiła się, że w święta Bożego Narodzenia ona będzie szczęśliwa, a przyjaciółki nie.

Widocznie jednak los postanowił wyrównać te dysproporcje uczuciowe między Tymi Trzema, w listopadzie bowiem Leksi zorientowała się, że nie ma okresu. Wprawdzie opóźnienie nie było duże, zresztą zdarzały jej się od czasu do czasu nieregularne okresy, teraz jednak Aleksandra wpadła w panikę. Od razu zaczęła się doszukiwać wszelkich dolegliwości ciążowych i choć nie wszystko się zgadzało, ona już była pewna, że jest w ciąży. Najpierw bardzo się zdenerwowała, ale wkrótce zaczęła się cieszyć. Kochają się, więc świetnie. Marian ma mieszkanie w Toruniu, pobiorą się, ona znajdzie tam pracę, choćby na uniwersytecie. Może rzeczywiście pora założyć rodzinę.

Do głowy jej nie przyszło, że powinna iść do lekarza. Założyła, że jest w ciąży, bo nagle po prostu poczuła, że właśnie tego pragnie. I na pewno tego samego pragnie Marian, bo przecież prawie zawsze chcieli tego samego. Dziecko. Czy może być coś cudowniejszego? Wyliczyła sobie, że urodzi pod koniec czerwca lub na początku lipca. Syn, tak, to musi być syn, Konrad albo Marcel, zresztą w kwestii imienia gotowa była ustąpić, w końcu ojciec też ma coś do powiedzenia, niech Marian wybiera.

Postanowiła zrobić ukochanemu niespodziankę i bez zastanowienia poszła na dworzec. Pociągi do Torunia jeździły bardzo często. Zadzwoniła do mamy, że jedzie do Koronowa, na imieniny koleżanki, i nie wróci na noc.

– Do Koronowa? Jakiej koleżanki? Nikogo takiego nie znam – dziwiła się pani Marianowiczowa.

– Oj, mamo, nie musisz przecież znać wszystkich – zirytowała się Leksi. – Dorosła jestem, zapomniałaś? To koleżanka z pracy, zaprosiła nas wszystkich i jedziemy.

Już z pociągu próbowała się dodzwonić do Mariana. Wprawdzie miała klucze od jego mieszkania, ale jeszcze nigdy nie zdarzyło się, żeby przyjechała bez uprzedzenia. To było taką niepisaną zasadą, Ola sama ją ustanowiła i obwieściła swojemu mężczyźnie.

– Ależ możesz przyjeżdżać, kiedy tylko zechcesz – odpowiedział, ale wydawało jej się, że nie zabrzmiało to zbyt szczerze i że jej deklaracja o zapowiadaniu wizyt jest mu bardzo na rękę. Pomyślała, że pewnie Marian nie chce, żeby zastała w mieszkaniu bałagan, nieposłane łóżko, porozrzucane rzeczy, butelki piwa w lodówce i tak dalej. Nic innego do głowy jej nie przyszło.

Teraz więc nawet się cieszyła, że zrobi Marianowi niespodziankę. Podwójną.

A jeśli nie zastanie go w domu, to po prostu poczeka, doczeka się przecież.

Po wyjściu z dworca podjechała tramwajem na ulicę, przy której mieszkał ukochany, najpierw jednak skierowała się do sklepu. Myśl o pustej lodówce utkwiła jej w głowie, a sama czuła się głodna. Dziecko chce jeść, pomyślała. Sklep był samoobsługowy, obchodziła więc go dookoła, wrzucając do koszyka różności. W pewnej chwili stanęła nieruchomo, bo dostrzegła przez szybę jakąś kobietę w ciąży, z którą szedł pod rękę… kto? Jej Marian. Podjechała taksówka i Marian ostrożnie ulokował kobietę w środku, całując ją przedtem czule w usta.

Aleksandra szybko podeszła do kasy, zapakowała kupione produkty i wybiegła ze sklepu. Marian właśnie znikał w bramie swojego domu. Odczekała chwilę, żeby dać mu czas na dojście do mieszkania, i wyciągnęła komórkę.

– Jestem w Toruniu, mieliśmy pewną sprawę do załatwienia na uniwerku, mogę do ciebie wpaść?

– Cieszę się, czekam na ciebie – usłyszała nieco zdyszany głos.

– A kto to był, ta dziewczyna, którą całowałeś przed chwilą na ulicy? – Oczywiście miała nic nie mówić na ten temat, ale to pytanie wyrwało się z jej ust po prostu samo, ledwo weszła do mieszkania.

– Oj, to przyjaciółka, z pracy, ma wielki kłopot, pocieszałem ją tylko – odparł Marian, lecz jego zaciśnięta szczęka wskazywała, że pytanie mu się nie spodobało.

Tak jak i jej nie spodobała się odpowiedź, uznała jednak, że na razie pominie to milczeniem.

– A, bo wiesz, rzuciła mi się w oczy jej ciąża. Pewnie nie zwróciłabym na to uwagi, gdyby nie fakt, że ja też jestem w ciąży. Właśnie to przyjechałam ci powiedzieć.

– Ach, tak? – wycedził Marian. – To jest ta służbowa sprawa na uniwersytecie, którą przyjechałaś załatwić? I co z obietnicą o braku niezapowiedzianych wizyt? Ta ciąża to pewne? Byłaś u lekarza? Który to miesiąc?

Ku wielkiemu zdziwieniu Leksi rozmowa potoczyła się zupełnie inaczej, niż to sobie wyobrażała. Marian nie tylko nie ucieszył się z wiadomości o swoim przyszłym ojcostwie, wydawało się, że ta wiadomość go ogłuszyła i że raczej nie jest tym faktem zachwycony. A w pytaniu o miesiąc ciąży Aleksandra wyczuła drugie ukryte: czy można z tym, u diabła, coś zrobić. Najlepiej natychmiast.

Nie kończąc więc rozmowy, trzasnęła drzwiami i pobiegła na dworzec. Zdumionym rodzicom wyjaśniła, że wróciła wcześniej od koleżanki, bo boli ją ząb, a z bolącym zębem przecież ani jeść, ani bawić się dobrze nie można. Zamknęła się w swoim pokoju i przepłakała pół nocy. Rano dostała okresu i nawymyślała sobie od największych idiotek na świecie. Fakt, wygłupiła się koncertowo. Najwspanialsza specjalistka od rozpoznawania ciąży; nawet, kretynka, testu ciążowego nie kupiła, nie mówiąc już o wizycie u lekarza. Ze wstydu nie wiedziała, co począć. Biotechnodurak, psiakrew, pomyślała. Chyba te tworzywa sztuczne tak mnie otępiły, złościła się, najwyższy czas zmienić pracę.

Odczekała cały dzień, spodziewając się, że Marian sam do niej zadzwoni. Jednak widocznie mocno zirytowała go ta cała sytuacja, bo się nie odezwał. Następnego dnia wysłała więc do niego SMS-a i bardzo się zdziwiła, gdy w odpowiedzi przeczytała: „Czekam na ciebie po pracy, przed twoją firmą".

No i okazało się, że nie tylko Teo nie będzie miała miłych świąt. Marian oznajmił bowiem, że ich znajomość powinna się zakończyć, bo u niego wszystko się już wypaliło, i że to od samego początku było jakieś takie nieokej i tak dalej, i tak dalej. A ciążę niech usunie, póki można – chyba jeszcze można, prawda? – bo po co ma być samotną matką.

– Ale ja właśnie chciałam ci powiedzieć, że nie jestem w ciąży, to była pomyłka – odparła Leksi, najgłupiej, jak tylko można było. – Więc jeśli na razie nie chcesz mieć dzieci, nic nie szkodzi...

– A poza tym – kontynuował, nie zwracając uwagi na jej słowa – ja niedługo będę miał dziecko, widziałaś zresztą moją przyszłą żonę. Teraz przyjechałem tylko po klucze. – Wyciągnął rękę, a Ola wyjęła te klucze i grzecznie mu podała, zamiast chociażby grzmotnąć nimi w ten jego podły zakłamany pysk.

– W sumie najszczęśliwsza jestem, że z tą ciążą naprawdę był fałszywy alarm – zakończyła swą opowieść, relacjonując wszystko przyjaciółkom w kawiarni na placu Wolności.

*

Listopad 2006

Przygoda z Marianem bardziej wstrząsnęła Olą, niż ta chciałaby przyznać, nawet tylko przed sobą. Nie mogła spać, wciąż widziała jego twarz, wspominała miłe chwile. Nie mogła uwierzyć, że i ona musiała przeżyć taką banalną historię. Ta trzecia... Po co się ze mną w ogóle zadawał, skoro miał dziewczynę w ciąży i ślub na karku? Czy każdy facet to łajdak i świnia? Jak znaleźć takiego, który będzie inny?

Z zazdrością patrzyła na wszystkie pary trzymające się za ręce na ulicach, nie chodziła na spotkania ze znajomymi, bo chyba ona jedna jedyna na świecie nie miała swojej drugiej połowy. Wszyscy mieli. No nie, zaraz, nie wszyscy, fakt. Pomyślała o Teośce, która przynajmniej miała kogo wspominać, a po chwili się zawstydziła, bo wyszło na to, że wolałaby mieć martwego męża niż żadnego. Pomyślała więc o Joli, która do tej pory nie znalazła partnera i jakoś nie narzekała. Przynajmniej głośno. Cóż, ona, Leksi, też głośno nie narzeka. Popłakuje sobie tylko trochę, ot tak, do lustra, z kieliszkiem wina w ręku. Jeden kieliszek dziś. Jeden kieliszek jutro. I znowu dziś. I znowu jutro. A w sobotę – wszyscy idą gdzieś, z kimś. Tylko ona siedzi w domu, z Miodkiem.

Nawet te jej małe siostry pobiegły na jakieś swoje randki. Drugi kieliszek. I trzeci.

Telefon.

– Oj, Luśka, jak dobrze, że dzwonisz. Siedzę sama i użalam się nad sobą. Na Wyspę? Z wielką przyjemnością.

Gdzie te kluczyki?

– No co tak patrzysz, głupi kocie? Wypiłam tylko dwa kieliszki, więc nie mam żadnych promili.

Trzy, nie dwa, chciał jej powiedzieć kot, ale Leksi już siedziała za kierownicą.

Straciła prawo jazdy na rok. Miała szczęście, że nikomu nic się nie stało. Udało jej się ominąć kobietę z wózkiem na pasach i tylko lekko stuknęła autem w drzewo. Nie ma pojęcia, jak to się stało.

Ale – przestała opłakiwać Mariana. Zrozumiała, że jeszcze przed nią całe życie.

Spokojnie czekała więc na ciąg dalszy tego życia.

Chociaż – hi, hi – bez prawa jazdy.

Rozdział 7

WERONIKA

Grudzień 2006

Coś drapało w drzwi. Weronika rozejrzała się po pokoju. Mały, Bisiek i Afcio leżeli przy kominku, śpiąc w najlepsze. Kizia z Mizią drzemały rozciągnięte na parapecie. Cała jej zwierzęca kompania była więc w domu. Podeszła do drzwi, prawie w stu procentach pewna, co za nimi zastanie. Nie myliła się. Na progu kuliła się nastroszona kupka nieszczęścia. Spod skudłaconej grzywy spoglądały przerażone oczy. Psiak rozpłaszczył się na brzuchu, widocznie przestraszony, ale twardo okupował próg i nie cofnął się ani na krok.

– No co, biedaku? Podrzucili cię? – Weronika cofnęła się w głąb domu, robiąc zapraszający ruch ręką. – Chodź, nie bój się, przecież cię nie zostawię na tym zimnie.

Pies najwyraźniej zrozumiał zaproszenie, bo wpełzł do środka, otrząsając się mocno, jako że padał deszcz. Weronika przyniosła z szafki w łazience spory ręcznik, nie pierwszej młodości, i starannie wytarła nim podrzutka. Obejrzała go przy tym dokładnie. Psa, oczywiście, nie ręcznik.

– O, więc jesteś suczką – stwierdziła zaskoczona. Zaskoczona, bo dotychczas miała tylko psy. Czy to kłopot? – zastanowiła się. Raczej nie, jej męska trójka jest już przecież po kastracji. A tę małą się wysterylizuje. Aha, już zdecydowałam, że tu zamieszka. – Roześmiała się cicho. Suczka, jakby rozumiejąc, że ważą się jej losy, polizała dłoń swojej nowej pani.

– Ty spryciaro! – Pani potargała ją za kudełki. – Najpierw cię nakarmię, a potem mniej przyjemna część przyjmowania do rodziny. Kąpiel i czesanie. Wyglądasz jak futrzana mufka. O, właśnie, masz już imię.

– Chłopcy – zwróciła się do trójki śpiochów przed kominkiem. – Przedstawiam wam Mufkę, waszą nową przyjaciółkę. Hej, koteczki, do was też mówię, oto nowy członek rodziny i proszę, aby wszyscy to zrozumieli.

Żaden członek rodziny się nie odezwał i żaden nie wykazał najmniejszego zainteresowania, co Weronikę trochę zdziwiło. Ale tylko trochę, znała przecież swoje leniuchy.

Cztery psy (od dziś cztery) i dwa koty – tę czeredę Weronika zawdzięczała sąsiadom, tym bliższym i dalszym. O tym, że pani Nowaczyńska pracuje w Czterech Łapach, wiedziała przecież cała okolica. Kto więc miał miękkie serce, wrzucał każdego bezdomniaka za płot Weroniki, mając nadzieję, że pani Nowaczyńska zaopiekuje się kolejnym biednym podrzutkiem. Zwierzęta mogły oczywiście trafić do schroniska, w którym była główną szefową, ale nie miała serca, żeby je tam zabrać.

Tak więc jej gromada powiększała się w zastraszającym tempie. Na szczęście Weronika była właścicielką dużego domu, w którym pomieściły się te wszystkie zwierzaki, otoczonego całkiem sporym, jak na warunki miejskie, ogrodem. Zdawała sobie jednak sprawę z tego, że niedługo jej posesja stanie się kolejnym schroniskiem, choćby w oczach sąsiadów, postanowiła więc, że Mufka jest – przynajmniej na razie – ostatnim mieszkańcem willi. Posesja zajmowała narożnik ulicy Sielanki, przy Markwarta. Przedwojenny dom należał do dziadka Weroniki, potem ojca, a wreszcie do niej. Młodsza siostra wyszła za mąż i zamieszkała z małżonkiem przy Gdańskiej, na rogu placu Wolności. Ich syn Karol po tragicznej śmierci rodziców został w ich mieszkaniu i nie rościł sobie żadnych pretensji do sielankowej willi.

– Ten dom i tak jest twój – mówiła mu ciotka. – Zapisałam ci go w testamencie, ale możesz tu się wprowadzić w każdej chwili, wiesz przecież. Kiedy tylko zechcesz.

„Ten dom", neobarokowa perełka, z początku dwudziestego wieku, piętrowy, z wysokim poddaszem, rozłożysty, był co najmniej dziesięciokrotnie za duży dla jednej starszej pani, ale Weronika nie zamierzała go sprzedawać, do czego namawiali ją i znajomi, i pośrednicy biur nieruchomości. Wierzyła, że dom jeszcze ożyje, a Karol, gdy tylko się ożeni, zmądrzeje na tyle, żeby zrozumieć, że to idealne miejsce dla dzieci. Emerytura i zarobki w schronisku być może nie wystarczyłyby na utrzymanie domu i wszystkich jego futrzastych mieszkańców, gdyby nie to, że Karol wziął na siebie opłaty za media i wszelkie podatki związane z nieruchomością, choć ciocia bardzo protestowała.

– Ciociu – uciął jej wszystkie sprzeciwy – sama mówisz, że ten dom będzie mój. Pozwól mi więc łożyć na jego utrzymanie. Tak naprawdę to powinienem ci jeszcze dopłacać za dozór mienia. Ja też nie chcę go sprzedawać, bo choć nie był to mój dom rodzinny od urodzenia, mieszkałem tu przecież przez ładnych parę lat dzieciństwa i może będzie to dom rodzinny moich dzieci. Ty utrzymywałaś mieszkanie na placu Wolności, ledwo wiążąc koniec z końcem, dziś mnie stać na te opłaty i nie ma o czym mówić.

To prawda, Karola stać było na ponoszenie kosztów i za dom cioci, i za swoje mieszkanie, i jeszcze trochę mu zostawało na rozrywki. Był jednym z najbardziej wziętych prawników w Bydgoszczy. Miał własną kancelarię, której utrzymywanie nic go nie kosztowało, prowadził ją bowiem właśnie w mieszkaniu przy placu Wolności, z wejściem od Gdańskiej. Poza tym niedawno został członkiem rady nadzorczej jednej z dużych bydgoskich spółek. Był więc nieźle sytuowany, ciocia o tym wiedziała i zaakceptowała – zresztą, co tu mówić, z dużą ulgą – jego pomoc.

Dom w całości był teraz własnością Weroniki, a – jej zdaniem – w przyszłości miał się stać własnością Karola.

Rozdział 8

KAROL

Grudzień 2006

No tak, święta spędzi tylko z ciocią. Nie żeby się skarżył, bo Karol kochał swoją ciocię jak matkę, którą mu przecież zastępowała. Od czasu do czasu (absolutnie nie zawsze) uważał jednak, że trzydziestokilkuletni mężczyzna powinien już mieć własną rodzinę, a przynajmniej żonę. Cóż, żony pozbył się cztery lata temu; sąd orzekł rozwód, ku obopólnemu zadowoleniu małżonków. Dzieci się nie dorobili, mimo sześcioletniego pożycia. Nie mieli, i już, nie dlatego, że nie chcieli, tylko dlatego, że im się nie trafiły, a żadnych specjalnych dodatkowych starań nie czynili. Tak widocznie miało być i może to lepiej, skoro małżeństwo skończyło się rozwodem. Dlaczego się rozwiedli? Szczerze mówiąc, dlatego że Karol wiernością nie grzeszył. Kilka razy mu się udało, ale ten ostatni... Cóż, głupio wyszło, i tyle.

Ewa za wcześnie wróciła z delegacji i zobaczyła, niestety, w swoim małżeńskim łóżku, coś, czego widzieć nie powinna. Nie miała zamiaru słuchać żadnych usprawiedliwień, nie zrobiła żadnej sceny, poprosiła tylko grzecznie panią, żeby sobie poszła, a męża, żeby się wyniósł z jej życia natychmiast. Po czym to ona sama się wyniosła, bo małżeństwo żyło w mieszkaniu Karola, nie było więc o czym dyskutować. Szczęśliwie Ewa miała dokąd pójść, dysponowała pokojem w dużym mieszkaniu rodziców. Złożyła wniosek o rozwód bez orzekania winy, chciała bowiem, żeby wszystko potoczyło się jak najszybciej. I gdy to się właśnie stało, Karol odzyskał wolność i chyba bardziej się z tego ucieszył, niż zmartwił. Pani, która bezpośrednio przyczyniła się do takiego stanu rzeczy, od dawna już w życiu Koźmińskiego nie istniała. Na razie nie pojawił się też nikt nowy, to znaczy nie pojawił się na stałe, i przez jakiś czas tak miało pozostać. W ogóle Karol nie rozumiał gatunku „kobieta". Przecież życie mogłoby być o wiele prostsze, gdyby trybiki w umysłach pań funkcjonowały tak jak w umysłach panów. Niestety, tam, gdzie mężczyźni widzieli dobrą zabawę i seks, kobiety widziały drogę do ołtarza i wianuszek dzieci. Do tej pory, a przecież już trochę żył na tym świecie, Koźmiński nie spotkał kobiety, która traktowałaby życie tak, jak należało je traktować, czyli na luzie, póki można. A można teraz, dopóki jest się młodym. Młodym Karol miał zamiar być do pięćdziesiątki, potem się zobaczy. Pierwsze małżeństwo zawarł przez pomyłkę, co się zresztą szybko okazało – bo przecież gdyby to nie była pomyłka, czyż on musiałby zdradzać Ewę?

– Ciociu, kiedy przestaniesz powiększać rodzinę? – zaśmiał się ukochany siostrzeniec pani Weroniki. Spoglądał na nowego psiaka, rozpakowując zlecone zakupy przedświąteczne.

– To Mufka, mam ją od niedawna – wyjaśniała trochę skłopotana ciocia. – Po prostu przyszła i zapukała do drzwi. Miałam ją odpędzić?

– A wiesz, może i ja powiększę rodzinę – zakomunikował Karol. – Poznałem pewną Magdalenę i tak się zastanawiam... Lata lecą, sama mówisz. – Popatrzył na ciocię niepewnym wzrokiem. – Mogę przyjść z nią w pierwszy dzień świąt? Chciałbym, żebyś ją poznała.

– No, ja myślę – ucieszyła się Weronika. – Powinieneś mi ją przedstawić. Chyba się jeszcze nie oświadczyłeś?

– Oczywiście, że nie. Jakżebym śmiał, bez twojego błogosławieństwa!

I Karol przyprowadził Magdalenę. Ale obie panie jakoś nie przypadły sobie do gustu. Pewnie dlatego, że zaraz na wstępie Magda skrzywiła się na widok zwierzęcej sielankowej czeredy.

– Tyle zwierząt? – zdziwiła się, marszcząc nos. – Chyba trudno przy nich utrzymać czystość – wyrwało jej się.

Weronika zaklęła w duchu. Akurat dom był bardzo starannie wysprzątany, to przecież święta.

– Dla mnie to najmniej ważne – odparła. – Kocham zwierzaki i dopóki mogę, pomagam im z całych sił. Ja i wszyscy, którzy mnie otaczają – nie odmówiła sobie drobnej złośliwości.

Karol widział już, że między paniami żadnej chemii nie będzie. I że na przysłowiowe błogosławieństwo cioci nie ma co liczyć. Nie zmartwił się jednak za bardzo, bo tak do końca nie był przekonany, czy naprawdę chce się drugi raz z kimś wiązać na stałe. Na stałe z założenia oczywiście. Nie zamierzał zrywać znajomości z Magdaleną, ale o pierścionku zaręczynowym przestał myśleć.

W sumie to nawet prawie nie zaczął. Prawie, bo może… gdyby tak ciocia ją polubiła… ale raczej nie, orzekł i dał sobie spokój z pomysłami na powiększenie rodziny. Zgodnie zresztą z założeniem, że żadne takie do pięćdziesiątki. Ten test z Magdaleną to tylko kolejny dowód, że do małżeństwa nie ma się co spieszyć.

Rozdział 9

TEODORA

Październik 2006

Po tragicznej śmierci męża Teo nie mogła się otrząsnąć. Nie chciała nawet spotykać się z przyjaciółkami, drażnili ją wszyscy ludzie, bo przecież nikt nie był taki nieszczęśliwy jak ona. Najchętniej całą dobę siedziałaby w pracy, zwierzęta łagodziły jej żal, a gdy mogła któremuś pomóc w cierpieniu, robiło jej się lżej na sercu.

Pracowała w prywatnej lecznicy dla zwierząt przy 11 Listopada. Nie była wspólniczką, przychodnia stanowiła własność Gabriela Laskowskiego, lekarza weterynarii z długoletnim stażem. Prowadził ją z synem, ich kolegą ze studiów; ich, czyli Teosi i Wiktora. Wiktor zatrudnił się tam natychmiast po uzyskaniu dyplomu, Teo przez rok pracowała w Wojewódzkim Inspektoracie Weterynarii, w Zespole do spraw Zdrowia i Ochrony Zwierząt. Chciała otworzyć przewód doktorski i miała nadzieję, że właśnie ta praca da jej podstawy. Ale chociaż w teorię nieco się uzbroiła, brakowało jej kontaktu ze zwierzętami, a studiowała przecież po to, żeby pomagać swoim pacjentom. Na prace naukowo-badawcze przyjdzie czas później, jeśli w ogóle, zdecydowała i zatrudniła się u doktora Laskowskiego. Po śmierci Wiktora właściciele lecznicy chcieli dać jej tyle wolnego, ile będzie potrzebować, ale nie przyszła do pracy tylko w dniu pogrzebu. Nie chciała siedzieć sama w domu, pracowała więc codziennie, biorąc dyżury za każdego, kto tylko o to poprosił. Zaproponowała nawet doktorowi Laskowskiemu, żeby wprowadził nocne dyżury, lecz żaden z kolegów nie poparł jej pomysłu, a sama przecież nie dałaby rady.

Pewnego październikowego dnia zdarzyło się jednak coś, co znacznie odmieniło życie Teodory.

– Pomocy! – Drzwi lecznicy trzasnęły z hukiem, gdy do przychodni wbiegła młoda kobieta, dźwigająca na rękach bezwładnego psiaka, a za nią drobna dziewczynka. Ludzie ze swoimi pupilami, karnie oczekujący w kolejce, nawet nie pisnęli, widząc tę sytuację. Dziewczynka, na oko dziesięcioletnia, szybko zapukała do zamkniętych drzwi z napisem „gabinet lekarski". Wsunęła do środka główkę i wychlipała:

– Przepraszam, pani doktor, my z wypadku.

Widocznie pani doktor zaprosiła małą do środka, bo ta skinęła ręką na kobietę niosącą psa, a z gabinetu wyszła starsza pani, z wyrywającym się kotem pod pachą.

– No już wszystko dobrze, przestań się kręcić, idziemy do domu – uspokajała swojego ulubieńca, a ten, o dziwo, rzeczywiście raptem się uspokoił.

– Samochód go przejechał, niech pani go ratuje, to wszystko moja wina – płakała dziewczynka.

Relację uzupełniła kobieta trzymająca psa. Okazało się, że pies jest ze schroniska Cztery Łapy, a dziewczynka z domu dziecka przy ulicy Powstania Listopadowego. Opiekunki z domu dziecka, w porozumieniu z kierowniczką schroniska, zorganizowały spotkanie integracyjne dzieci z psami. Dwie wychowawczynie przyprowadziły sześć dziewczynek, wybranych starannie z grupy dzieci sprawiających największe kłopoty, z myślą o tym, że takie biedne psiaki trochę zresocjalizują te zbuntowane, nieszczęśliwe istoty. I tak właśnie się stało. Dziewczynki tak się przejęły losem bezdomnych, zrozpaczonych, opuszczonych przez wszystkich zwierząt, że zapomniały o własnych nieszczęściach. Bez protestu, wręcz na wyścigi sprzątały boksy, nakładały psiakom jedzenie do misek, a przede wszystkim – głaskały je i przytulały. Oczywiście pani Weronika starannie wybrała psy, z którymi dzieci miały kontakt.

Danusia, zwana Nutką, upodobała sobie gładkowłosego kundelka, białego z kilkoma czarnymi plamkami po bokach i na łapkach. W schronisku wołano na niego Diguś, a czy kiedykolwiek miał jakieś inne imię, wiedział tylko on. O ile pamiętał, bo w Czterech Łapach mieszkał już dwa lata, a weterynarz, który raz na tydzień odwiedzał schronisko, określił jego wiek na trzy–cztery lata. W papierach psa znajdowała się informacja, że został znaleziony piętnastego września dwa tysiące czwartego roku. Był przywiązany do płotu okalającego Cztery Łapy. Cóż, zamieszkał w schronisku. Był bardzo spragniony czułości i ludzkiego zainteresowania. Stał przy siatce swojego boksu, a ilekroć ktoś przechodził obok, furkoczącym ogonkiem upraszał przechodnia o chwilę uwagi i choćby podrapanie po łebku przez oczko siatki, nawet jednym palcem. Patrzył smutno za oddalającą się osobą, jakby tracąc nadzieję, która wzbierała w nim za każdym razem od początku, gdy znowu kogoś zobaczył.

Szczęście Digusia, gdy zabrano go do dzieci, było tak wielkie, że każdy musiał się uśmiechać na widok tych tańców, podskoków i podstawiania brzuszka do drapania, gdy tylko ktoś spojrzał. Nutka po prostu się w nim zakochała, do tego stopnia, że przywiązała mu do obroży pasek od płaszczyka i po cichutku, na paluszkach, wyszła z Digusiem za bramę schroniska. Chciała tylko iść z nim na spacer, udając, że to jej własny pies. Niestety, Diguś, widząc po drugiej stronie ulicy innego psiaka, wyrwał się Danusi i przebiegając przez ulicę, wpadł prosto pod koła samochodu, który wyjechał zza zakrętu. Kierowca zatrzymał się, nakrzyczał na dziewczynkę, która już zawodziła tak głośno, że opiekunka z domu dziecka wybiegła, przestraszona, co się stało. Psiak żył, piszczał cicho i widać było, że ma otwarte złamanie łapki. Pracownica schroniska, która też wybiegła z bramy, poinformowała właściciela samochodu, gdzie jest najbliższa lecznica dla zwierząt.

– Nie ryczcie tu obydwie! – wrzasnął mężczyzna na Nutkę i jej opiekunkę. – Niech pani weźmie psa i wsiadajcie do samochodu.

Tak więc całe towarzystwo znalazło się w lecznicy doktora Laskowskiego, gdzie akurat w tym czasie dyżur miała Teodora.

– Piesek ma złamaną łapkę, dość paskudnie – powiedziała dziewczynce. – Nie płacz, bo tylko go denerwujesz. Prześwietlenie nie wykazało obrażeń wewnętrznych, to świetnie, a łapką zaraz się zajmę. Poczekaj z mamą w poczekalni, dobrze?

Słuchając wyjaśnień, że to nie mama, i jeszcze raz wysłuchując całej historii, Teo zaaplikowała Digusiowi znieczulenie i wpakowała mu łapę w gips.

– Poczekajcie pół godziny, przyjmę jeszcze tę panią z psem, która czeka pod drzwiami gabinetu, i odwiozę waszego pieska do schroniska, a was do domu.

– Ale... – Nutka znowu zaczęła płakać – ale on nie może zostać sam w nocy. A jak go coś będzie boleć? I jak on sobie da radę z tym gipsem? Ja muszę tam z nim być.

– O, nie, moja droga – zaprotestowała opiekunka. – Mnie i tak się dostanie, że tu z tobą przyjechałam, zamiast od razu wracać do domu. Psu nic nie będzie, z gipsem świetnie sobie poradzi.

– Nie martw się – Teodora próbowała uspokoić małą. – Zaaplikowałam twojemu podopiecznemu silny środek przeciwbólowy, który działa też nasennie. Zobacz, Diguś już prawie śpi. Odwiozę was, a potem jeszcze raz zajrzę do schroniska. Jutro rano też tam pojadę, więc możesz spokojnie iść do szkoły. Poproś panią Elę – opiekunka przedstawiła się jako Elżbieta Polińska – żeby pozwoliła ci jutro do mnie zadzwonić. Tu jest moja wizytówka i wszystkie numery telefonów. – Podała karteluszek pani Polińskiej. – Opowiem ci, jak piesek się czuje i kiedy ewentualnie będzie można go odwiedzić. Tylko już nie wyprowadzaj sama żadnych zwierząt, dobrze? – Mrugnęła do niej, ale Nutka się nie uśmiechnęła. Pochlipywała cicho, pokiwała jednak głową.

Tak się rozpoczęła znajomość Teodory z Czterema Łapami. Doglądała Digusia, dopóki nie wydobrzał.

Oczywiście przywiązała się do niego mocno, psiak był tak miły, że nie można było go nie pokochać. Niestety, Teosia nie mogła wziąć psa do domu, w którym przecież tylko nocowała. Przychodziła więc codziennie do schroniska, by pracować tam jako wolontariuszka. Dla weterynarza w takim miejscu, niestety, zawsze coś się znalazło. Kierowniczka schroniska, dzięki swoim koneksjom, wydębiła od miasta dodatkowe pieniądze, dzięki czemu mogła oficjalnie zatrudnić Teodorę na ćwierć etatu.

– Teo, drogie dziecko – pani Weronika mówiła Teodorze po imieniu, na jej prośbę – tyle dla nas robisz, że choć te parę groszy chcę ci zapewnić. Wiem, że nie przychodzisz tu dla pieniędzy, tylko z dobroci serca, ale płacąc ci, mam nadzieję, że związuję cię z nami na stałe.

– Zawracanie głowy, pani Weroniko – śmiała się Teo, ale pensję przyjęła, bo nie chciała już dyskutować na ten temat. I tak kupowała za własne pieniądze różne środki owadobójcze i witaminy dla zwierzaków, o czym kierowniczka schroniska w ogóle nie wiedziała.

Tak też rozpoczęła się znajomość Teodory z Danusią-Nutką, która wraz z koleżankami pracowała jako wolontariuszka w Czterech Łapach. Dziewczynki przychodziły, kiedy im pozwolono, i pomagały w różnych pracach w schronisku. Nie wychodziły tylko na spacery z psami, to znaczy nie wychodziły same, często szły ze starszymi wolontariuszami.

Teo tak wciągnęła się w życie schroniska, że znała nie tylko pracowników, ale też większość wolontariuszy, przyjaźniła się z nimi na tyle, na ile mogła tę przyjaźń z siebie wykrzesać. Często chodzili razem na kawę lub piwo, kto tam co wolał. Starali się upychać schroniskowe psy i koty po znajomych i sąsiadach, starannie jednak rozważając wszystkie kandydatury. Takim, co to tylko chcieli wziąć zwierzaka, ale nie wiedzieli dlaczego, po prostu tych biedaków nie dawali.

Dwunastego marca 2007

W dzień urodzin pani Weroniki pracownicy schroniska zazwyczaj urządzali przyjęcie. Jubilatka przynosiła własnoręcznie upieczone ciasto – raz był to sernik, raz szarlotka, a czasami tort makowy. Takie uroczystości utrwaliły się od wielu lat, więc stały się już rutyną. Pracownice przygotowywały kanapki i jakieś sałatki, zawsze było też dobre czerwone wino. Weronika dostawała kwiaty i książkę. Przed urodzinami robiła spis książek, którymi była zainteresowana, i kupowano jej którąś pozycję z listy.

– Teo, kochanie, chciałbym cię zaprosić na urodziny.

– Przecież będę, pani Weroniko, codziennie tu jestem, więc i w dniu urodzin będę, to jasne.

– Ale chcę cię zaprosić do domu, wieczorem. Jeszcze nigdy u mnie nie byłaś, a jesteś mi bliska jak ktoś z rodziny – skonkretyzowała zaproszenie dostojna jubilatka w przeddzień swego święta.

Teodora była bardzo przejęta. Od śmierci męża w zasadzie zarzuciła kontakty towarzyskie, nawet z przyjaciółkami spotykała się bardzo rzadko, na ogół wtedy, gdy jedna lub druga przyszła niezapowiedziana do jej mieszkania i wyciągnęła ją siłą z domu. Wyjątkiem były krótkie wypady na kawę z wolontariuszami z Czterech

Łap, traktowane przez Teo jako część jej „schroniskowej posługi". Kilka razy w roku jeździła do Solca Kujawskiego, do rodziców, zazwyczaj na święta oraz imieniny mamy i taty. Urodziny Weroniki przypadały w tydzień po pierwszej rocznicy śmierci Wiktora. Piątego marca mijał rok, odkąd zmarł. Teodora była oczywiście na cmentarzu, chodziła tam zresztą przynajmniej raz w tygodniu. Płakała, oczywiście, chociaż nie cały dzień, jak się obawiała. Pewnie dlatego, że od rana była w lecznicy, potem pobiegła na cmentarz, a następnie do wieczora pracowała w schronisku. Wyprowadziła kilka psów, wybierając specjalnie te największe, żeby się uszarpać i porządnie zmęczyć. Na godzinę przybiegła Nutka i razem poszły na spacer z Digusiem, który do tej pory nie znalazł niestety nowych właścicieli. Teo wiedziała, że powinna się tym martwić, bo dla każdego zwierzaka własny dom i właściciel to najlepsze, co się może zdarzyć, ale w skrytości ducha cieszyła się, że jej ulubieniec jest ciągle tam, gdzie ona może go przytulać. Nie zapomniała o wielkim marzeniu Tych Trzech – czyli o domu z ogrodem – lecz każdego dnia coraz wyraźniej widziała, że to po prostu utopia. Ale gdyby taki dom miał jej się przytrafić, to pierwszą rzeczą byłoby wzięcie Digusia. Grała więc w totolotka, bo… cuda się zdarzają – i tak trzymać!

Po tym, jak dostała zaproszenie od pani Weroniki, które spontanicznie przyjęła, natychmiast przyszła refleksja. Ma iść do kogoś, cieszyć się, śmiać, dobrze bawić? W rok po śmierci męża? Nie, to niemożliwe.

– Kochana pani Weroniko, proszę się na mnie nie gniewać, błagam. – Stanęła przed kierowniczką schroniska prawie na baczność i nie wiedziała, jak ma wytłumaczyć swoją odmowę. Jak ma to wyjaśnić tej dobrej, wspaniałej kobiecie, która pomogła jej przetrwać przez ostatnie pół roku. Wiedziała, że pani Weronika zrozumie, bo ma mnóstwo empatii, i nie będzie urażona, ale... zawsze...

– Nie mogę przyjść do pani... – Urwała, bo coś ścisnęło ją w gardle. Widziała, jak jej przyjaciółka marszczy czoło, jakby nie wierzyła w to, co słyszy. – Nie mogę, bo... – Rozryczała się jak małe dziecko. – Bo właśnie, bo rok temu...

– Cicho, przecież wiem, co było rok temu. – Weronika objęła ją serdecznie. – Ale nie sądzisz, że inni ludzie też istnieją na świecie? I może nie warto robić im przykrości. Nikomu nie zrobisz krzywdy, jeśli się uśmiechniesz i z kimś pogadasz. A już na pewno nie uchybisz tym pamięci zmarłego męża. Nie idziesz na randkę, a nawet gdybyś szła, to zapewniam cię, że nie byłoby w tym nic niewłaściwego. Nawet nie chcę słyszeć, że nie możesz przyjść. Po dyżurze w schronisku wsiadamy do twojego samochodu i jedziemy na Sielanki. Musisz przecież zawieźć mi do domu te wszystkie prezenty, które dostałam.

Wszystkimi prezentami były kwiaty, dwie książki i mała srebrna broszka z bursztynowym oczkiem (właśnie od Teo). Tak więc istotnie było co dźwigać i Teodora nie mogła odmówić. Pomyślała zresztą, że może lepiej iść na miłą kolację, niż płakać samotnie w domu. Pojechały więc na Sielanki prosto z Czterech Łap. Tam już wszystko było przygotowane, stół pięknie nakryty, trzy talerze – dla kogo ten trzeci? – zastanowiła się Teo. Po chwili jednak pomyślała, że niedługo sama się przekona. Nie znały się na tyle blisko, by o sobie wszystko wiedzieć, więc Teosia nie miała pojęcia o stanie rodzinnym swojej starszej koleżanki ani też o gronie jej znajomych i przyjaciół. Okazało się jednak, że – choć znajomych pani Weronika ma wielu – na imieniny ani na urodziny nie zapraszała nikogo.

– Ach, bo widzisz, moje dziecko – opowiadała jubilatka – nie mam aż tak dużo pieniędzy, żeby wydawać przyjęcia dla wielu osób. Raz ogłosiłam, że urządzam składkowe przyjęcie, i okazało się, że wszyscy przynieśli wino. Nikt nie wpadł na pomysł, żeby kupić jakieś ciastka czy kawę. W rezultacie Karol pobiegł do sklepu i nakupił wszystkiego, co tylko rzuciło mu się w oczy. Przyjęcie było obfite i bardzo udane, ale później mój kochany siostrzeniec oczywiście nie chciał przyjąć ode mnie pieniędzy i do tej pory mam wyrzuty, że miał przeze mnie wydatki.

– Ciociu, a ty znowu wyciągnęłaś tę starą historię? – Do pokoju wkroczył wysoki szatyn. – Jestem Karol, siostrzeniec dzisiejszej jubilatki. Koźmiński. – Ukłonił się Teodorze. – Ciocia wciąż nie może zapomnieć, że wydałem wtedy parę złotych, choć już tyle razy prosiłem, żeby przestała przeżywać tę całą śmieszną sytuację. – Mrugnął bardzo niebieskim okiem, a Teodora uśmiechnęła się oczarowana. Niebieskie oczy robiły na niej wrażenie od zawsze, oczywiście zaraz po brązowych.

– Karolku, wiem, że masz klucze, ale wypadałoby chociaż raz nacisnąć dzwonek, przynajmniej wtedy, kiedy wiesz, że na pewno jestem w domu – gderała ciocia, ale widać było, że tylko tak sobie mówi, bo cała się rozjaśniła na widok gościa.

W ten oto sposób Karol Koźmiński poznał pierwszą w swoim życiu Kobietę, Która Go Nie Chciała.

Patrzył na tę ciociną Teodorę i patrzył, i nie mógł się napatrzeć. Wydawałoby się, zwykła dziewczyna. Włosy jakieś ciemnawe, ale nie czarne, raczej ciemnobrązowe, trochę kręcone – same z siebie czy z pomocą sztuki fryzjerskiej – ach, wszystko jedno, grunt, że miło się na nie patrzy. Oczy niebieskie, może szaroniebieskie; Karol pierwszy raz w życiu uczył się kolorów. Choć wyglądają tak smutno – te niebieskie oczy – to jednak zdarzają się w nich figlarne przebłyski. Uśmiech tej dziewczyny rozświetlał cały pokój, a czegoś piękniejszego niż dołeczki, które pojawiały się przy tym uśmiechu, Karol nigdy nie widział.

Przepadł z kretesem.

A ciocia tylko się przyglądała...

Kwiecień 2007 i trochę później

Pierwszego kwietnia pani Nowaczyńska kupiła wiosennego krokusa w doniczce i wręczyła go zaskoczonej Teodorze z życzeniami imieninowymi.

– Ależ, kochana pani Weroniko, ja nie mam dzisiaj imienin. – Teośka uśmiechnęła się zakłopotana. – Urodziłam się drugiego maja i mam imieniny dziesięć dni po urodzinach. Nawet jako dziecko bardzo byłam z tego powodu niezadowolona, bo mama urządzała mi obydwie uroczystości wspólnie.

– Nie – powiedziała krótko pani Weronika do telefonu, który rozdzwonił jej się w kieszeni w trakcie rozmowy z Teo. – Zadzwonię do ciebie wieczorem, teraz nie mam czasu.

Przeprosiła dziewczynę za tę przerwę i uściskała serdecznie Teosię.

– W maju czy w kwietniu, wszystko jedno, prawda? – odpowiedziała nieco pokrętnie, tak to w każdym razie oceniła Teodora. – Ważne, że chcę uczcić twoje święto, bo cię kocham, dziewczyno.

Z tą deklaracją kierowniczka Czterech Łap poszła do swoich zajęć, a Teo nawet nie miała czasu pomyśleć o tej trochę dziwnej rozmowie, bo za drzwiami stała już cała kolejka do wiosennych szczepień przeciw wściekliźnie. A przed każdym zaaplikowaniem szczepionki pani doktor musiała jeszcze przejrzeć indywidualną kartę zwierzaka, sprawdzić, czy wykonano obowiązkowe badania kału, a potem zrobić odpowiednią adnotację w dokumentach zaszczepionego psa lub kota. Roboty było aż za dużo na jedną osobę, Teodora zwijała się więc jak w ukropie i szybko zapomniała o tym falstarcie imieninowym pani Weroniki.

A pani Weronika dzwoniła właśnie do swojego siostrzeńca i wyjaśniała mu, kiedy Teo obchodzi imieniny. I kiedy ma urodziny. I tłumaczyła, że nie powinien czekać do maja, bo i po co. Niech przyjdzie odwiedzić ciocię w jej miejscu pracy, spotka tam przecież Teodorę, która codziennie przychodzi wieczorami, jest tu już od szóstej na pewno.

Więc Karol przyszedł czwartego kwietnia, ale kiepsko trafił, bo następnego dnia Teośka wyjeżdżała do domu, do Solca, na święta wielkanocne. Nie miała nawet czasu, żeby z nim porozmawiać, odpchlała całe czterołapne towarzystwo, znowu uzupełniając schroniskową dokumentację.

– Dziękuję za życzenia świąteczne, ja wzajemnie życzę panu wesołego jajka, ale dziś to wszystko, czym mogę poczęstować. Uciekam do domu, aczkolwiek bardzo niechętnie, bo wszystkie święta na razie są dla mnie bardzo przykre.

Karol wiedział, bo dokładnie wypytał już ciocię o Teodorę. Starsza pani opowiedziała mu o śmierci męża dziewczyny, o jej żalu i długiej żałobie. Wiedział więc, dlaczego Teo nie lubi świąt, ale nie zamierzał rozmawiać z nią na ten temat.

– Mimo wszystko życzę udanego wyjazdu i mam nadzieję, że wrócisz cała i zdrowa. Zapraszam na kawę po powrocie. – Niby mimochodem przeszedł z nią na ty, ale Teosia tego nie skomentowała. Najprawdopodobniej nawet nie zauważyła, że jest już z panem mecenasem po imieniu.

A jego aż skręcało. Gdyby Teodora miała na imię Stefania, można by zacytować wers Boya-Żeleńskiego o pewnej dziwnej manii, co pasowało jak ulał, bo Karola przestały interesować inne kobiety. Przed oczami miał tylko dwa dołeczki i uroczy uśmiech. Nie wiedział, jak zrobić ten pierwszy krok, wolał uniknąć nieprzemyślanych poczynań, bał się odrzucenia. I z tej irytacji – pozostając przy Boyu – najgorsze wyrazy powtarzał po kilka razy, na szczęście tylko w myślach.

Po powrocie Teodory ze świątecznego pobytu u rodziców doprowadził do spotkania, zapraszając dziewczynę na lody.

– Wiedziałeś, co wymyślić, żebym na pewno nie odmówiła. – Teo odpowiedziała uśmiechem na jego propozycję. – Lody mogę jeść zawsze i wszędzie. A już na plac Piastowski na lody to nawet w nocy bym poszła, gdyby tylko tam w nocy je sprzedawali. Dobrze zgadłeś, gdzie mnie zaprosić.

Potem było kino i znowu lody, spacer po Starym Mieście, aż wreszcie do Teodory dotarło, że Karol ma względem niej określone plany. Przez jakiś czas udawało jej się odrzucać jego bardziej zdecydowane zaloty, wszakże pewnego razu, po miłym wieczorze spędzonym w kawiarni na placu Wolności, po kilku lampkach czerwonego wina, odprowadzając swoją towarzyszkę do domu, Koźmiński zdecydował się przypuścić frontalny atak. Gdy już byli przy wejściu do bloku, zamknął Teo w ramionach i zaczął całować. Zaskoczona i oszołomiona nie odepchnęła go natychmiast, wydawało mu się nawet, że przyjmuje z zadowoleniem jego czułości. Uwierzył w swoje szczęście do tego stopnia, że poprosił, aby podała mu klucze od mieszkania.

– Karol! Oszalałeś? – Teo odsunęła się gwałtownie i aż oparła się o ścianę. – Zepsułeś wszystko. Co ci przyszło do głowy? Idź sobie, i to prędko. I daj mi już spokój, nie dzwoń, nie przychodź, zniknij z mojego życia.

– Ale… – wykrztusił zaskoczony.

– Jeśli czymś w swoim zachowaniu wprowadziłam cię w błąd, przepraszam. Nie nadaję się do układu damsko-męskiego, wybacz. Myślałam, że to rozumiesz. – Odwróciła się na pięcie i wpadła do klatki schodowej. Złapała się za poręcz schodów, bo aż jej się zakręciło w głowie. Głupia, głupia, głupia, wyzywała siebie w myślach. I co? Miałaś nadzieję na czystą przyjaźń? Z facetem? Głupia, głupia, głupia!

– Pani Weroniko. – Teodora z opuszczoną głową stała przed kierowniczką Czterech Łap. – Muszę pani coś opowiedzieć.

– Cóż, jeśli musisz, to mów, moje dziecko. – Pani Nowaczyńska uśmiechała się do niej życzliwie. – Tylko czemu mam wrażenie, że ta twoja opowieść wcale mi się nie spodoba?

– Wiesz, kochana – odezwała się pani Weronika po wysłuchaniu relacji o incydencie z Karolem. – Nie musiałaś mi w ogóle tego opowiadać, ja cię bardzo lubię, bez względu na twoje stosunki – lub ich brak – z moim siostrzeńcem. Uważam jednak – złapała dziewczynę za rękę – że kiedyś musisz wyjść z tej żałoby. Jestem pewna, że twój mąż chciałby, żebyś znowu prowadziła normalne życie. – Puściła rękę Teodory i dodała po chwili: – Ale ze mną nie zrywasz znajomości, mam nadzieję – bo tego bym nie zniosła.

I ich relacje, dotychczas miłe i serdeczne, teraz stały się prawie rodzinne. Urodziny, imieniny, różne dni świąteczne – oraz inne okazje bez okazji – zbliżyły obie panie na tyle, że Teo nazywała Weronikę ciocią, na jej wyraźne życzenie. Zdarzało się, że w domu cioci Nowaczyńskiej spotykała czasami – przypadkiem czy też nie – jej prawdziwego siostrzeńca, ale stosunki między nimi były sztywne i oficjalne. Z czasem stały się serdeczniejsze, lecz już do dawnej zażyłości nie wrócili.

Rozdział 10

Wrzesień 2008

Te Trzy stały na skwerku, w miejscu, w którym spotykały się co pięć lat. Zakończyło się kolejne pięciolecie i nadszedł czas na podsumowania.

– Gadamy tu czy idziemy Pod Orła? – zapytała Teodora. – Zimno dzisiaj i obrzydliwie – dodała coś, co dało się widzieć i czuć. – Mam do was ważną sprawę, ale omówimy to chyba Pod Orłem, bo niestety dziś na skwerku nie posiedzimy.

– A cóż to za pytanie? – obruszyła się Jolanta. – Już od dwóch dni ślinka mi cieknie na myśl o ich kaczce z modrą kapustą.

– Pewnie, że Pod Orła – powiedziała w tej samej chwili Aleksandra. – Nawet nie powinnaś pytać.

Gdy już zaspokoiły pierwszy apetyt, przy serowych babeczkach z gorącą czekoladą i kroplą bitej śmietany, Teo poprosiła o najnowsze relacje.

– Przecież to ty, Teo, masz jakąś sprawę. – Leksi była najmniej cierpliwa, więc koniecznie chciała jak najprędzej się dowiedzieć, o co chodzi. Nic jej nie przychodziło do głowy, ale była pewna, że nie chodzi o nowego mężczyznę w życiu Teosi, choć obydwie – ona i Luśka – bardzo chciałyby, żeby przyjaciółka od nowa ułożyła sobie życie. Od śmierci Wiktora minęło już dwa i pół roku, a więc... – Mów, co się dzieje – zażądała.

– A tak, mam do was sprawę – odpowiedziała Teodora. – Prośbę – uzupełniła.

I opowiedziała przyjaciółkom o swojej pracy w Czterech Łapach, poprzedzonej wolontariatem, właściwie w dalszym ciągu będącej wolontariatem, bo wynagrodzenie, jakie teraz tam otrzymywała, było znikome.

– Wiecie, tych zwierzaków jest coraz więcej – zapalała się. – Ludzie są podli, kupują sobie i swoim dzieciom zabawki, które wyrzucają jak śmieci, gdy im się znudzą. I tych takich porzucanych biedaków ciągle nam tam przybywa.

– Nam? – spytała Jolanta. – Chcesz powiedzieć...

– Cicho, Luśka. Chcę powiedzieć, że brakuje nam rąk do pracy. Nam, bo czuję się członkiem zespołu. I jestem emocjonalnie związana z tym czworonożnym bractwem. I właśnie to będzie moja prośba. Żebyście przyłączyły się do nas, jako wolontariuszki oczywiście. O ile wiem, żadne dzieci na razie wam się nie plączą po życiorysie, mężów też nie macie, prawda? Więc trochę czasu znajdziecie, choćby przez przyjaźń do mnie. No i przez miłość do zwierząt, rzecz jasna.

– A w ogóle, dziewczyny! – Aleksandra prawie krzyknęła. – Przecież minęło dziesięć lat od naszej matury. Prawie byśmy o tym zapomniały, przez to schronisko Teodory. Zamawiamy jakieś dobre białe wino. Całą butelkę. Samochód na szczęście pod domem.

– I, proszę, każda podsumuje teraz swoje dziesięciolecie – wtrąciła Teo. – Ja właściwie już to zrobiłam. Co się działo w moim życiu, doskonale wiecie. Zaczynam trochę odżywać właśnie dzięki Czterem Łapom. I dzięki kochanej cioci Weronice. Mojej kochanej cioci. A mam nadzieję, że i dla was stanie się kochaną ciocią. Cudna jest.

O Karolu, ich spotkaniach, przyjaźni, która zaczęła niebezpiecznie – niebezpiecznie dla Teosi – skręcać tam, gdzie nie powinna, przyjaciółkom nie opowiedziała. Nie chciała słuchać ich życzliwych docinków i perswazji, że może warto, że czas najwyższy, bo marnuje sobie życie – i takie tam – znała te argumenty, mogłaby je sama sobie powtarzać, stojąc w domu przed lustrem. Rzecz w tym, że nie chciała niczego zmieniać. Nie była gotowa na żadne nowe życie. Jeszcze nie była gotowa. A może już nigdy nie będzie. I nie chce na ten temat z nikim gadać. Nawet z przyjaciółkami, choćby były jak siostry. Prawie siostry.

– Leksi, co u ciebie? – spytała Jolanta, unosząc kieliszek wina. – Nic nie mówisz o swoim życiu uczuciowym, bo co w pracy, to wiemy. Znaczy dno. Od Mariana minęły już dwa lata, więc chyba go przebolałaś. I co dalej?

– Jolka, ten twój takt słonia… – Aleksandra również podniosła kieliszek z winem i szybko wychyliła go duszkiem. – Nie ma żadnego dalej. Przecież wiesz, wiecie obydwie, że jakby się coś działo, wiedziałybyście o tym natychmiast. Plącze mi się po Centrum taki jeden Sławek, ale dla mnie jest za nudny. Owszem, do kina z nim pójdę, na kawę czy jakieś lody, ale nic więcej. Wiecie, że ja potrzebuję fajerwerków.

– No jasne, Marian ci ich dostarczał niemało – pozwoliła sobie na złośliwość Jolanta, z tym całym swoim taktem słonia.

– Oj, jak rany, dajcie spokój – wtrąciła się Teodora, święta Teo, jak o niej mawiały, zawsze skora do godzenia zwaśnionych stron, która we wszystkim widziała same dobre rzeczy. Wszędzie, tylko nie w swoim życiu, uznała je bowiem za zamknięte na dobro już na zawsze.

– Nie tylko faceci liczą się na tym świecie, kurczę. A jak już bez nich nie możecie żyć, powiem wam, że ciocia Weronika ma całkiem przystojnego siostrzeńca. Prawdziwego, nie przyszywanego. Jego rodzice zginęli w wypadku, gdy był dzieckiem, i ciocia go wychowała. Wyrósł na niezły okaz. Tylko się o niego nie pobijcie.

Nie wiedziała, że jej słowa omal się nie spełnią...

– Ale wiecie co? – Jolanta przechyliła się do przodu, prawie zrzucając ze stolika talerzyk po zjedzonej babeczce. Spojrzała na niego niechętnie, jakby miała pretensję o to, że jest pusty, i kontynuowała – ja też mam dla was ciacho.

Teraz na pusty talerzyk Luśki patrzyły także Teodora i Aleksandra.

– Oj, łakomczuchy – skrzywiła się Jolanta. – Mówię o swoim Kajetanie. Wspólniku z naszej firmy. Może go poznacie, bo mam taki pomysł, żeby urządzić oblewanie dziesięciolecia matury na działce rodziców, w Myślęcinku. Urządzamy ogród w tej okolicy, więc zaprosiłabym też Mirkę i Kajetana, żeby zajrzeli po robocie, na grilla. Co wy na to?

– Może być, ale grillujesz sama. – Teodora przypomniała przyjaciółkom, że ona i czynności kuchenne…

– Jasne, przecież wiem – zachichotała Lusia. – Wszyscy pamiętają, jak spaliłaś nasze żeberka w Chmielnikach.

Czas teraźniejszy

Rozdział 11

Po wrześniowym spotkaniu w dwa tysiące ósmym roku jeszcze dwie z Tych Trzech zostały wolontariuszkami w Czterech Łapach. Wyprowadzały psy na spacery, głaskały koty, wyciągały kleszcze z sierści zwierzaków. Roboty było sporo, bo podopiecznych w schronisku przybywało, ale obie polubiły te zajęcia tak samo jak Teosia. Polubiły też panią Weronikę, a ona bardzo szybko zaadoptowała je na kolejne siostrzenice. Teraz spędzały razem imieniny oraz urodziny każdej z nich, a poza tym spotykały się często bez żadnej okazji.

Na pierwszym takim wspólnym spotkaniu Jolanta poznała Karola.

– Teo – zachwycała się – to jest po prostu facet ekstra. Czy ty naprawdę nie jesteś nim zainteresowana? Bo mnie się podoba...

– A bierz go sobie, z moim pełnym błogosławieństwem – ucieszyła się Teodora. – Naprawdę nie jestem nim zainteresowana. Jeszcze długo nie będę nikim zainteresowana, wiesz przecież.

Jolanta tylko pokiwała głową. Wiedziała, ale sama uważała inaczej. Sądziła, że dwa i pół roku żałoby to dużo i tyle już wystarczy. Tak samo zresztą myślała Aleksandra i nieraz rozmawiały na ten temat. Teo jednak twardo stała przy swoim nie i już. Żaden facet.

Trudno.

Leksi nie była na tym spotkaniu, leżała w domu z wielkim, ogromnym katarem, zapuchnięta, zasmarkana i nieszczęśliwa.

– Nawet mi nie opowiadajcie, jak było – chrypiała w telefon. – Bo mnie tu i tak szlag trafia. Nadrobimy to niedługo, niech wyzdrowieję.

*

– Jola? – Usłyszała męski głos. Wiedziała już, kto dzwoni, bo przecież popatrzyła na wyświetlacz. Karol. Coś w niej drgnęło. – Dzień dobry! Masz chwilę na pogawędkę czy przeszkadzam?

– Nie, nie przeszkadzasz, mogę pogadać. Co się dzieje?

– Nic się nie dzieje, a właściwie dzieje się to, że jakoś nie mogę przestać o tobie myśleć. I nie pamiętam, jaki kolor mają twoje oczy. To może głupie, ale ten brak wiedzy ogromnie mi przeszkadza. Czy dałabyś się zaprosić na kawę? Kolor oczu sam sprawdzę i już na pewno zapamiętam.

– Gdzie i kiedy ta kawa? – Luśka chichotała jak nastolatka. – Nie mogę przecież pozwolić, żebyś nie mógł spać przez moje oczy. Oczy mam… Nie powiem, rzeczywiście będzie lepiej, jak sam sprawdzisz.

Spotkali się i Jolanta przepadła. Spojrzała w jego oczy, a ich intensywnie niebieski kolor wydał jej się najpiękniejszy na świecie.

Na drugiej randce, po obiedzie okraszonym karafką wybornego czerwonego wina, Karol wstał i zapytał:

– No to co? Idziemy do mnie?

Niezbyt romantycznie, prawda? Ale Luśka usłyszała: „Kochana moja, nie mogę bez ciebie jeść, spać ani oddychać. Pragnę cię tak bardzo, że mgła mi oczy zasnuwa. Płonę z pożądania, chudnę i wykończę się, jeśli nie będę mógł cię przytulić do mojego serca". I tak dalej… Gdyby Karol wiedział, co się roi w Jolusinej głowie, chyba uciekłby z krzykiem. A może nie? One, znaczy baby, niech sobie myślą, co chcą, a on, Karol, i tak zrobi, co zechce. Co i kiedy zechce.

Poszli więc do niego i nawet było romantycznie. O, Karol umiał się postarać, jak chciał. A teraz właśnie chciał. Po drodze kupił więc duży pęk czerwonych róż i potem, w domu, obsypał łóżko płatkami kwiatów. Tym zdobył Jolę ostatecznie.

Od tamtego momentu stali się parą, a ich miłość – miłość? – rozkwitała. Ze strony Lusi była to rzeczywiście miłość; spragniona uczucia, dała się ponieść swojej romantycznej naturze, wmówiła sobie tę miłość i dla niej było to coś wielkiego i świętego. Była na każde skinienie ukochanego, umilała mu życie, jak potrafiła. Kiedy tylko mogła, biegła na plac Wolności, przygotowywała obiad, sprzątała mieszkanie, rozstawiała kupione po drodze kwiaty, przygotowywała różne drobne niespodzianki.

A Karol? Karol wkrótce poczuł się tym wszystkim trochę zmęczony. Nigdy nie był typem monogamicznym, a poza tym… Poza tym miał we krwi Teodorę. Nie spotykał się z nią, bo wyraźnie mu zapowiedziała, że nie jest zainteresowana, że absolutnie nic z tego nie będzie i żeby jej nie zawracał głowy. A jemu owo zapatrzenie i „dziwna mania" nie przechodziły. Obsesyjnie pragnął Teodory, tym mocniej, im bardziej się przekonywał, że ona naprawdę go nie chce, że to nie jest żadna gra z jej strony. Nie mógł pojąć, że któraś kobieta może go odrzucić, woleć nieżyjącego od jakiegoś tam czasu męża od niego, żywego mężczyzny z krwi i kości, przystojnego, niegłupiego przecież, a na dodatek bogatego.

Przychodził więc do Czterech Łap niby do cioci, a w rzeczywistości po to, żeby chociaż popatrzeć na Teosię i pogadać z nią nawet tylko o zwierzakach. Teo nie miała nic przeciwko ich spotkaniom, w ten sposób przynajmniej kilka psiaków wychodziło na spacery. Nie miała pojęcia o obsesji Karola, a gdyby nawet ktoś jej o tym powiedział, w ogóle by nie uwierzyła. Przecież niczym go nie zachęcała, a wręcz odwrotnie. Tak w ogóle to lubiła Karola, był dla niej miłym kolegą i sympatycznie im się gadało. Wierzyła, że przychodził zobaczyć się z ciocią i wyprowadzić kilka psiaków.

Jolka zaś uznała, że Karol przychodzi tam tylko dla niej. Jakoś do tej pory nie powiedziała przyjaciółkom, że spotyka się z siostrzeńcem pani Weroniki. Ukrywała tę znajomość, na razie ciesząc się nią w samotności.

Na któreś kolejne wspólne spotkanie Karol nie przyszedł i nawet ciocia nie wiedziała dlaczego. A nie przyszedł dlatego, że właśnie akurat tego dnia i o tej porze miał prywatne upojne spotkanie z klientką. Prowadził jej sprawę rozwodową, wygrał wszystko, co było do wygrania, klientka była zachwycona i wdzięczna, a skoro chciała tę wdzięczność okazać – dodatkowo do honorarium oczywiście – w taki całkiem specjalny sposób, pan mecenas nie mógł przecież odmówić. Wiedział, że nie wplącze się w jakiś kłopotliwy romans, bo pani klientka rozwodziła się z całkiem konkretnego powodu, którym to powodem był znany w Bydgoszczy chirurg ortopeda.

– Karolku – szepnęła mu w ucho pani klientka podczas miłych zapasów erotycznych (bo przecież nie miłosnych) – obydwoje wiemy, że to nasza jednorazowa przygoda. Chcę iść na całość, pokaż, co potrafisz.

Pokazał więc, zachwycony tą deklaracją, bo takie postawienie sprawy odpowiadało mu najbardziej.

A cioci coś tam naopowiadał o pilnej sprawie, której nie mógł przełożyć.

*

Na następnym spotkaniu znowu nie było Aleksandry, gdyż wydelegowano ją na jakąś konferencję do Warszawy. Właśnie ją i właśnie wtedy, cholera. Leksi lubiła Warszawę, ale żeby akurat taki pechowy zbieg okoliczności?

Ale cóż począć, praca to praca, i tyle.

Była wściekła, bo lubiła te ich spotkania, a ostatnio stały się one coraz rzadsze. Panią – przepraszam, ciocię – Weronikę też lubiła, i to bardzo. Te Trzy, wszystkie, uwielbiały także dom przy Sielanki. Czuły się tam jak w powieści, tak mówiły.

– Ciociu, jak tu cudnie – zachwycały się chórem i każda z osobna.

Najbardziej kochała ten dom Teodora. Może dlatego, że urodziła i wychowała się w ciasnym domku w małej miejscowości, takiej prawie wsi. Miało to swoje zalety, owszem. Było tam miło, rodzinnie i przytulnie. Ale ciasno. Potem mieszkała u babci, gdzie było jeszcze ciaśniej. Właściwie najwygodniej było jej w Poznaniu, podczas studiów, bo dostała u cioci własny pokój. Nigdy jednak nie widziała, żeby ktoś miał tyle przestrzeni do dyspozycji, jak w tej sielankowej willi cioci Niki.

Jola myślała tak samo, a od kiedy pokochała siostrzeńca pani Weroniki, uwielbiała jej dom jak własny. Pani Weronika nie wiedziała o miłości Lusi do Karola, on ciotce się nie zwierzał, a Luśka nie mówiła o tym nikomu. Do tej pory. A przychodzić na Sielanki lubiła z każdego powodu. Po prostu dobrze się tam czuła.

Aleksandra też dobrze tam się czuła. Duże pokoje jej nie imponowały, w mieszkaniu przy Kościuszki były takie właśnie pokoje. Wysokie, przestrzenne, duże. I przewiewne, jak mawiała rodzina Oli. Jednak Leksi też właściwie nie miała tam spokojnego kąta, choć zgrzeszyłaby, narzekając, że jej ciasno. W jednym pokoju była sypialnia rodziców, drugi, szumnie mówiąc – salon, stanowił własność całej rodziny, a trzeci, największy, należał do „małych", czyli Magdy i Dorotki. Przedzielony meblościanką, z powodzeniem udawał dwa odrębne pomieszczenia. A czwarty pokój, najmniejszy, ale za to najbardziej słoneczny, z oknem wychodzącym na południe, był azylem Aleksandry. To znaczy miał być, bo bez przerwy wpychała się tam do niej jedna z małych. Lub obydwie. Po to, po tamto, po nic, tak sobie. Najgorzej, że wchodziły tam też pod nieobecność prawowitej mieszkanki – przestawiały książki, przewracały płyty, „pożyczały sobie" długopisy i ołówki. Leksi miała tego dosyć, naprawdę. Jednak do wymarzonego własnego domu z ogrodem było tak samo daleko jak jeszcze przed maturą. A willa na Sielankach, jak wszystkie trzy nazywały dom Weroniki, nie dosyć, że była pełna uroku, stara, piękna i czarowna, to jeszcze miała ogród.

Parter, piętro, wysokie poddasze. Schowki, zakamarki, strych, piwnica. Bogactwo. Aleksandra nie zazdrościła pani Weronice, skąd, a jeśli tak, to tylko trochę. Tak pozytywnie, z miłością.

Uwielbiała tam przychodzić i wpadała, kiedy tylko mogła, często bez zaproszenia, często sama, bez innych dziewczyn. Wiedziała, że zawsze jest tam mile widziana.

– Ciociu, dawaj odkurzacz, posprzątam. – Weronika nie wierzyła, że ktoś może lubić sprzątanie, ale Leksi naprawdę lubiła. Uwielbiała, gdy wokół wszystko zaczynało lśnić i błyszczeć; kiedy wszystko leżało poukładane na swoim miejscu i dookoła był porządek. Cała rodzina Marianowiczów nie wiedziała, skąd u najstarszej córki tak dziwne zamiłowanie – bo jakoś tkwiło to tylko w genach Aleksandry. Inni członkowie rodziny, łącznie z mamą, niestety, tego zamiłowania nie podzielali. Mama, chociaż z racji zawodu czystość bardzo ceniła, w domu najbardziej kochała kuchnię, tak więc panował tam wręcz nieskazitelny ład i porządek. Reszta mieszkania mniej ją obchodziła, wiedziała zresztą, że wszędzie posprząta Oleńka. „Małe" porządek całkowicie miały gdzieś, Leksi przypuszczała nawet, że siostry w ogóle nie znają tego pojęcia. Starała się więc chociaż jako tako

117

ogarnąć całe spore przecież mieszkanie, ale często po prostu opadały jej ręce.

Dlatego sprzątanie u cioci Weroniki było dla niej przyjemnością i choć starszą panią to nieco żenowało, w końcu pojęła, że Leksi nie udaje, tak więc Aleksandra sprzątała tam sobie (właściwie – cioci) z pożytkiem dla obu stron.

Karola poznała jednak nie na Sielankach, lecz w Czterech Łapach. Leksi często wpadała do schroniska, polubiła zajęcia przy zwierzakach, które tak czekały na każdy serdeczny gest człowieka, że często aż jej się płakać chciało. Ostatnio jej serce należało do małej, niezbyt ładnej, krótkowłosej suczki. Czarnej, z białymi czubkami łapek.

– Wyglądasz jak kociak – mówiła do niej Leksi. – Kto to widział mieć takie białe pazurki. I kto widział, żeby pies mruczał jak kociak? – Suczka naprawdę mruczała uszczęśliwiona, ilekroć tylko Ola się przy niej znalazła. I łasiła się po kociemu, przylegając łebkiem do nóg dziewczyny.

– Chodź, kociaku, idziemy na spacer. – Aleksandra wyprowadzała z boksu Kocię, bo tak nazwała suczkę, mimo że w schroniskowych papierach psina wabiła się Karolcia. Brała na smycz jeszcze ze dwa psiaki, takie, które się nie gryzły – i szła z całym towarzystwem na spacer wokół stadionu Zawiszy. Często tę samą trasę wybierało kilku wolontariuszy, zawsze jednak uważali na swoich podopiecznych, bo nie wszystkie zwierzaki się tolerowały. A więc jedni szli w prawo, inni w lewo.

– Dzisiaj mogę iść z tobą – usłyszała nagle Leksi.

118

Odwróciła się i zobaczyła Karola, prowadzącego na smyczy dwa owczarki niemieckie, może i bez rodowodów, ale równie ładne, jak te z certyfikatami. I w schronisku... Ech, życie.

– One nie gryzą innych psów – powiedział. – Karol Koźmiński, siostrzeniec Weroniki. Do tej pory nie poznaliśmy się osobiście, choć wiem, kim jesteś, widziałem cię tu już kilka razy, ale jakoś się nie złożyło...

– Ja też wiem, kim jesteś. – Leksi bez oporów przyjęła to, że Karol zwrócił się do niej per ty; uznała, że wspólna ciocia to usprawiedliwia. – Cieszę się, że nareszcie się poznaliśmy.

Spacerowali dwie godziny. Przysiadali od czasu do czasu, bo mała Kocia Aleksandry aż się pokładała ze zmęczenia, jeszcze nigdy nie trafił jej się taki długi spacer.

Opowiedzieli sobie swoje życiorysy, Karol oczywiście ocenzurował swój i ani słowem nie wspomniał, że spotyka się z Jolantą. Nie wspomniał też, to jasne, o swoim opętaniu Teodorą.

Rozkocham w sobie twoje obydwie przyjaciółki, pomyślał, kierując te słowa do Teo. Będą ci opowiadały, jaki to ja jestem wspaniały, cudowny i najlepszy. Aż otworzą ci się oczy, staniesz się o nie zazdrosna, zrozumiesz, jaki skarb możesz mieć. Na wyciągnięcie ręki. Ale wtedy nie wiem, czy jeszcze będę dla ciebie dostępny. Na razie – plan C, czyli urocza Aleksandra. Bo historia B, czyli urocza Jolusia, właściwie już się kończy, choć jeszcze trochę to pociągnę. Jest mi z nią wygodnie, bo gotuje, sprząta, w łóżku nie najgorsza, więc niech tak na razie zostanie. Zobaczymy, co wyjdzie z tą Aleksą.

119

A ona, nieświadoma myśli i uczuć towarzyszącego jej mężczyzny, właśnie wklepywała do telefonu numer jego komórki; swój wpisała mu sama, żeby nie pokręcił. Choć na razie telefony nie były im potrzebne, umówili się już na następny dzień. Do filharmonii, którą to propozycją Karol pozytywnie zadziwił i zachwycił Aleksandrę.

Rozdział 12

Jolanta podskakiwała ze szczęścia. Wcisnęła klawisz numer trzy w komórce. Wyświetliło jej się imię „Teo" i po chwili usłyszała głos przyjaciółki.

– Mam! Dostałam! Ale się cieszę! – wykrzyczała w telefon.

– Co masz?

– No, kredyt, kredyt przecież. Już załatwione, przelane, teraz tylko opijamy.

– Kupujesz mieszkanie na Wyżynach? To, o którym opowiadałaś? Czy znalazłaś jakieś inne?

– Żadne inne, kupuję, a właściwie już kupiłam, mieszkanie na Wyżynach. Przy ulicy Ku Wiatrakom. Masz pojęcie? Czy może istnieć ładniejsza nazwa? I czy może być szczęśliwszy początek nowego roku? Dwa tysiące dziesiątego!

Luśka naprawdę była szczęśliwa. Od dawna marzyła o własnym kącie. W mieszkaniu rodziców przy Gdańskiej były wprawdzie trzy duże pokoje, ale w jednym mieszkali rodzice, w drugim młodszy brat, a w trzecim ona. Z bratem się nie zgadzali, ciągle się kłócili i jedno drugiemu przeszkadzało. Gdy Jola chciała się uczyć lub po prostu czytać, Jacek włączał głośno jakąś muzykę. Kiedy chciała spać, z pokoju rodziców dobiegały odgłosy jakiegoś filmu. Dosyć już miała tego wszystkiego. Kiedy tylko mogła, uciekała na działkę do Myślęcinka, jednak nieczęsto udawało jej się być tam samej. Brat wprawdzie działki nie znosił i prawie nigdy tam nie jeździł, chyba że rodzice prosili go o pomoc przy jakichś pracach. Ale rodzice siedzieli tam prawie przez wszystkie weekendy lata, więc Lusia znowu nie mogła być sama. A ona była taka dziwna, że najbardziej lubiła samotność.

Na dodatek Jacek niedawno się ożenił i żona zamieszkała razem z nim w pokoju obok. Za kilka miesięcy miał tam przybyć nowy lokator, bo żona brata – jeszcze tą żoną nie będąc – zaszła w ciążę, stąd właśnie ów ślub. Samotność Lusi odpływała więc na dobre gdzieś daleko i Jolanta za wszelką cenę próbowała coś wymyślić. Wymyśliła, że weźmie kredyt i kupi sobie jakiś mały własny kąt. Nie mówiła nikomu o swoich planach, żeby nie zapeszyć, gdyż tak naprawdę nie wierzyła, że ten kredyt dostanie. Jej zarobki nie były oszałamiające i bała się, że bank uzna jej zdolność kredytową za niewystarczającą. O dziwo, jednak ktoś w banku uznał, że wprawdzie zarobki Joli nie są wielkie, ale pani Biegańska wygląda na wypłacalną. Wspólniczka w dobrej firmie, do tego praca w administracji, gwarantująca ciągłość zatrudnienia. Poza tym – było przecież mieszkanie pod zastaw.

Ulubiony stan Joli – samotność – znowu pojawił się na horyzoncie. Wprawdzie lubiła towarzystwo, to jasne, ale mieszkać chciała sama. Sama, czy to takie dziwne?

Kochała spokój i ciszę, oczywiście poza momentami, gdy znalazły się we trzy razem, najchętniej na Sielankach. Tam było tyle pokoi, że nawet jak któraś chciała zostać sama i posiedzieć w ciszy, szła na piętro i miała tam ciszę.

Ale to nie to samo, co własne mieszkanie. No dobrze, kawalerka. Pokój z wnęką i otwarta kuchnia, oddzielona blatem z kolumienką. Mieszkanie było z drugiej ręki, nowego Jola nie chciała. Nie miała głowy do tego całego rozgardiaszu budowlanego, instalowania białego montażu, kafelków, podłogi, mebli kuchennych. Tu miała wszystko gotowe i, co najważniejsze, optycznie dla Luśki bardzo do przyjęcia. Trzeba było tylko odmalować ściany i wymienić muszlę sedesową, bo używanej Jolka za nic nie chciała. To były jednak drobiazgi, które mogli zrobić we własnym zakresie – Lusia i jej ogrodowa ekipa.

Przyjaciółki Jolanty do tej pory nie poznały Mirki i Kajetana. Plan uroczystych obchodów dziesięciolecia matury jakoś nie wypalił, bo działkę ciągle okupowali rodzice Luśki, a ich udziału w takim spotkaniu dziewczyna po prostu nie chciała.

– Zapraszam na oblewanie – zakończyła rozmowę z Teodorą. – Szczegóły wkrótce.

*

– Panie doktorze. – Jolanta wdrapała się na fotel ginekologiczny, posykując ze złości. – Ostatni okres miałam prawie dwa miesiące temu. Nie pilnowałam tych dat, bo miałam na głowie remont, meblowanie

123

mieszkania i takie tam różne sprawy. Ale zaczęłam wymiotować prawie każdego rana, więc...

– No więc jest pani w ciąży. – Pan doktor uśmiechnął się szeroko. – Szczęśliwego Nowego Roku.

– Jakiego nowego roku? Przecież jest czerwiec. – Luśka nie była w nastroju do żartów. – To kiedy miałabym rodzić? Zaraz – liczyła w myślach – wychodzi mi, że chyba w grudniu, tak?

– Mniej więcej. Tak na przełomie roku, stąd moje przedwczesne życzenia. Teraz wygląda to na trzeci miesiąc, więc obliczenie jest proste. Proszę przyjść za miesiąc, niezbędne witaminy i inne preparaty zapisuję w dawkach na ten czas właśnie.

– Ale... – Jolanta ześlizgnęła się z ginekologicznego samolotu i wciągała rajstopy. – Ja nie mogę teraz rodzić. Mam kredyt, nowe mieszkanie, mnóstwo roboty. Jak przestanę pracować, nie będę miała z czego spłacać kredytu i zabiorą mi mieszkanie. Rany boskie, to jakiś koszmar.

– Zapisuję panią na wizytę w lipcu, na kontrolę. Jeśli nie będzie pani mogła lub chciała przyjść, proszę o informację. – Lekarz widocznie nie przyjął do wiadomości komunikatu Luśki o jej „niemożności rodzenia" albo uznał, że jeśli istotnie podejmie taką decyzję, odwoła wizytę.

A Jola pomyślała, że grudzień dwa tysiące dziesiątego roku to dobry czas na poród. I ta myśl jakoś dziwnie ją pocieszyła. Bo mimo tych wszystkich „nie mogę" nawet przez chwilę nie pomyślała, że mogłaby tego dziecka nie mieć.

Rozdział 13

– Kurczę, już dawno powinnaś mieć własne mieszkanie. – Karol wstawał z łóżka, z którego przed chwilą wyskoczyła Aleksandra. – Ja, niestety, muszę przyjąć tego kolegę, to mój najdawniejszy przyjaciel ze studiów. Od siedmiu lat mieszka w Londynie, właśnie teraz sprzedaje swoje bydgoskie mieszkanie. Najemca się wyprowadził, a Stefek nie chce już żadnych lokatorów, bo zamyka za sobą polskie drzwi ostatecznie. Mówi, że jeśli będzie chciał wrócić, znajdzie sobie coś nowego. Zaraz jadę po niego na dworzec. Nie wiem, jak długo zostanie, skontaktuję się z tobą. Buźka. – Pocałował Leksi w nos i prawie wypchnął ją z mieszkania.

– Muszę jakoś ogarnąć te baby, bo przepadnę. – Sapnął i wskoczył pod prysznic. Za chwilę miała przyjść nowa klientka, następna kandydatka na rozwódkę. Atrakcyjna i bardzo miła. Oczywiście podatna na wdzięk Karola, a ta wizyta jest całkiem prywatna. Bez wynagrodzenia, chyba żeby za wynagrodzenie uznać igraszki w łóżku, na które miał nadzieję. Ta najnowsza zdobycz, a ściślej, kandydatka na zdobycz, prywatnie jeszcze u niego nie była. Wprawdzie Karol miał kancelarię we własnym mieszkaniu, jednak część prywatna była wydzielona i nie wszystkie klientki przechodziły z kancelarii... dalej.

Sprawdził pobieżnie, czy wszystko jest jak należy. Lekki nieład w kuchni – biedny kawaler; nieskazitelny porządek w salonie – dobrze zorganizowany prawnik; zasłonięte okna w sypialni, łóżko ze świeżą pościelą i róże w wazonie – romantyczny kochanek. Okej.

Nowa przygoda za parę chwil.

– Kochanie, nie mogę teraz rozmawiać, czekam na klienta. – Karol z irytacją wcisnął zielony klawisz w telefonie, bo zobaczył, że dzwoni Jolanta. Wolał odebrać teraz, niż ryzykować, że tamta zadzwoni nie w porę. Opcji wyłączenia aparatu w ogóle nie brał pod uwagę. – O, chyba słyszę dzwonek, odezwę się do ciebie, jak będę mógł. – Rozłączył się szybko, nie chcąc się wdawać w żadne pogaduszki. Wydawało mu się, że słyszy, że „to bardzo ważne", ale cóż mogło być tak ważnego? Bilety do teatru? Pytanie, co ma być na obiad? Czy w kuchni w nowym mieszkaniu Jolanty trzeba zmienić kafelki, czy jednak mogą zostać te stare?

Takie dylematy zazwyczaj musiał rozstrzygać po usłyszeniu słów „to bardzo ważne". Z tymi kafelkami to sam się wkręcił niepotrzebnie, powiedział, że ta kuchnia jakoś ogólnie jest za brązowa jak dla niego i że on by wymienił kafelki. Od roztrząsania kwestii, na jakie, już po pół godzinie rozbolała go głowa i był wściekły na siebie za tę nieprzemyślaną uwagę. Od tamtej pory pod niebiosa wychwalał wszystko w mieszkaniu Luśki.

– Teraz już się cieszę, jakoś sobie damy radę, prawda? – Przejęta Luśka opowiadała Karolowi o swojej ciąży, a jemu jeżyły się włosy na głowie. – Moje mieszkanie szybko się doprowadzi do porządku, meble kupimy jak najtańsze. Wynajmiemy je komuś i będzie na wydatki związane z dzieckiem. W twoim mieszkaniu ten najmniejszy pokój przerobimy na dziecinny i wszystko doskonale się ułoży. – Po tym zdaniu zamiast wykrzyknika zawisł w powietrzu znak zapytania i Jolanta umilkła. – Czemu nic nie mówisz? – dodała jeszcze.

– Jestem oszołomiony. Muszę wszystko przemyśleć. Na razie kończ powoli prace na Wyżynach, mamy sporo czasu do poustalania, co i jak.

Karol był wściekły. Jakim cudem to się stało? Przecież zawsze się zabezpieczali. Cóż, widać nie do końca. Tego, że kto inny jest ojcem dziecka, w ogóle nie brał pod uwagę. Poznał Jolę na tyle, że był pewien jej wierności. Naprawdę nie wiedział, co robić.

Wpadł na pomysł, żeby zrzucić ten kłopot na barki cioci, przecież zawsze go ratowała z każdej opresji. No tak, ale wtedy był dzieckiem, a teraz? Teraz sam ma zostać ojcem i wcale tego nie chce. Może ciocia jakoś zaadoptuje to dziecko i wychowa je, razem z Jolą oczywiście. Niechby tylko ta dwójka zniknęła z jego życia.

*

– Ciociu kochana... – Karol odstawił filiżankę z kawą, wina nie pił, bo przyjechał samochodem i zamierzał wrócić nim do domu. – Nie wiem, jak ci to powiedzieć... – Wziął do ręki książkę i zaczął przewracać strony. Odnalazł wzrokiem leżącą obok zakładkę, wsunął ją między kartki i zamknął książkę. – Wiesz, że nie lubię, jak kładziesz książkę grzbietem do góry. Rozpadnie się, tyle razy ci tłumaczyłem, że teraz już nie ma książek zszywanych. One są sklejane i... co ja plotę, przepraszam. – Spojrzał na ciotkę, która siedziała spokojnie i tylko na niego patrzyła. Znała go przecież i wiedziała, że skoro krąży wokół tematu, to naprawdę trudno mu o tym czymś rozmawiać.

– No dobrze, już mówię, skoro zacząłem. – Widocznie Karol musiał coś trzymać w ręku, bo znowu złapał książkę. – Będę miał dziecko – wykrztusił i uciekł spojrzeniem w bok. Weronika nie odzywała się, po prostu czekała na ciąg dalszy tej historii. I cóż tu można powiedzieć, pomyślała, dolewając sobie wina do kieliszka.

– Przepraszam. – Karol poderwał się, delikatnie wyjął jej butelkę z rąk i dokończył napełnianie kieliszka. – Z Jolą.

Teraz dopiero Weronika podniosła oczy na siostrzeńca.

– Z naszą Lusią? – upewniła się, patrząc, jak Karol kiwa potakująco głową.

Dalej jednak rozmowa nie potoczyła się tak, jak sobie tego życzył.

– Nie wiem, czy ci gratulować, czy się martwić, bo nie wyglądasz na uszczęśliwionego. – Ciotka podsunęła mu kieliszek, znowu pusty.

– No właśnie, tak naprawdę to wcale się nie cieszę. Nawet bardzo się martwię. Sama wiesz, że ja nie bardzo się nadaję do życia rodzinnego. A dziecko? Przecież ja nie lubię dzieci.

– Karolu!

Oj, niedobrze, to „Karolu" zawsze było wstępem do niezbyt miłej rozmowy.

– Starałam się wychować cię, jak mogłam najlepiej, ale widzę, że w ogóle mi się to nie udało. Co to znaczy „nie lubię dzieci"? Teraz doszedłeś do takiego wniosku? A robić dzieci lubisz? Trzeba było myśleć przedtem, teraz co masz zamiar zrobić? Tylko nie myśl czasem, że ja zdejmę z ciebie ten kłopot. Bo to dla ciebie kłopot, prawda? Zawsze przybiegałeś do mnie z każdym swoim zmartwieniem i zawsze starałam się coś zaradzić. Teraz powiem ci tylko – dorośnij wreszcie. I mam nadzieję, że zachowasz się należycie.

*

Karolowi udało się – z trudem – przekonać Jolantę, że przed porodem nie ma sensu dokonywać żadnych zmian w ich życiu.

– Ślub, przeprowadzka, wynajęcie twojego mieszkania, przemeblowanie mojego, wszystko to stresujące sprawy. A ty musisz teraz mieć spokój, żeby nic nie zagrażało zdrowiu twojemu i dziecka. Urodzisz, trochę je odchowamy i wtedy pomyślimy o dalszym wspólnym życiu.

Jola zgadzała się na wszystko, co proponował. Ufała mu i nawet była zadowolona, że tak dba o ich zdrowie – jej i dziecka. Cóż, wierzyła po prostu w to, w co chciała wierzyć.

Bardzo się zaangażowała w odnawianie i urządzanie nowego mieszkania. Nie kupiła na razie żadnych mebli, poza dwuosobową, bardzo wygodną wersalką. Kuchnia była przecież urządzona, nawet ze stołem i krzesłami, więc Luśka mogła już zamieszkać „na swoim". Nie kupiła mebli, chociaż ściany były już odmalowane, a podłogi wycyklinowane i polakierowane. Wahała się, bo gdyby mieszkanie miało być wynajmowane, kupiłaby jakieś najtańsze sprzęty i po kłopocie. Tylko że Karol chciał, żeby trochę odchować dziecko tutaj. Ile czasu miałoby to zająć, nie wiedziała. Pojęła tylko, że ona z maluszkiem będzie mieszkała na Wyżynach, nie na placu Wolności. Po trosze rozumiała Karola, przecież w swoim mieszkaniu miał kancelarię i z pewnością obecność małego dziecka byłaby krępująca. Cóż, dziecko płacze, kiedy musi, nie zawsze po godzinach pracy. Tak więc, choć w głębi serca podejrzewała – ba, nawet miała pewność, że Karola to przyszłe dziecko nie uszczęśliwia, ona była szczęśliwa za nich oboje. Urodzi to dziecko i wychowa – samotnie czy z jego ojcem, to już rozstrzygnie się później – jednak sam fakt, perspektywa przyjścia na świat takiego maleństwa, które będzie jej częścią (i jego ojca, oczywiście), wprawiała ją w zachwyt. Ciąża była na razie tajemnicą, powiedziała o niej tylko Karolowi. Przyjaciółkom postanowiła obwieścić tę dobrą nowinę w dniu oblewania mieszkania. Rodzicom – w jeszcze niesprecyzowanej przyszłości.

Zdecydowała w końcu, że urządzi to mieszkanie dla siebie, nie będzie kupowała byle jakich mebli, kupi takie, jakie jej się spodobają, bez oglądania się na cenę. Miała trochę oszczędności, w ubiegłym roku trafiło się sporo dobrych zleceń, a na życie – do tej pory – wystarczała jej pensja z połówki etatu w urzędzie miejskim. Do tej pory, bo kiedy mieszkała z rodzicami, nie ponosiła prawie żadnych kosztów, siłą wpychała mamie pięćset złotych i to wszystko. Teraz będzie gorzej, pięćset złotych nie wystarczy, ale zrobiła wstępną kalkulację i wyszło jej, że da radę. O tym, co będzie, jak urodzi, w ogóle nie myślała. Ogólnie założyła, że wszystko będzie dobrze, i tyle. Sama wiedziała, że jest beznadziejnie naiwna, ale… co miała zrobić? Teraz? Po prostu musiała być optymistką, chciała być optymistką – i była. Młoda mama. Mama. Brzmi przepięknie.

Rozdział 14

Aleksandra była zła sama na siebie. Po co jej ten cały Karol? Widziała przecież, że jest dla niego tylko zabawką. Dzwonił, kiedy chciał, a ona leciała. Kiwał palcem, a ona wskakiwała mu do łóżka. Machał ręką, a ona dygała, mówiła „dziękuję" i wychodziła z jego mieszkania, pewnie po to, by zrobić miejsce dla następnej.

Tak, wszystko to prawda. Ale... Ale te jego oczy. Błękitne jak niebo, mieniące się różnymi odcieniami jak morze w pogodny dzień... Głupia gęś, pomyślała, odbierając telefon od Karola.

– Hej, kocie – usłyszała. „Kocie", jakże tego nienawidziła, to takie uwłaczające. – Zapraszam na obiad, Pod Orła oczywiście. – O piątej. – Klik i po rozmowie. Żadne „czy możesz"? Żadne „czy odpowiada ci ta godzina"? Nie zdążyła nawet powiedzieć, że dobrze i chętnie. Ale po co miała to mówić? Pan mecenas cenił sobie swój czas, nie musiał go tracić na wysłuchiwanie czegoś, co było dlań oczywiste.

A Karol już wciskał inny klawisz w telefonie. Jeden z klawiszy szybkiego wybierania, bo osoba, do której dzwonił, była dla niego szczególna.

– Teo, moja miła. – W rozmowach z Teodorą nie pozwalał sobie na żadne „kociaku, kochanie, słoneczko" ani na nic w tym stylu. Raz powiedziała mu, że nie znosi tych wszystkich głupich zdrobnień, i Karol sobie to zapamiętał. To „moja miła" też czasami ją złościło, ale nie zawsze. – Teo, witaj, stęskniłem się do twojego niewyparzonego języka. Pójdziemy jutro na kawę? Przyjedź na Stary Rynek, do naszej kawiarni, możesz? O której?

– Hej, Karolu – usłyszał i ucieszył się, że nie prostuje, iż nie jest żadną jego miłą. – Nie ma nic takiego, jak „nasza kawiarnia" – zachichotała – ale wiem, o której mówisz. Dobrze, wpadnę o szóstej, bo wcześniej nie mogę, mam sporo pracy w Czterech Łapach. A czemu ciebie tak dawno tu nie było?

– Pogadamy jutro, do zobaczenia.

Karol miał zamiar opowiedzieć Teodorze o swoich spotkaniach z Jolantą i o tej jej przeklętej ciąży. O spotkaniach z Aleksandrą nie zamierzał wspominać. Dlatego właśnie nie przychodził do Czterech Łap; nie chciał, żeby obydwie kochanki zawisły mu w duecie na szyi. A o Lusce wolał opowiedzieć, zanim ona sama się pochwali. Wiedział, że przyjaciółki na razie nic nie wiedzą, bo Jolanta mu zakomunikowała, że tę szczęśliwą nowinę ogłosi wszystkim w dniu oblewania mieszkania. Data tej imprezy do tej pory nie została ustalona, trwały jeszcze jakieś prace wykończeniowe. A, prawda, Lusia chciała kupić wszystkie meble i całkowicie urządzić mieszkanie. Wszystko miało być zapięte na ostatni guzik. Dywan, firanki, kwiatki, szkło, obrusy. I takie różne. Karolowi nawet do głowy nie przyszło, żeby zaoferować jej pomoc w tym przedsięwzięciu. Chce kupić mieszkanie? Chce je upiększyć? Niech się bawi.

– Olu, muszę ci coś powiedzieć. – Gdy Leksi to usłyszała, zrobiło jej się ciepło na sercu, bo wyobraziła sobie, że Karol zaraz poprosi ją o rękę.

Uśmiechnęła się więc zachęcająco i przysunęła się bliżej, żeby było mu wygodniej ją pocałować zaraz po oświadczynach.

Karol spojrzał na nią dziwnie i trochę się cofnął. Minę miał wcale nie taką, jakiej można się spodziewać po kimś, kto właśnie zamierza się oświadczyć. Nie uśmiechał się i nie patrzył Aleksandrze w oczy. Dobry nastrój dziewczyny natychmiast prysnął i teraz zaczęła się obawiać, że jej partner ma zamiar... ją rzucić. Zmarszczyła czoło.

– No to mów – rzuciła.

Okazało się, że to drugie przypuszczenie jest słuszne, usłyszała bowiem, że Karol będzie miał dziecko. Z Jolantą. Po prostu nie wierzyła własnym uszom.

– Z naszą Lusią? – spytała, nie wiedząc, że tych samych słów użyła już ciocia Karola na wieść o jego przyszłym ojcostwie. Bo niby skąd miała wiedzieć, myślała, że przynajmniej należy jej się pierwszeństwo w poznaniu takiej nowiny, bo przecież byli... ach tak, byli. A może nawet w ogóle nie byli...

– Mówię ci o tym, żebyś nie zrobiła żadnej sceny na imprezie, którą Luśka chce urządzić. Uznała, że powie wam o tym właśnie na oblewaniu mieszkania.

Aleksandra zdołała się opanować na tyle, żeby nie wylać na ten jego głupi łeb herbaty, którą właśnie piła.

Sceny? Ona? U Lusi? Strasznie żal jej było przyjaciółki, która przecież zapewne nie wiedziała, z jakim łajdakiem się związała. Nie miała pojęcia, co począć, postanowiła więc, że musi porozmawiać o tym z Teo.

Wstała, patrząc gdzieś w przestrzeń, i szybko wyszła z restauracji, nie czekając na jedzenie, którego przecież i tak nie mogłaby teraz przełknąć. Usłyszała, jak ten drań, jeszcze przed godziną miłość jej życia, coś do niej mówi, ale oczywiście nie miała zamiaru niczego więcej wysłuchiwać. Wystarczyło jej to, czego się dowiedziała przed chwilą.

A on mówił, że gdyby zechciała wszystko przemyśleć i potraktować sprawę z dystansem, on bardzo chętnie będzie się z nią dalej spotykał, bo przecież było miło.

Ta propozycja jednak już chyba do Leksi nie dotarła, i pewnie lepiej dla Karola, bo szklanka z herbatą jeszcze stała na stoliku...

*

Teodora szybkim krokiem weszła do kawiarni. W rogu pod oknem siedział Karol, a przed nim stała filiżanka kawy. Musiano ją przynieść przed chwilą, bo jeszcze parowała, przez co zapach napoju był bardziej wyrazisty. Teo aż się oblizała. Właśnie o kawie myślała przez całą drogę, miała męczący dzień, i kawa, choć w zasadzie nie piła jej po południu, dzisiaj za nią cały czas chodziła. Powiedziała o tym Karolowi, siadając obok niego. Natychmiast poderwał się szarmancko, ale nie zdążył udowodnić, jaki to jest uprzejmy, bo Teośka sama sobie odsunęła krzesło i już oglądała się za kelnerką.

– Espresso – zamówiła.

– I jeszcze dwie szarlotki – dodał Karol, znając upodobania Teo.

Nie musiał pytać, czy i co by chciała, wiedział, że szarlotkę mogła jeść zawsze i wszędzie.

– Opowiedz, jaki miałaś dzień. I co porabiałaś od czasu naszego ostatniego spotkania. To jest od dziewiętnastej ubiegłego poniedziałku. – Spojrzał na nią uważnie. – Wyglądasz na zmęczoną.

– Dziękuję. – Uśmiechnęła się. – Zawsze potrafisz mnie zaskoczyć. Zapisujesz te nasze godziny spotkań, czy co?

– Tak, w sercu, jak wiesz – odparł poważnie, ale zaraz do niej mrugnął, bo wiedział, że na takie uwagi, o ile nie są rzucane żartem, Teo zżyma się i złości. A dzisiaj i tak miał jej do powiedzenia coś, co zapewne ją zdenerwuje. Nie dlatego, że mogła być zazdrosna o Jolę, tylko dlatego, że będzie się o nią bała. Na dodatek słusznie, bo Karol dałby wszystko za to, żeby się nie zdarzyło to, co się zdarzyło. I także dałby wszystko za to, żeby problem zniknął. Natychmiast i na zawsze.

– Teo… – zaczął i umilkł, bo nie bardzo wiedział, od czego zacząć. – Teo… – powtórzył, a wtedy popatrzyła na niego badawczo i skinęła zachęcająco głową.

– No co? Mów.

Więc powiedział. Niczego nie owijał w bawełnę, nie twierdził, że to Jolka za nim łaziła i siłą zmuszała go do spotkań. Opowiadał, że czuł się zraniony, po tym jak ona, Teo, go odrzuciła; jak chciał zapomnieć, zastąpić ją kimś innym; jak wymyślił, że najlepszym na to sposobem będzie bliższa znajomość z jej przyjaciółkami.

136

– Przyjaciółkami? – powtórzyła Teodora.

Więc opowiedział jeszcze o Aleksandrze, choć zamierzał o niej nie mówić. Ale skoro już zaczął, to skończy. Mówił i patrzył, jak oczy Teo robią się coraz większe, a na jej twarzy pojawia się wyraz niesmaku.

– Nie podoba ci się to, co słyszysz? Doskonale wiem. Ale spróbuj sobie wyobrazić kogoś, kto kocha i jest odrzucony. Kogoś, kto kocha i nie jest kochany. Kogoś, kto już nie wie, co zrobić, żeby zagłuszyć to niszczące uczucie, żeby znowu poczuć się jak mężczyzna, którego jednak chcą. Kochają. Pożądają. Kogoś…

– Dość – przerwała mu Teodora. – To jakiś melodramat. Jesteś śmieszny. A właściwie nie tyle śmieszny, ile godny pożałowania. W dodatku podły i obrzydliwy. Czy ty w ogóle rozumiesz, co zrobiłeś moim przyjaciółkom? Czy one wiedzą o twoim opętaniu moją osobą? Jak masz zamiar się zachować w stosunku do Lusi? Czego ty w ogóle ode mnie oczekujesz? Po co opowiedziałeś mi to wszystko? Chociaż na to ostatnie pytanie nie musisz odpowiadać. I tak dziwię się bardzo, że dowiaduję się o wszystkim dopiero teraz. Za rzadko spotykam się z dziewczynami, trzeba to zmienić. – To ostatnie zdanie wypowiedziała właściwie tylko do siebie. I tak już się podnosiła, żeby wynieść się z tego miejsca, w którym dla niej i dla Karola było za ciasno.

– A nie, jeszcze nie pójdę. – Usiadła z powrotem. – Jeszcze posłucham, co chcesz zrobić z tym wszystkim. Mów.

– Myślałem, że może mi podpowiesz. Wiesz przecież, że Jolki nie kocham i tylko skrzywdziłbym ją jeszcze bardziej, wiążąc się z nią tylko z powodu dziecka.

Którego zresztą w ogóle nie chcę. Nie lubię dzieci, nigdy nie lubiłem i nie widzę powodu, dla którego miałbym zmieniać zdanie.

– Czego się spodziewałeś? Nawet gdybyś mi tu i teraz oznajmił, że chcesz się ożenić z Luśką, ja pierwsza odwodziłabym ją od tego. Ja pytam tylko, czy zamierzasz uznać swoje ojcostwo i czy zapewnisz utrzymanie matce swojego dziecka i samemu dziecku. Nieważne, czy lubisz dzieci, czy nie, nic mnie to nie obchodzi. Bo wiedz, że gdybyś postanowił inaczej, nie pomoże ci to, że jesteś prawnikiem. Dobrym czy tam najlepszym. Ja znajdę lepszego, możesz być pewny. Jak nie w Bydgoszczy, to gdzieś daleko, choćby w Nowym Jorku, masz to u mnie jak w banku! – I powiedziawszy, co miała do powiedzenia, wybiegła z kawiarni, zostawiając nietkniętą szarlotkę na talerzyku.

Karol posiedział jeszcze trochę, zjadł obydwie szarlotki i stwierdził, że wszystko poszło na opak. Choć właściwie sam nie wiedział, jak miało pójść...

Rozdział 15

Jolanta z przerażeniem dostrzegła ślady krwi na majtkach. Nie była to taka świeża, czerwona krew, tylko raczej brunatna. I w zasadzie to plamka, nie plama. Była jednak.

– Dopiero dzisiaj, panie doktorze, ale od rana takie plamienie powtórzyło się kilka razy. – Szalenie zdenerwowana, zdawała relację swojemu ginekologowi, do którego pojechała zaraz po tym, jak dostrzegła, co się dzieje.

– Natychmiast proszę jechać do szpitala. Tak jak pani tu stoi, ode mnie. Już dzwonię na oddział. – Ginekolog Jolanty był na szczęście ordynatorem i jego jeden telefon załatwił sprawę. – Proszę zadzwonić do kogoś, żeby przywieziono pani niezbędne drobiazgi, szczoteczkę do zębów i takie tam. W szpitalu proszę iść prosto na oddział, do doktora Kortyki, on ma teraz dyżur, to świetny lekarz, dobrze pani trafiła. A ja jutro zajrzę do pani.

Jola wyszła z gabinetu, wsiadła do samochodu, ale zamiast prosto do szpitala, najpierw pojechała jednak do domu. Daleko nie miała, a niby kto miał jej przywieźć tę szczoteczkę i te takie tam? Rodzice nic nie wiedzieli o ciąży i jeszcze mieli nie wiedzieć, nikt nie wiedział, poza Karolem oczywiście. A on nie miał kluczy od mieszkania Jolanty, chciała mu je dać, ale odmówił.

– Jeszcze zgubię. – Machnął ręką. – A poza tym po co mi one? Przecież jak ciebie nie ma w domu, to ja tam nie będę przychodził.

Nie rozumiał, że może Lusia spodziewała się, że on też da jej swoje klucze. Nie rozumiał, że dla kobiety taka wymiana kluczy to już wielki dowód stabilizacji. Zbył temat i sprawy nie było.

Zameldowała się w szpitalu, gdzie doktor Kortyka giął się w przeprosinach, że ma łóżko na korytarzu.

– Przepraszam, ale sama pani widzi, co się tu dzieje. A sale nie chcą się rozciągać.

– Panie doktorze, przecież ja rozumiem. Mam nadzieję, że jutro będę miała jakieś badania i pójdę szybko do domu. Bez problemu, oczywiście.

Widać doktor Kortyka czuł wielki respekt przed swoim ordynatorem, bo istotnie zlecił na następny dzień cały pakiet badań, łącznie z USG.

– Mam nadzieję, że bez problemu, droga pani. Proszę sobie leżeć i niczym się nie denerwować.

Jasne, łatwo mówić. Luśka dopiero teraz zobaczyła, że zabierając z domu „takie tam", zapomniała o ładowarce do telefonu, który w tej chwili ładowania nie wymagał, ale miała w planie kilka rozmów, w związku z czym przewidywała, że bateria może się szybko wyczerpać.

Postanowiła więc zadzwonić do Teo, bo to ona była tą najważniejszą przyjaciółką, zawsze niezawodną i najsolidniejszą. Leksi przecież też, ale Teodora była opoką. Jola i tak miała zamiar wszystko opowiedzieć dziewczynom, tylko że... – chlipnęła sobie pod nosem – może się okazać, że nie będzie o czym mówić. Tfu, tfu, odpukać, pomyślała i aż zacisnęła kciuki na szczęście.

Teodora przybiegła następnego dnia, wzięła od Joli klucze i spis drobiazgów, bez których trudno sobie poradzić. Dwie książki na przykład. Malutkie radio na słuchawki. Jogurtowe żelki, butelka wody mineralnej, kilka jabłek. I notebook oczywiście.

– Wiesz – mówiła Jola – mam nadzieję, że jak tu się tak zagospodaruję, to szybciej wyjdę.

Teo nie przyznała się Lusi, że już wie o jej ciąży i bliskich kontaktach z Karolem. Nie chciała mówić i tak już zestresowanej przyjaciółce, że ojciec dziecka opowiadał o jej ciąży innej kobiecie. W ogóle nic nie chciała jej mówić. Teraz najważniejsze było utrzymanie ciąży, a do tego – wiadomo – najbardziej zalecany jest spokój.

– Leż tu sobie, kochana, i o nic się nie martw. Wszystko będzie dobrze, musi być. Kurczę, przecież to nasze pierwsze dziecko, Luśka! Będziemy ciociami, ale ekstra! Szkoda, że jeszcze nie wiadomo, czy to chłopiec, czy dziewczynka. – Paplała tak, żeby odwrócić uwagę przyjaciółki od jej zmartwienia, bo przecież widziała, że Jola się boi. Wyglądała, jakby wstrzymywała oddech ze strachu, że jak głębiej odetchnie, to jakieś mięśnie puszczą i poroni.

Następnego dnia do Joli przyszły obydwie przyjaciółki. Przed ich wizytą Aleksandra opowiedziała Teosi swoją historię, a Teo oczywiście nie przyznała się, że już o wszystkim wie. Miotała tylko w duchu pioruny na tego drania, łobuza i podleca.

– Leksi, nie mów nic na razie Jolce, bo ona musi teraz mieć spokój i nie wolno jej się denerwować.

– Przecież to jasne – obruszyła się Aleksandra. – Ale wiesz, cały czas myślę, co tu zrobić, żeby takie draństwo nie uszło mu płazem.

– Komu? Karolkowi? Temu ósmemu cudowi świata? No sorry, Olka, ale wy obydwie pchałyście mu się na kolana. Nie musiał o żadną z was zabiegać, nie mam racji? Mógł, to brał. Teraz nie warto o tym mówić.

Rozdział 16

– Na razie zagrożenie opanowane. Proszę tylko unikać wysiłku i żadnych nerwów. Tu są recepty i proszę się pokazać za dwa tygodnie. – Lekarz jeszcze wręczył Jolancie wypis ze szpitala i uszczęśliwiona dziewczyna zadzwoniła do Karola, że już może po nią przyjechać. Że jest w szpitalu i z jakiego powodu, powiadomiła go dzień po tym, jak się tam znalazła. Przyszedł do niej dopiero następnego dnia i wcale nie wyglądał na przejętego.

– Nie panikuj, na pewno wszystko jest pod kontrolą, a poza tym będzie, co ma być.

– Wiesz, zabrzmiało to tak, jakbyś oczekiwał, że stanie się najgorsze – zdenerwowała się i tak już wielce zestresowana Jola.

Karol burknął coś pod nosem, ale Luśka nie usłyszała, co powiedział – może to i lepiej, bo oświadczył, że ma rację. Po chwili dodał jeszcze, tym razem głośniej i wyraźniej: – Natura wie najlepiej, trzeba się z tym pogodzić.

– To co, może od razu mam się wypisać ze szpitala na własne życzenie, jechać do domu, położyć się do

143

łóżka i czekać na to, co postanowi natura? Lepiej już idź sobie, bo nie wolno mi się denerwować. Ja chcę mieć to dziecko, bez względu na twoje zdanie. – Jednak się zdenerwowała i gdy Karol wyszedł, popłakała sobie co nieco.

Teraz jednak wszystko było w porządku, tak powiedzieli lekarze, i Jola miała zamiar tego się trzymać. Pełna optymizmu czekała na Karola.

Ukochany nie zdenerwował jej tym razem, przyjechał o umówionej porze i nawet był miły.

– Po drodze zrobiłem ci zakupy. Gdybym miał klucze od mieszkania, ugotowałbym obiad. No ale skoro nic z tego, jedziemy na obiad Pod Orła.

Jolanta już miała przypomnieć, że przecież proponowała mu klucze od swojego mieszkania, ale ich nie chciał. Po chwili namysłu zrezygnowała jednak, bo taka uwaga byłaby bez sensu. Pod Orła pójdzie bardzo chętnie, w szpitalu jedzenie było, delikatnie mówiąc, nie najlepsze. A gotować właśnie teraz wcale jej się nie chciało.

*

– Siadajcie, kochane, ja sobie ze wszystkim poradzę. – Luśka krążyła między lodówką a stołem, przynosząc kolejne półmiski. Kuchnia na szczęście była otwarta na pokój, więc daleko nie biegała, ale przyjaciółki patrzyły na nią z obawą, czy jej te emocje nie zaszkodzą.

– Jolka, przecież wiesz, że masz się oszczędzać. – Teo wstała i wyjęła jej z rąk kolejny półmisek. – Po co tyle tego narobiłaś? Kto to wszystko zje? – narzekała, przynosząc talerzyki z szafki.

144

– Jeszcze będą moi ogrodnicy, ciocia Weronika i Karol, oczywiście. A właśnie, dlaczego go jeszcze nie ma? Miał przyjść wcześniej. – Jola przeszukiwała wzrokiem pokój, bo nie mogła sobie przypomnieć, gdzie położyła telefon.

Spostrzegła, że Aleksandra wyjęła swój aparat. – Leksi, mogę zadzwonić z twojej komórki? Powiem tylko dwa słowa. – Złapała telefon przyjaciółki i już wstukiwała doń numer Karola.

– O, witaj, słońce mego życia – usłyszała. Chciała już się odezwać, ale Karol mówił dalej: – Leksi, kochana, cieszę się, że do mnie dzwonisz. Jestem cały dla ciebie, dysponuj moją osobą, moim czasem i moim łóżkiem. Jak zawsze.

Jolanta słuchała tego z osłupieniem, wpatrując się tępo w telefon. – Halo? Ola? Coś przerywa nam rozmowę – zdążyła jeszcze usłyszeć.

Nacisnęła czerwony wyłącznik i ujrzała informację, że zakończono rozmowę z abonentem Karol. Zrozumiała, że jej rozmówca był przekonany, iż dzwoni do niego Aleksandra. Leksi, jej przyjaciółka, która jak widać, a właściwie słychać, sypiała z Karolem. Jej, Luśki chłopakiem, ojcem jej dziecka. Popatrzyła na Teo. Ty też? – pomyślała i uciekła do łazienki, bo czuła, że jeszcze chwila, a wybuchnie płaczem, do czego przecież nie mogła dopuścić. Rozmowę z Aleksandrą zostawiła sobie na potem, teraz musiała wcielić się w rolę gościnnej pani domu, bo właśnie pięć minut temu przyszedł Kajetan, a dosłownie przed sekundą do mieszkania wkroczyła Weronika. Wkroczyła, nie weszła, gdyż ciocia Weronika była dystyngowana, przynajmniej czasami. Dzisiaj

145

najwidoczniej postanowiła taka być, bo wystroiła się w elegancką granatową garsonkę, z niebieską bluzką w delikatne granatowe paseczki.

– Gdzie pani domu?! – zawołała od progu, gdy ktoś otworzył jej drzwi. – Chodź, Lusieńko, pięknie wyglądasz, a stół zastawiłaś tak smakowicie, że nie mogę się powstrzymać przed pytaniem, kiedy siadamy do uczty. – Wręczyła Joli bukiet czerwonych różyczek i przytuliła ją czule do siebie. – Dziecko, co jest? – zapytała, umiejąc już bezbłędnie wyczuć nastroje swoich przybranych siostrzenic. – Ty drżysz, przecież czuję. Czy coś z maleństwem? – zaniepokoiła się. – I gdzie ten mój siostrzeniec?

– Ciociu kochana, wszystko dobrze – usiłowała ją zmitygować Lusia. – Porozmawiamy przy innej okazji, teraz proszę wszystkich do stołu.

Teodora właśnie otworzyła drzwi Mirce, za którą wszedł Karol.

– Pani to pewnie Mirka – powiedziała serdecznie Teo. – Jeszcze się nie znamy, ale dużo o pani słyszałyśmy. O pani i Kajetanie, który już jest. A wy się znacie? – zwróciła się do Karola, który przecież wszedł z Mirką, co wyglądało, jakby przyjechali razem.

– Nie, spotkaliśmy się przy klatce schodowej i wsiedliśmy razem do windy. Śmiesznie to wyglądało, jak obydwoje wyciągnęliśmy palec w stronę guzika z numerem siedem. Wtedy zaczęliśmy chichotać i dotarło do nas, że idziemy na tę samą imprezę. – Karol skinął głową obu paniom i wszedł za kuchenny blat, gdzie Jola wyjmowała z piekarnika ostatnią tartę z warzywami. Trzy inne stały już na stole.

– Gdzie masz korkociąg? – spytał, wyciągając przed siebie rękę z czerwonym winem.

– Tam, gdzie zawsze – odburknęła wściekła Luśka, nie chcąc nawet patrzeć na tego zaprzańca. Jeszcze zdąży z nim sobie porozmawiać.

A przy stole trwała bardzo sympatyczna konwersacja. Kajetan przekonywał Teodorę do wyższości życia wśród bzów i jaśminów, na co ona odpowiadała z miłym uśmiechem, że nie musi w tym celu wyprowadzać się na wieś, bo i bzy, i jaśminowce ma na osiedlu, pod samymi oknami. Jednak wizytówkę od Kajetana wzięła – i, co dziwniejsze, dała mu swoją.

*

– Leksi, zostań jeszcze, pomożesz mi posprzątać – zarządziła Jolanta. – A ty odwieziesz Teośkę, dobrze? – zwróciła się do Kajetana, bo zauważyła, że między tymi dwojgiem jakby zaiskrzyło. W każdym razie od dawna nie widziała, żeby Teo rozmawiała tak miło z jakimś mężczyzną. Zazwyczaj tylko uśmiechała się zdawkowo i po wymianie kilku zdań po prostu uciekała.

– Lusia, ja mam tu swój samochód – oponowała Teodora.

– Zabierzesz go jutro, a dzisiaj Kajtek cię odwiezie. Widziałam przecież, że piłaś wino. Prawo jazdy chcesz stracić, czy co? Kajetan nie pije, kiedy jedzie samochodem, znam go i wiem, co mówię.

Joli bardzo zależało, żeby Teodora nawiązała bliższy kontakt z jakimś mężczyzną. Uznała, że dość tej

147

żałoby. A Kajetan był najlepszy z możliwych. Sama pewnie chciałaby go dla siebie, gdyby nie to, że związała się z Karolem. Z tym draniem, łajdakiem, zdrajcą, podlecem i potworem. Długo by jeszcze mogła wynajdować odpowiednie epitety na określenie tego skurczysyna, ale na razie postanowiła się zająć swoją drugą przyjaciółką. Byłą przyjaciółką. Pseudoprzyjaciółką.

– Strasznie się na tobie zawiodłam – rozpoczęła przemowę, gdy drzwi się już zamknęły za ostatnim gościem.

Aleksandra tylko uniosła brwi. Nie miała pojęcia, o co chodzi, Karol w ogóle nie przyszedł jej do głowy. A nawet gdyby o nim pomyślała, to wyśmiałaby samą siebie. Była pewna, że przecież on nie powiedział o niczym Lusce – bo niby po co? Była też pewna dyskrecji Teodory, przecież obydwie wiedziały, że Jolki teraz nie wolno denerwować. Coś takiego jak wpadka z telefonem w ogóle nie przyszłoby jej do głowy. Więc co się stało?

– Strasznie mi przykro, naprawdę. – Gdy już się dowiedziała, o co chodzi, nie wiedziała, gdzie podziać oczy. Nie mogła patrzeć na udręczoną twarz przyjaciółki. Wcale nie byłej i nie pseudo, tylko naprawdę przyjaciółki. – Gdybym tylko wiedziała, że on choć raz się z tobą spotkał i że ty chcesz tę znajomość kontynuować, wyrzuciłabym go natychmiast z mojego życia. Nie miałam o tym pojęcia, wierzysz mi? Tak jak i ty nie miałaś pojęcia, że on jednocześnie spotyka się ze mną. A może i z czterema innymi dziewczynami. Po prostu za rzadko się kontaktujemy.

– Teraz może rozumiem i wierzę. Ale to wcale nie zmienia mojej sytuacji. – Luśka wyjęła z torebki paczkę marlboro.

– Nie będziesz palić. Zaszkodzisz sobie i dziecku – zareagowała natychmiast Aleksandra, wyrywając jej papierosy z ręki.

Rozmowa kulała, a po chwili urwała się całkowicie.

– To ja już pójdę. – Zgnębiona Leksi wstała. – Dasz sobie radę? Możesz zostać sama?

Luśka tylko wzruszyła ramionami.

*

Zaczęło się w środku nocy. Jolantę obudził silny ból w podbrzuszu. Po chwili poczuła wilgoć między nogami. Leżała nieruchomo i bezsensownie wciągała brzuch. Ból znikał i powracał. Bała się oddychać. Nie wiedziała, co robić, więc zadzwoniła po Teo. Przyjaciółka przyjechała po czterdziestu minutach.

– Luśka, dzwonimy po pogotowie. Od razu powinnaś wezwać karetkę, nie czekając na mnie.

Jola z płaczem złapała telefon i po wciśnięciu jednego z klawiszy szybkiego wybierania wykrzyczała do słuchawki:

– Już możesz spać spokojnie, dziecka nie będzie!

– Połóż się natychmiast i leż spokojnie. Krwawisz? – spytała Teo.

– Nie, teraz nie, to było tylko małe plamienie, jak poprzednio. Ale mam złe przeczucia.

Po szczegółowych wyjaśnieniach postanowiły, że nie będą teraz wzywać pogotowia, poczekają do rana i od razu pojadą do szpitala, w którym pracował lekarz Jolanty. Teodora okryła przyjaciółkę szczelnie kołdrą i usiadła obok łóżka. Zaczęła się zastanawiać, czy jednak nie powinny już teraz jechać do szpitala.

Nagle rozdzwoniła się komórka. Jolanta nie odebrała, cały czas płakała, tak rozpaczliwie, że chyba nawet nie usłyszała sygnału telefonu. Teosia złapała aparat i zerknęła na wyświetlacz.

– Nie dzwoń teraz! – wrzasnęła, widząc na ekraniku imię Karola. – Mamy tu pewien kłopot, ale przecież ciebie i tak to nie obchodzi. – Wyłączyła aparat. Swój też.

– Jest jeszcze noc, spróbuj pospać przez dwie–trzy godziny. Ja z tobą zostanę, a rano zadzwonisz do swojego lekarza i zrobisz, co on każe – zwróciła się do przyjaciółki, która już przestała płakać i leżała z kamienną twarzą, patrząc w sufit. – Gdyby cokolwiek się działo, gdybyś coś poczuła, mów mi natychmiast, ja się nie kładę, poczytam sobie. Nie jestem śpiąca.

Teo siedziała obok wersalki, na której leżała Jola, i siłą powstrzymywała się, żeby nie zaglądać pod kołdrę, by sprawdzić, czy przyjaciółka nie krwawi. Po godzinie takiego siedzenia nie wytrzymała i w końcu sama zadzwoniła do lekarza Lusi, wybierając numer z jej komórki.

Lekarz polecił, by natychmiast przywieźć Jolę na oddział. Poddano ją badaniom i zaaplikowano niezbędne leki.

– Dzisiaj ja posiedzę tu z tobą – oznajmiła Teo. – Wzięłam urlop na żądanie, więc mam wolny cały dzień. Na jutro zaraz zorganizuję Leksi.

– Tylko nie Leksi. To przez nią to wszystko. – Jolanta rozszlochała się znowu.

– Jak to „przez nią"? – Teodora nie mogła uwierzyć w to, co usłyszała. – I nie becz mi tu, słyszałaś, że nie wolno ci się denerwować.

Luśka opowiedziała przyjaciółce, co się wydarzyło na oblewaniu mieszkania, od chwili, w której wzięła do ręki telefon Aleksandry.

– Rozmawiałam z nią, wiem, że winien jest tylko ten bydlak, Karol. Rozumiem to, ale moja podświadomość i tak obwinia Olkę.

– Chyba oszalałaś, a twoja podświadomość niech włączy system „myślenie". Olka nie jest niczemu winna, ona przecież nie miała pojęcia, że ten wasz wspólny bydlak gra na dwie strony. – O tym, że Karol i ją, Teodorę, usiłował wciągnąć do tej drużyny, nie zamierzała Joli mówić.

– No wiem, masz rację, ale jakoś nie chcę teraz Leksi widzieć.

Lekarze zażegnali kryzys i po dwóch tygodniach obserwacji wypuścili Jolę do domu. Dostała zwolnienie, odpowiedni zapas lekarstw i przykazanie: żadnych napięć, żadnego przemęczania się, powolne spacery i zdrowy tryb życia.

Jasne.

Jolka wróciła do domu i położyła się do łóżka. Nic jej nie interesowało. W szpitalu jakoś się trzymała, bo chciała wyjść jak najprędzej, ale teraz stwierdziła, że życie jest bez sensu. Nie chciała zaszkodzić dziecku, chyba już je kochała. Tylko że nie kochała siebie i marzyła jedynie o tym, żeby wszyscy dali jej święty spokój.

Przed Teodorą, która przywiozła ją ze szpitala, Jola udawała zucha. Troskliwa przyjaciółka napełniła jej lodówkę, ugotowała swój słynny rosół i zrobiła sałatkę jarzynową.

– Cudownie, Teo, bardzo dziękuję. Teraz już sobie poradzę, jedź do domu.

– Jutro przywiozę ci kilka książek do czytania, na razie masz tu jakieś pisma. Owoce są w misce, w kuchni, żarcie w lodówce. Jakbyś czegoś potrzebowała, dzwoń bez ceregieli.

– Teo, kurczę, chcesz mnie zamęczyć? Idź już, dam sobie radę. Mama tak koło mnie nie skacze.

Matka nie skakała koło Joli, bo w ogóle nie miała pojęcia, co się dzieje w życiu córki. Lusia dzwoniła do niej dość często, opowiadała jakieś pozytywne bajeczki i zapewniała, że radzi sobie świetnie. A nie przychodzi, bo ma tak dużo pracy, że po powrocie do domu pada na twarz.

– Tak, tak, dbam o siebie, mamunia, nie martw się. Ta praca mnie cieszy, bo wiesz przecież, że mam kredyt, więc muszę zarabiać na raty. U mnie wszystko dobrze, a u was?

I po tak zadanym pytaniu następowała półgodzinna opowieść o wnuku, najpiękniejszym i najmądrzejszym oczywiście dziecku świata. Luśka wysłuchiwała relacji mamy i miała spokój do następnej rozmowy telefonicznej. O tym, że jej rodzice będą mieli jeszcze jedno wnuczę (płci swojego dziecka jeszcze nie znała), na razie nie mówiła. Mam czas, myślała, podświadomie odwlekając

152

chwilę, w której – mówiąc o dziecku jego dziadkom – sama wreszcie zaakceptuje istnienie potomka. Bo do tej chwili wydawało jej się, że to, co zaszło – to, co się dzieje – to jakiś sen czy też bajka. Że to nie może być prawdą.

Rozdział 17

Teodora bardzo polubiła Kajtka Kowalskiego. Nawet wyglądało na to, że się z nim spotyka, o ile dwukrotne wspólne pójście na kawę można nazwać spotykaniem. Jednak dla Teo był to rekord – od czterech lat. A dokładnie od czterech lat i czterech miesięcy, tyle bowiem minęło od śmierci Wiktora. Teodora po śmierci męża też uważała się za martwą, przynajmniej towarzysko, i przyjaciółki nie mogły jej namówić do zmiany zdania. Ale Kajetan był taki... do przyjęcia. Nienachalny, raczej koleżeński, bardzo miły, grzeczny i usłużny. No i potrafił rozśmieszać Teośkę, co już naprawdę było dużą sztuką.

Oczywiście wciągnęła go w życie Czterech Łap. Kajetan zawsze lubił zwierzaki, ale w jego rodzinnym domu nigdy żadnego nie było. Rodzice Kajtka długo pracowali, żadna babcia ani ciocia z nimi nie mieszkała, stwierdzono więc, że na zwierzę nie ma warunków. Kajtek przyjął takie wyjaśnienie, choć przez chwilę pomyślał, że kota mogliby jednak wziąć. Ale się nie upierał. Był bardzo ruchliwym dzieckiem i wiecznie zalatanym nastolatkiem. Miał mnóstwo kolegów i przyjaciół,

154

w domu bywał tak rzadko, jak tylko mógł. Braku zwierzęcia szczególnie więc nie odczuwał. Teraz, w dorosłym życiu jakoś o tym w ogóle nie myślał, aż do chwili gdy poznał Teo. Zawróciła mu w głowie doszczętnie. Tym bardziej że sama wydawała się w ogóle nim niezainteresowana, traktowała go wyłącznie jak miłego kolegę. Kajtek postanowił zmienić ten stan rzeczy. Na razie nie naciskał; zapraszał Teo na kawę – nie za często; został wolontariuszem w tym jej ukochanym schronisku dla zwierząt; zaproponował, że ozdobi kwiatami jej balkon, na co się zgodziła. Cóż, na razie tylko tyle, ale miał nadzieję na więcej. Tymczasem niespodziewanie zaprzyjaźnił się z Danusią, dziewczynką z domu dziecka, która już od kilku lat przychodziła do czteronożnych przyjaciół.

– To mój ulubieniec, Diguś – przedstawiła Kajetanowi gładkowłosego pieska. – Ma już około dziesięciu lat, może rok czy dwa mniej. Opiekuję się nim od dwa tysiące szóstego roku. Z początku bardzo chciałam, żeby ktoś go wziął, ale potem stał się prawie moim psem i cieszę się, że jest tutaj i że tak często mogę go odwiedzać. On wie, że już idę, jak jestem na rogu ulicy – mówiła z przejęciem.

Nie wspomniała o wypadku, który przydarzył się Digusiowi właściwie z jej winy. Kajtek dowiedział się o tym od Teosi, która też darzyła psiaka specjalnym uczuciem, jako że od tego wypadku zaczęła się przecież jej przyjaźń ze schroniskiem i z panią Weroniką.

– To już dla mnie ciocia Weronika, zresztą dla Jolki i Leksi też, sam pewnie zauważyłeś na oblewaniu mieszkania Luśki. Przyjaźnimy się z nią bardzo, wszystkie trzy, mimo takiej różnicy wieku, że mogłaby być naszą matką. Jest rewelacyjna i często nam się wydaje, że ma mniej lat od nas.

– Od was trzech razem na pewno – zaśmiał się Kajtek, który jeszcze nie poznał pani Weroniki. Widział ją tylko raz – u Lusi na oblewaniu mieszkania; nie był więc pod jej urokiem. Ale to się zmieniło bardzo szybko. O dziwo, przez ojca Kajetana.

– Spójrz na ojca – mamrotała mama Kajtka, stawiając na stole talerze z krupnikiem. – Siedzi tylko przed telewizorem i hoduje brzuch. Nie mieści się już w żadne spodnie, muszę mu poszerzać.

– Przecież kochasz tę swoją maszynę do szycia, więc tylko ci przysparzam przyjemności – odburknął tata Kajtka, przysuwając bliżej do siebie talerz, na którym już prawie nic nie było.

Kajetan, po trzech latach prowadzenia firmy ogrodniczej, zebrał na koncie całkiem niezłą sumkę, z którą mógł już pomyśleć o zaciągnięciu kredytu, i od przeszło pół roku najmłodszy z rodu Kowalskich (tego rodu Kowalskich) mieszkał we własnym dwupokojowym mieszkaniu przy Powstania Listopadowego. Ten zbieg okoliczności uznał za przeznaczenie.

– Spójrz – mówił do Teodory – mamy do siebie dwa kroki. A i schronisko jest prawie przy moim bloku. Tam na górze ktoś to musiał zaplanować, wiesz?

Rodzice Kajetana mieszkali przy placu Piastowskim, na rogu Śniadeckich, w pięknej starej kamienicy, ostatnio odnowionej. Mieszkanie składało się z trzech wysokich pokoi, w których zachowano pełne uroku kaflowe piece, choć założono tam już centralne ogrzewanie. Kiedy Kajetan się wyprowadził, dla jego rodziców mieszkanie stało się za duże i zbyt puste. Podjęli więc decyzję o wynajęciu najmniejszego pokoju dwóm studentkom i na razie chwalili sobie ten pomysł.

– Dziewczyny są sympatyczne, spokojne, czasami robią nam zakupy i wszystko bardzo dobrze się układa – opowiadała Kajtkowa mama, dodając zaraz, że dobrze byłoby, gdyby syn zawarł bliższą znajomość z którąś z owych studentek. Kajetanowi jednak ani jedna, ani druga po prostu się nie podobała.

Powróćmy jednak do tematu hodowli brzucha, zapoczątkowanej przez starszego pana Kowalskiego. Młodszy Kowalski długo rozważał tę kwestię i wreszcie wpadł mu do głowy doskonały pomysł, jak zmusić tatę do większej aktywności.

Ku wielkiemu zdumieniu rodziców na kolejny niedzielny obiad ich syn przyszedł w towarzystwie. Przyprowadził Digusia.

– Wspominałem wam, że zostałem wolontariuszem w schronisku Cztery Łapy. Przedstawiam wam najmilszego psiaka z tego schroniska. Wprawdzie nie jest już młodzieńcem, ale kondycję ma doskonałą. Uwielbia pieszczoty, głównie drapanie za uchem, i bardzo lubi spacery. Przyszliśmy właśnie po to, żeby was wyciągnąć na niewielki spacer.

Diguś zawojował i panią Kowalską, i pana Kowalskiego. Nie mogli się z nim rozstać, a Kajetan gratulował sobie w duchu pomysłu. W następną niedzielę przyszedł na obiad sam i od progu został zaatakowany przez mamę.

– A gdzie Diguś? Kupiłam mu takie psie kosteczki, tuż obok, w sklepie dla zwierząt. Ojciec od wczoraj szykuje się na spacer, a ty przychodzisz bez psa?

– Na spacer możemy iść w każdej chwili. A do psa przyszła jego najmłodsza wielbicielka, Danusia, i to ona zabrała go dzisiaj.

– Zabrała? Ale nie na zawsze? – wtrącił się do rozmowy senior Kowalski. – Bo widzisz, tak rozmawialiśmy z matką... – Zamilkł.

– I zdecydowaliśmy się wziąć tego psiaka. Odpowiada nam, że to już nie jest szczeniak, tylko stateczne psisko. Jest taki grzeczny i posłuszny. Na pewno zdrowy, bo przecież w schronisku musi być weterynarz...

– Jest, świetny – wtrącił Kajtek, ale nie zdążył powiedzieć nic więcej.

– Zapomniałeś, że starszym się nie przerywa? – nie dała sobie przerwać pani Kowalska. – I tak wiem, że specjalnie przyprowadziłeś do nas Digusia. Ale dobrze zrobiłeś. Będziemy mieć powód do wychodzenia z domu, a psiak zyska rodzinę. Nasze studentki obiecały, że gdybyśmy, ja czy ojciec, nie mogli z nim wyjść, one chętnie go wyprowadzą. Na szczęście to dobre dziewczyny.

I w ten oto sposób Diguś na starość zyskał dom, co jednak bardzo zmartwiło Danusię.

– Nutka – tłumaczył jej Kajetan podczas kolejnej wizyty w schronisku – zrozum, tam mu będzie o wiele lepiej niż tu. A jeśli zechcesz, to przyprowadzę go któregoś dnia specjalnie dla ciebie. Dobrze?

Tak też się stało. Wpadał z psiakiem do Czterech Łap, gdy tylko wiedział – od Jolanty lub od Teo – kiedy przyjdzie tam Danusia. A pani Weronika zaczęła go darzyć wielką sympatią.

Jednak – co tu dużo mówić – najpoważniejszym powodem, dla którego Kajetan przychodził do schroniska, była Teodora. Znajomość z nią nie rozwijała się tak, jak by sobie życzył. On był pod jej urokiem, ale ona – po prostu tylko go lubiła.

– Teo – Luśka usiłowała przemówić przyjaciółce do rozsądku – to taki dobry chłopak. Mądry, poważny, przystojny. Nie podoba ci się? Bylibyście świetną parą. On wygląda, jakby świata poza tobą nie widział. A ty co? Do końca życia będziesz żałobną wdową?

– Przestań! – syknęła Teodora. – Nie przeginaj. Moje życie, moja sprawa. Wdową jestem, a czy nią zostanę, to też moja sprawa. Na razie nie mogę jeszcze myśleć o życiu z innym mężczyzną, powinnyście to wiedzieć, i ty, i Leksi. Tak, ona też mi wierci dziurę w brzuchu. Ale ja muszę się sama ze wszystkim uporać.

– Nie wymawiaj przy mnie imienia Aleksandry. Jeszcze mi nie przeszło. Wiem, wiem – Jola zdusiła w zarodku protest Teośki – to nie jej wina. Ale nic na to nie poradzę, że na razie jej nienawidzę i już.

Teo była bardzo zmartwiona. I tym, że popsuła się taka piękna przyjaźń, i tym, że Jolka coraz częściej wydawała się jakaś dziwna. Nieobecna, wyciszona i... zalatywało od niej alkoholem. Teodora nie wiedziała, jak sobie z tym wszystkim poradzić. Od zawsze była niepisaną przywódczynią całej trójki i gdy nadciągał jakiś kryzys, zawsze umiała znaleźć najlepsze wyjście. A teraz widziała, że wszystko się sypie. Jeszcze ten Kajetan. Teodorze zaczynało się wydawać, że lubi go mocniej niż bardzo. A tego nie chciała, jeszcze było za wcześnie. Na razie wciąż kochała wyłącznie Wiktora. Nie chodziła już codziennie na cmentarz, wpadała tam jednak dostatecznie często, żeby nie opuszczały jej myśli o mężu. Zresztą nie musiała chodzić na cmentarz, w domu też ciągle wspominała Wiktora. I w pracy, chociaż w pracy najmniej, bo miała jej tak dużo, że na rozmyślania nie starczało już czasu. Do tej pory żaden mężczyzna nie zainteresował jej na tyle, żeby chciała poświęcać mu swój czas. Wyjątek stanowił Karol – do niedawna – ale tylko dlatego, że był siostrzeńcem Weroniki. I trochę bawił Teo, do chwili gdy spostrzegła, że stała się obiektem jego uwielbienia. Tak, uwielbienie to właściwe słowo, sam tak określał to, co do niej czuł, choć ją to wkurzało i zawsze miała do niego pretensje o takie gadki, jak mówiła. A teraz już w ogóle dla niej nie istniał. Sama opowiedziała wszystko cioci Weronice. Ciocia wiedziała tylko o Joli i dziecku. Nie miała pojęcia o Leksi i dopiero Teo uświadomiła jej całą przewrotność ukochanego siostrzeńca. Zrelacjonowała też incydent z telefonem i niechęć Luśki do Aleksandry. Pani Weronika bardzo się przejęła tą całą historią i całkowicie zerwała stosunki z Karolem.

– Nie chcę cię znać – oświadczyła, odpowiadając na któryś jego telefon. – Chyba nie muszę wyjaśniać dlaczego. Nie dzwoń do mnie i nie pokazuj mi się na oczy, przynajmniej na razie. Może kiedyś mi przejdzie, ale teraz nie mogę na ciebie patrzeć.

Nie chciała słuchać jego wyjaśnień, w ogóle nie chciała z nim rozmawiać.

– A co tu można wyjaśnić? – mówiła do Teodory, która martwiła się tym, że pani Weronika straciła członka rodziny. Teo wbiła sobie do głowy, że to wszystko stało się przez nią, bo to ona poznała Karola z przyjaciółkami. I pamiętała, jak oświadczył, że rozkochał w sobie obydwie dziewczyny na złość jej, Teosi. Wbrew uczuciu, jakie żywił do niej, Teodory właśnie. Chciała jakoś cofnąć czas, żeby to wszystko się nie zdarzyło – zdarzyło się jednak i teraz zamartwiała się, chcąc wyprostować przynajmniej relacje między nimi, Tymi Trzema.

Rozdział 18

Aleksandra wyciągnęła ze swojej skrzynki pocztowej plik kopert. Rachunek, kolejny rachunek i jeszcze jeden. O, i list od Izabeli, koleżanki z podwórka. Iza była chyba jedyną osobą na ziemi – a przynajmniej jedyną znaną Oli – która pisała staromodne listy. Na arkusikach papeterii, długopisem. Nie mejle, nie SMS-y – tylko listy. Bardzo to było miłe, ale miało tę wadę, że wymagało odpowiedzi także w formie papierowej. Leksi odpisywała więc, wymogła jednak na Izce zgodę, że nie będzie pisać długopisem ani piórem czy też ołówkiem.

– Dobrze, będę przysyłać ci listy w kopercie, ale napiszę je na komputerze i wydrukuję, niczego innego się nie spodziewaj – wygłosiła swoje ultimatum, które koleżanka przyjęła.

Korespondowały więc ze sobą już dwanaście lat, Iza bowiem studiowała na Wydziale Zarządzania i Ekonomii Politechniki Gdańskiej, na europeistyce. Pracowała w Urzędzie Morskim w Gdyni. Zaraz po studiach wyszła za mąż za starszego kolegę z politechniki, wdowca z kilkuletnią córeczką, i właśnie doszła do wniosku, że

162

skopała sobie życie. Mąż ją nudził, dziecko denerwowało, pracy zaczynała nie lubić.

– Chyba wszystko zostawię i wyjadę do Niemiec. Mam tam znajomą, która bardzo mnie na to namawia. – Taki komunikat przekazała Aleksandrze w trakcie którejś z ostatnich rozmów telefonicznych, których nie zaniechały mimo korespondencji na papierze, choć właściwie ich kontakty były dość rzadkie.

– Wiem, wiem, zrób to. Jak najszybciej, idiotko! – Leksi z prawdziwym zrozumieniem przyjęła informację koleżanki. – A ja pojadę do Gdańska, wyjdę za twojego męża i zaadoptuję tę dziewczynkę. Szkoda, że ten świat jest już tak urządzony, że każdy marzy o tym, co ma ktoś inny – zakończyła rozmowę mądrą sentencją, oczywiście nie biorąc poważnie narzekania Izabeli.

Potem korespondencja na jakiś czas się urwała, a ponieważ takie przerwy zdarzały się dość często, Leksi w ogóle tego nie zauważyła. A teraz trzymała w ręku list od Izki i czytała ze zdumieniem, że tamta właśnie się rozwiodła i za dwa tygodnie wyjeżdża do Berlina, gdzie ma już załatwioną pracę i mieszkanie.

Nawet nie napisała, co będzie robiła i w ogóle żadnych szczegółów, zżymała się Ola, wystukując numer Izabeli. Porozmawiały i obydwie doszły do wniosku, że życie nie jest sprawiedliwe, żadna z nich nie była szczęśliwa, choć tyle je różniło.

– Ale, słuchaj! – wykrzyczała Izka. – Chcieliśmy sprzedać dom i jakoś podzielić się kasą. Marek jednak doszedł do wniosku, że woli mnie spłacić, żeby bardziej nie burzyć dziecku już i tak zaburzonego życia. Oni zostają więc w naszym starym domu, a ja kupiłam sobie kawalerkę w Gdyni, na placu Grunwaldzkim, zaraz przy Świętojańskiej. I zastanawiam się, co zrobić – wynająć ją komuś czy tylko zamknąć na klucz. Każda opcja ma plusy i minusy, więc...

– Czekaj! – zawołała Aleksandra, która właśnie w tej chwili wpadła na idealne – jej zdaniem – rozwiązanie. Wymyśliła... że się przeprowadzi.

Nie mogła dojść do siebie po tej historii z Karolem i ciążą Luśki. Wiedziała, że w tej sprawie ona też jest stroną skrzywdzoną, ale Jolka została bardziej skrzywdzona. Cierpiała, bo nic nie chciało samo się ułożyć. Jola jej nienawidziła, Teośka od niej stroniła, do Czterech Łap wstydziła się chodzić. Nie wiedziała, co zrobić, aż tu raptem znalazło się rozwiązanie. Samo się znalazło, ha!

– Izka – powiedziała z radością w głosie – ja u ciebie zamieszkam, jeśli wynajmiesz mi tę kawalerkę.

Wyjaśniła koleżance, że postanowiła zmienić swoje życie, pracę, miejsce zamieszkania, otoczenie, wszystko.

– Nie tylko ty się dusisz – oczywiście nie zamierzała wyjawiać szczegółów, Iza znała Te Trzy, kończyły przecież to samo liceum. – Daj mi trochę czasu na pozałatwianie spraw i przyjeżdżam.

Izę ucieszyło takie rozwiązanie, postanowiła, że wynajmie kawalerkę koleżance tylko za czynsz, bez żadnych dodatkowych opłat. Trochę się o to posprzeczały, bo Leksi nie chciała się zgodzić, a Iza przekonywała ją, że i tak nie wynajęłaby mieszkania komuś obcemu i że zdecydowała się zamknąć je na klucz.

– A ty przynajmniej uwolnisz mnie od kosztów eksploatacji – tłumaczyła ucieszona.

Ola pojechała więc do Gdyni, żeby odebrać klucze jeszcze przed wyjazdem Izabeli do Niemiec. Uparła się, że wszystkie opłaty będzie ponosiła od pierwszego sierpnia, bez względu na to, kiedy się przeprowadzi.

– Izka, popatrz, jaki to świetny adres. Plac Grunwaldzki, fakt, ale tu Świętojańska, a tam zaraz Kościuszki. To przecież całkiem tak, jakbym się nie wyprowadzała z Bydgoszczy – śmiała się przyszła mieszkanka Gdyni.

Odprowadziła Izę na lotnisko i pomieszkała w swoim nowym lokum jeszcze tydzień, w ciągu którego załatwiła sobie pracę. Zaczęła od Katedry Biotechnologii Uniwersytetu Gdańskiego i – ku jej wielkiej radości – udało jej się tam zaczepić na stanowisku asystenta w Pracowni Diagnostyki Molekularnej. Cud? Nie, szczęśliwy zbieg okoliczności, pracował tam ktoś ze znajomych jej ojca, o czym, rzecz jasna, tata poinformował ją, zanim wyjechała z Bydgoszczy. Czyli cud w istocie jednak taki trochę ustawiony.

Rodzice Oli początkowo nie mogli zrozumieć jej nagłego pomysłu przeprowadzki, zmiany pracy i otoczenia. Siostry w skrytości ducha cieszyły się, bo zwiększała im się przestrzeń życiowa, teraz każda już mogła oficjalnie mieć swój pokój. Cały pokój, nie pół, choćby nie wiem jak przemyślnie odseparowane od tej drugiej części. Kot Miodek zachowywał w tej sprawie bezstronność, bo i tak uwielbiał jedynie tatę Marianowicza.

Potem jednak, gdy rodzice już zrozumieli, że ich najstarsza córka mówi całkiem serio i mocno obstaje przy swoim postanowieniu, zdecydowali się jej pomóc. Tata Lucjan przypomniał sobie, że ma w Gdańsku kolegę z dawnych lat, z którym do tej pory utrzymywał kontakt. Sporadyczny, to prawda, ale zawsze. Długie rozmowy telefoniczne pozwoliły dotrzeć do znajomego innego znajomego, który to znajomy pracował właśnie na Uniwersytecie Gdańskim.

Leksi mogła zacząć nową pracę od października. Na razie był lipiec, miała więc przeszło dwa miesiące na pozałatwianie wszelkich spraw i na oficjalne rozwiązanie umowy w Zachemie, skąd odchodziła bez większego żalu. Widocznie i jej nie żałowano tam za bardzo, bo uzyskała zgodę na rozwiązanie umowy o pracę z dniem trzydziestym września dwa tysiące dziesiątego roku, za porozumieniem stron, bez oficjalnego trzymiesięcznego okresu wypowiedzenia. Ponieważ miała dwa miesiące urlopu, jak się okazało po podliczeniu wszystkich zaległości, przeprowadzkę do Gdyni planowała na początek sierpnia. Będę miała prawdziwe wakacje, cieszyła się.

Rozstanie z bydgoskim życiem martwiło ją, oczywiście, ale – ze zdumieniem – uznała, że właściwie to bardzo się cieszy na nowy etap. Zaczynam nowe życie, pomyślała i zacisnęła kciuki na szczęście.

Rozdział 19

Jolanta odstawiła kieliszek na blat i poszła do kuchni po szklankę. Nie będę taka kurtu... klurtu... kulturalna, postanowiła, z trudem opanowując czkawkę. Pani Aleksandra przeniosła się nad morze, proszę, proszę, kontynuowała swój wewnętrzny dialog. Pani Teodora z panią Weroniką wyjadają sobie z dzióbków w Czterech Łapach, a ja wyjadam sobie, to jest... hep... wypijam z butelki sama, i mi dobrze.

Niestety, takie wewnętrzne dialogi, podlewane winem albo czymkolwiek z procentami, zdarzały się Luśce coraz częściej. Jeździła do pracy – do Myślęcinka, Nowej Wsi, Smukały czy gdzie tam mieli zlecenie – a po powrocie znieczulała się alkoholem, niekiedy w ogóle bez żadnego obiadu ani nawet kanapki. Jeszcze stać ją było na to, żeby następnego dnia normalnie się obudzić, zjeść śniadanie – śniadanie owszem – i wsiąść do samochodu. Jeszcze udawało jej się ukrywać to swoje popołudniowe picie przed Mirką i Kajetanem; z nikim innym się nie widywała. Na telefony Teodory nie odpowiadała, rodziców zbywała wyjaśnieniami o dużej ilości pracy i zmęczeniu. Po drodze zahaczała o najbliższy lokalny sklep, kupowała alkohol i pędziła do domu. Nie, przepraszam, nie pędziła, jechała zgodnie z przepisami, nie chciała mieć żadnych zatargów z policją.

Teodora była bardzo zmartwiona tym, że Jolka tak się odizolowała. O jej piciu nie miała pojęcia. Codziennie obiecywała sobie, że pojedzie do Luśki do domu, a potem, po pracy, jechała do schroniska, spacerowała z psami, robiła przy nich, co tam było trzeba, gadała z Weroniką lub innymi wolontariuszami i ani się obejrzała, jak przychodził wieczór i nie miała już na nic innego ochoty, chciała tylko biec do domu, wleźć do wanny, a potem zaszyć się w łóżku z książką. Tak właśnie najbardziej lubiła czytać – w łóżku, z poduszką wysoko opartą o ścianę, na siedząco. W fotelu też, z tym że na siedzenie w fotelu nie miała nigdy czasu, nawet w niedzielę – cóż, kiedyś trzeba posprzątać, zrobić pranie, uzupełnić zapasy w lodówce. No i ugotować obiad, co u Teo było zwyczajem niedzielnym, w inne dni nie gotowała, tylko jadła coś na mieście. W niedzielę zawsze jadła rosół, tradycyjnie gotowany przez kilka godzin na małym ogniu, potem z kurczaka i wołowiny powstawała galaretka, z jarzyn z niezbędnymi dodatkami – sałatka z majonezem, a na drugie danie różnie, najczęściej pieczony schab, bo Teosia go uwielbiała. Bywał też często kurczak z rożna, kupiony w sobotę, w pobliskiej „budzie rożnowej", a czasami mielone, jak się pannie kucharce chciało. Tego niedzielnego gotowania zazwyczaj wystarczało na kilka obiadów, ale często zanosiła owe smakołyki do schroniska – miała przecież blisko, a dziewczyny nie każdego dnia wychodziły z pracy o szesnastej. Zawsze zresztą znalazł się też jakiś głodny wolontariusz. Danusia na przykład – ta od Digusia, który mieszkał już z rodzicami Kajetana, ale ciągle był wspominany w Czterech Łapach – uwielbiała Teosiną sałatkę jarzynową.

– Nikt tak nie kroi drobno jarzyn jak pani – przymilała się. – A ja właśnie taką sałatkę uwielbiam.

Cóż, Teo sama wiedziała, że robi świetną sałatkę. Tak, chciało jej się starannie kroić jarzyny, bo jej też tylko takie smakowały. Dzisiaj więc – a była niedziela – Teodora naładowała do słoika swojej sałatki, starannie zapakowała dwie salaterki z galaretką kurczakowo-wołową i, bez zapowiedzi, żeby uniknąć: „nie mam czasu, chora jestem, nie ma mnie w domu", wybrała się do Luśki. Owszem, ryzykowała, że nie zastanie przyjaciółki, ale właściwie ryzyko było niewielkie, bo wiedziała przecież, że Jolka unika wszelkich spotkań towarzyskich.

Na dzwonek nikt nie odpowiadał, ale Teośka nie odeszła od drzwi. Widziała przed domem auto Jolanty, uznała więc, że przyjaciółka jest w domu, tylko nie chce otworzyć.

– Luśka, otwieraj! – Załomotała w drzwi. – Będę tu stać i walić, aż mnie wpuścisz. – Bębniła w nie pięścią, aż echo szło po klatce schodowej.

– Co pani tu za awantury urządza? – Z mieszkania naprzeciwko wychyliła się z tak delikatnym pytaniem obfita dama.

– Koleżanka nie otwiera, może zasłabła – wyjaśniła Teodora. – Samochód stoi przed domem, więc raczej jest w domu. – I łup, łup, łup! – uderzała w drzwi, które się raptem otworzyły z impetem, a Teo omal nie wpadła do środka.

– Przepraszam za tę panią. – Jolanta wysunęła głowę z mieszkania i spojrzała na sąsiadkę. – Byłam w łazience, a ona nie mogła trochę poczekać, aż otworzę. Nerwowa taka.

Teo z niedowierzaniem w oczach patrzyła wokoło. Zazwyczaj tak bardzo wypieszczone i uporządkowane mieszkanie Jolanty dziś przedstawiało obraz nędzy i rozpaczy. Wersalka, stojąca we wnęce, zawsze przykryta granatowo-czerwoną narzutą i ozdobiona dwoma błękitnymi poduszkami, teraz była rozłożona, z rozrzuconą niedbale pościelą. Na stoliku obok wersalki stała szklanka z wysuszoną już torebką po herbacie. Na stole pod oknem honorowe miejsce zajmowała butelka z jakimś czerwonym winem, w zasadzie z resztką wina. Obok widać było szklankę z napojem. A co najbardziej zdziwiło Teośkę, zaraz przy szklance stała kryształowa popielnica, wypełniona po brzegi niedopałkami.

– Ty palisz? – Tylko takie pytanie przyszło Teodorze do głowy. Choć nie, do głowy przyszło jej jeszcze kilka innych pytań, ale ponieważ wszystkie nasunęły się jednocześnie, wyartykułowała pierwsze z brzegu. – Od kiedy?

– No co? – Jola hardo wysunęła brodę do przodu. – Palę. I piję sobie. Od niedawna. W ciąży też jestem od niedawna. Właśnie to opijam. Wyjaśniam, żebyś niepotrzebnie nie pytała o butelkę.

Teo napuściła wody do wanny i wsypała tam jakąś kolorową sól morską, która stała na łazienkowej półce. Zaciągnęła do łazienki Luśkę, a potem prawie siłą wsadziła ją do kąpieli. Gdy Jolka siedziała w wannie, Teosia posprzątała w pokoju, wylała do zlewozmywaka resztki wina z butelki, umyła szklanki, wyciągnęła z szafki – nie musiała długo szukać; miejsc, w których mogły być takie rzeczy, w pokoju nie było wiele – świeży obrus. Rozpakowała przyniesione specjały, na szczęście w kuchni Jolanty znalazło się trochę chleba, a wreszcie zaparzyła świeżą herbatę. Zamierzała pogadać z przyjaciółką, tak szczerze i od serca, niestety, nic z tej rozmowy nie wyszło. Luśka zjadła, co miała na talerzu, ale na każdą próbę rozmowy odpowiadała tylko: „nie dzisiaj, Teośka, nie dzisiaj".

Tak więc po kilku próbach zrezygnowana Teodora zaczęła się zbierać do domu. Ale nie mogła zrezygnować z pokazania, co o tym wszystkim myśli.

– Powiem ci tylko, że jeśli robisz to wszystko, żeby w końcu poronić, lepiej od razu umów się na skrobankę. Po co tak się męczyć? A jeśli choć raz pomyślałaś o tym, że jednak będziesz miała dziecko, daj mu szansę, żeby było zdrowe. Więc przemyśl to swoje kretyńskie zachowanie, bo ja nie będę tego za ciebie robić. Jesteś dorosła i chyba – na razie – w pełni władz umysłowych. Zadzwoń, jeśli zechcesz mnie widzieć, bo ja do ciebie dzwonić nie będę.

Jolanta wzruszyła ramionami i położyła się na wersalce. W ubraniu. Nakryła się kocem aż na głowę i zaczęła rozpamiętywać swoje nieszczęścia. Jeszcze tak niedawno było wszystko dobrze. Mało „dobrze" – było wspaniale. Lusia miała wymarzone, wypielęgnowane mieszkanie, pracę, którą kochała, mężczyznę swojego życia i, na dodatek, miała mieć z tym mężczyzną dziecko. I gdyby tylko nie ta podła Leksi... Leżała i utwierdzała się w tym przekonaniu. Byłoby dobrze, gdyby nie ta suka. Nie zauważyła, kiedy zapadł zmierzch, w ogóle nie wiedziała, która godzina. Zatraciła poczucie czasu i rzeczywistości. Głodu nie czuła, chciało jej się tylko palić, ale ta wstrętna Teośka zabrała jej wszystkie papierosy. A, tak, mam prowadzić zdrowy tryb życia, przypomniała sobie i zapadła w sen.

Następnego dnia zwlokła się z łóżka, spostrzegając ze zdziwieniem, że spała w ubraniu. Wykąpała się więc, zmieniła ubranie, a wczorajsze ciuchy po prostu rzuciła na krzesło. Nie czuła głodu, ale ponieważ kręciło jej się w głowie i pomyślała o dziecku, postanowiła coś zjeść. Zajrzała do lodówki, a ta była zapełniona przysmakami. Luśka domyśliła się, że to dzieło Teo. Dobra przyjaciółka, pomyślała zgnębiona, stojąc i nie mogąc się zdecydować, co zjeść. Wyjęła jakiś żółty ser, ale wypadł jej z rąk. Pochylenie się, by go podnieść, było ponad jej siły, sięgnęła więc głębiej i wyciągnęła parówki. Nagle poczuła jakąś falę irracjonalnego lęku, który przepłynął – wydawało jej się – od serca i osiadł w podbrzuszu.

– O, nie – powiedziała na głos – żadnych więcej alarmów poronieniowych. Urodzę to dziecko, choćby na złość Olce.

*

Teodora z irytacją odłożyła telefon, z trudem opanowując chęć rzucenia nim przez cały pokój. Jolka nie zgłaszała się przez cały dzień, a wczorajsza rozmowa była trochę dziwna. Niby wszystko w porządku, ale w głosie przyjaciółki Teo wyczuła jakiś dziwny smutek.

Zamknęła więc gabinet i po telefonicznym zawiadomieniu Czterech Łap, że dzisiaj nie przyjdzie, wsiadła do samochodu i ruszyła w stronę osiedla Wyżyny. Jechała w korku, jak zwykle między szesnastą a dziewiętnastą, dotarła jednak po czterdziestu minutach.

Znowu musiała wisieć na dzwonku chyba z pięć minut, zanim Luśka otworzyła drzwi. Teo aż się złapała za głowę, bo przyjaciółka wyglądała jak, jak... zabrakło jej słów.

– Wyglądasz jak bezdomna z dworca. Nie, nawet gorzej.

W pokoju na krześle leżały dwie bluzki, para spodni i skarpetki. Obok łóżka stała szklanka, napełniona w jednej trzeciej jakimś brunatnym płynem. Teo powąchała. Herbata, orzekła, ale chyba wczorajsza.

– Co się dzieje? Jadłaś coś? Boli cię coś? Dlaczego nie odbierasz telefonów?

– Mówiłaś, że nie będziesz do mnie dzwonić. A z nikim innym nie chcę gadać, szczególnie z matką. Powiedziałam jej, że wyjeżdżam na szkolenie do Lublina i że nie będę tam odbierać telefonów.

– Dlaczego do Lublina? – zdziwiła się Teodora i po chwili machnęła ręką. – Ach, przecież wszystko jedno. Nie pijesz chyba, co?

Poszła do kuchni i sprawdziła wszystkie szafki. Nigdzie nie było żadnego alkoholu. Zajrzała do lodówki, coś tam w niej zostało, ale chyba było to jedzenie, które sama kupiła Jolce przed jej powrotem ze szpitala.

– Ubieraj się. – Weszła do pokoju. – Idziemy na obiad!

Jola leżała na łóżku, przykryta kocem. Miała zamknięte oczy, ale Teodora była przekonana, że przyjaciółka nie śpi.

– Lusia – powiedziała miękko. – Co jest?

Usłyszała pociągnięcie nosem.

– Tylko nie płacz – upomniała ją Teo.

– Nie płaczę. Ale nic mi się nie chce. Na nic nie mam siły. Jestem ogólnie rozbita. I w ogóle jakaś taka beznadzieja mnie ogarnia. Wszystko wypada mi z rąk, ciągle boli mnie głowa i mam sucho w ustach.

– Może to po tych lekach ze szpitala? – zastanowiła się Teodora. – A w ogóle bierzesz te lekarstwa? – Spojrzała podejrzliwie na przyjaciółkę.

– Nie wiem. Nie pamiętam. Chyba biorę.

Rzeczywiście, obok łóżka leżały rozerwane opakowania, czyli chyba coś tam łykała.

Teo prawie siłą wywlokła Jolę z domu, wepchnęła ją do samochodu i pojechały Pod Orła, gdzie szczęśliwie były wolne stoliki. Zjadły gorącą kolację, a Jola nieco się ożywiła, zajadała ze smakiem i nawet pośmiały się z jakichś tam historii opowiedzianych przez Teodorę.

– Teo, dziękuję ci bardzo. Dobrze mi zrobiła ta wyprawa. Nie martw się o mnie, będę już odbierać telefony, przyrzekam. Pojutrze idę do rodziców, na pomidorową z domowym makaronem. To popisowa zupa mojej mamy. Mam nadzieję, że przeżyję jakoś tę wizytę i że mój upiorny bratanek mnie nie zamęczy.

– Rodzice wiedzą o twojej ciąży? Przecież już widać.

– No tak, ale nie widzieliśmy się dwa miesiące, więc do tej pory nie mają pojęcia. Wiesz przecież, że doskonale potrafię obchodzić się bez rodziny, a widać wcale im mnie nie brakuje. Pojutrze się dowiedzą, trzymaj za mnie kciuki. Zresztą możesz nie trzymać, zdanie mojej rodzinki i tak mało mnie obchodzi. Zadzwonię do ciebie wieczorem. Aha – i przyjmij do wiadomości, że mam zamiar urodzić to dziecko. Zdrowe.

– Cieszę się. – Teo wyciągnęła rękę. – No i jeszcze jedno. Daj mi zapasowe klucze. Nie chcę ciągle denerwować twojej sąsiadki, więc jak następnym razem „będziesz dłużej w łazience" – mrugnęła – to sama sobie otworzę.

– Ale... – zaczęła coś mówić Lusia, spojrzawszy jednak na minę przyjaciółki, zamilkła i posłusznie przyniosła pęk kluczy w pokrowcu. – Dziękuję – powiedziała jeszcze, nie precyzując za co.

Teo sama to wiedziała.

Rozdział 20

Aleksandra wolno, wolniutko szła w stronę morza. Nie mogła nacieszyć się tym, że ma je tak blisko. Wychodziła z domu, dochodziła do Armii Krajowej, skręcała w prawo i maszerowała w dół, przed siebie, na plażę. Z lewej strony hotel Orbis Gdynia, z prawej Teatr Muzyczny, po kilku krokach była na upragnionym miałkim piasku. Rozłożyła ręcznik niedaleko baru urządzonego na drewnianym podeście i wystawiła twarz na słońce.

– Może przynieść coś do picia? – usłyszała po kilku minutach czyjś głos i ze złością spojrzała w górę. Nachylał się nad nią, oczywiście zasłaniając słońce, jakiś mężczyzna, równo opalony na czekoladowy brąz.

– Nie słyszał pan, że nadmierne opalanie jest szkodliwe? – warknęła, dodając po chwili: – A zaczepianie nieznanych osób niegrzeczne. Dziękuję za propozycję, ale jeśli zechcę się napić, poradzę sobie sama.

– Już się znamy, jestem Grzegorz, mieszkam obok ciebie na placu Grunwaldzkim.

Spojrzała na intruza jeszcze raz i rzeczywiście, uświadomiła sobie, że facet jest jej sąsiadem. Naprawdę, trzeba było jej szczęścia, żeby na tym ogromie ziarenek piasku zlokalizował właśnie ją, i to tak szybko. Po przemyśleniu doszła jednak do wniosku, że nie było to takie trudne, bo ułożyła się prawie na szlaku z domu nad morze, zaraz przy wejściu na plażę.

– Dobrze, możesz przynieść mi kawę – zdecydowała się. – Czarną, dwie łyżeczki cukru.

Grzegorz Skalski[*] okazał się sąsiadem idealnym, miłym i uczynnym. Nie tylko przyniósł kawę, ale też popilnował rzeczy Aleksandry, gdy ta zdecydowała się na kąpiel. Woda była jeszcze chłodna, ale cóż, powiedziała, że zamierza się wykąpać, więc musiała to zrobić. Leksi była honorowa, za nic nie wróciłaby z wyjaśnieniem, że woda okazała się za zimna. Grzegorz może i był nachalny, jednak przy bliższym poznaniu dużo zyskiwał. Czarne włosy, kręcące się na końcach, długie do szyi; brązowe błyszczące oczy; dość duży foremny nos. Dobrze utrzymane ręce, z krótko przyciętymi paznokciami. Ładny. Zdecydowanie za ładny.

Teraz zobaczymy, jak tam z jego inteligencją, pomyślała Aleksandra i wyciągnęła z plażowej torby najnowszą powieść Tess Gerritsen.

– O, jedna z moich ulubionych autorek – usłyszała z sąsiedniego ręcznika. Z sąsiedniego, bo Grzegorz ulokował się obok. Leżał teraz na brzuchu, podparty na łokciach i obserwował plażę. A głównie, jak się wydawało Oli, ją właśnie.

– Proszę, proszę, czytasz książki! – Pokręciła głową. – Wszystkie czy tylko thrillery?

– Nawet je piszę – usłyszała w odpowiedzi.

* Grzegorz Skalski występuje też w *Sosnowym dziedzictwie* Marii Ulatowskiej, Wydawnictwo Prószyński i S-ka.

177

Okazało się, że z inteligencją Grzegorza nie jest tak źle, a przynajmniej na razie można było tak założyć. Opowiedział Aleksandrze, że pisuje kryminały. Napisał już siedem, z czego dotychczas wyszło pięć, szósty jest w wydawnictwie i autor czeka na pierwsze uwagi od redaktora.

– Siódme dzieło ukończyłem, ale jeszcze jest tylko w moim komputerze, trochę poprawiam.

Spojrzał na nią przeciągle.

– Za chwilę opowiem ci swoje dzieciństwo, a ty nic nie mówisz o sobie. Nie wiem, co się dzieje, nigdy nikomu tak od razu nie ujawniałem swoich tajemnic.

Wrócili razem do domu i postanowili zjeść razem obiad.

– Zapraszam cię na skwer Kościuszki – ogłosił Grzegorz. – Mam tam znajomego kelnera w Siouksie.

Znajomego kelnera? Leksi spojrzała na niego nieufnie. Autor kryminałów? Taki ładny? I ten kelner? Trudno, niech będzie, co ma być, przecież to nie tak, że każdy nowo poznany mężczyzna musi być kandydatem na męża. Jednego kandydata już miała, i to niedawno. Właśnie od niego uciekła. No dobrze, może nie całkiem od niego, ale nie będzie teraz szukać rynny, pod którą ma wpaść. A to, że raczej nie był kandydatem na męża, to przecież drobiazg, prawda?

Podczas obiadu wyjaśniło się jednak, że po pierwsze – Grzegorz nie jest gejem; po drugie – jest zakochany i nie może się zdecydować, szczęśliwie czy nieszczęśliwie.

– Kochana sąsiadko – powiedział zaraz po deserze. – Właśnie jutro mam urodziny i zapraszam cię na jubileuszowe przyjęcie. Poznasz Dominikę, moją dziewczynę. Chyba jestem w niej zakochany, choć tak naprawdę to nie wiem. Bo ona raz mnie przyciąga, raz odpycha. Raz ją uwielbiam, a zaraz potem – nie lubię. Czy wy, dziewczyny, wszystkie jesteście takie skomplikowane? Miałem już kiedyś... – Zamyślił się. – Może powinienem pisać romanse, nie kryminały? Lepiej...

Nie dokończył, bo Aleksandra się zirytowała.

– Lepiej nie – i lepiej już w ogóle zamilknij. – Zezłościł ją tym pogardliwym „pisać romanse". Sama czytała wszystko, oprócz horrorów, literaturę obyczajową także. Właśnie – literaturę obyczajową, nie romanse. A więc inaczej – czytała wszystko oprócz horrorów i romansów. Tylko że dla niej romanse to były powieścidła harlequinowate. Natomiast dla większości tych, którzy twierdzą, że romansów nie czytają, są to powieści napisane przez kobiety. Romans, czyli literatura kobieca. A przecież... tłumaczyła teraz to wszystko Grzegorzowi, wielce zdziwionemu, że nagle omawiają poszczególne gatunki literackie. A właściwie nawet nie tyle omawiają, ile on słucha jej wykładu. No tak, ale przecież naprzeciwko niego siedzi kobieta. A kobiet to on całkiem nie pojmuje...

*

„Mój akt urodzenia" – przeczytała Leksi i nic z tego SMS-a nie zrozumiała. Widziała, że przysłała go Izabela, ale chyba była to wiadomość zaszyfrowana. Książki kodów, niestety, Leksi nie miała. Zawróciła na pięcie, bo choć miała zamiar pojechać do Sopotu ot tak, dla przyjemności, ciekawość okazała się silniejsza i Ola postanowiła wrócić do domu, żeby pogadać z koleżanką przez Skype'a albo chociaż wyjaśnić sprawę drogą mejlową. Internet w telefonie Aleksandry praktycznie nie istniał, a na załatwienie nowego aparatu ciągle nie miała czasu. Albo ochoty. Bo tak naprawdę te wszystkie nowinki telefonicznie mało ją pociągały.

Czekając, aż komputer zacznie działać, zaparzyła sobie w kuchni kawę. Tak już było, że siedząc przy komputerze, musiała mieć obok swój ulubiony kubek, napełniony kawą. Kubek ten, w zielone bąble, wyglądające jak powietrze wydychane przez nurka z morskiej toni, przywiozła ze sobą z Bydgoszczy i był pierwszą rzeczą, która stanęła na półce w kuchni Izabeli. Teraz – jej kuchni.

Z napełnionym kubasem podeszła do biurka, otworzyła pocztę i… oczywiście żadnej wiadomości od Izy nie było. Skype też nie meldował jej obecności. Obawiała się więc, że Izka, maniaczka tradycyjnych listów w kopercie, wyjaśni jej wszystko dopiero tą drogą. Zeszła nawet do skrzynki pocztowej, ale nic w niej nie było. A ten akt urodzenia mocno zaintrygował Leksi. Wysłała więc do Izy znak zapytania SMS-em i napisała mejl, prosząc o wyjaśnienia.

Po pewnym czasie – który przesiedziała na fejsie – komputer piknął, sygnalizując nadejście nowej wiadomości.

„Zakochałam się i chyba wyjdę za mąż. Potrzebny mi mój akt urodzenia i odpis rozwodu. Wyciągnij te dokumenty od Marka, zostawiłam moje papiery u niego i, mam nadzieję, leżą do tej pory w szafie, na najniższej półce. W mojej dawnej szafie, bo teraz to może być szafa jego nowej dziewczyny, nic mnie to nie obchodzi. Ale te papiery są mi potrzebne" – przeczytała Leksi.

Izabela napisała jeszcze numer komórki do swojego byłego męża. Zażyczyła też sobie, że dokumenty powinny być przetłumaczone na niemiecki przez tłumacza przysięgłego, podała nawet na niego namiary.

Pięknie, pomyślała Aleksandra. Ciekawa jestem, co z mieszkaniem, zastanawiała się. Przyzwyczaiła się już, dobrze się czuła na tym placu Grunwaldzkim – no i miała sympatycznego sąsiada. Grzegorz był weterynarzem, jak Teo, nie znali się jednak wcześniej, bo on studiował w Warszawie. Tam też pracował po studiach. Kilka miesięcy spędził w Towianach, zastępując przyjaciela, który wybrał się z żoną na przymusowe – przymusowe dla niego – wakacje za granicą, a nawet za kilkoma granicami. Następnie Skalski wyjechał do Biskupca Warmińskiego, gdzie miał odkupić od kogoś prywatną lecznicę weterynaryjną, zaczął pracować w tej lecznicy i początkowo wszystko świetnie się układało.

Do transakcji jednak nie doszło, bo zmieniły się plany życiowe poprzedniej właścicielki. Przez pewien czas Grzegorz pracował więc wraz z nią, lecz o coś się pokłócili i w rezultacie wylądował w Gdyni. Nie było to jego marzeniem życiowym – zawsze chciał mieszkać gdzieś nad jeziorem, w małej miejscowości, jako właściciel domu z ogrodem. Żona i ewentualne dzieci też były w planach, jednak wyobrażając sobie ten swój dom, najpierw widział psa i kota. Teraz miał jedynie kota, z czego był niezmiernie rad, bo coś z tego marzenia zaczęło się już spełniać.

W Gdyni wylądował przez przypadek; w Biskupcu niespodziewanie spotkał kolegę ze studiów, który spędzał urlop w pobliskim Szczepankowie. Marcin Balewski – ów kolega – osiadł w Gdyni zaraz po studiach, tam bowiem mieszkał ze swoją nową rodziną jego ojciec, który postanowił spłacić swój dług wobec pierworodnego syna. Przekazał mu prawo własności do ładnego, trzypokojowego mieszkania i pomógł znaleźć pracę. Ponieważ właśnie zmarła matka Marcina, chłopak przyjął propozycję ojca, zresztą nie miał lepszej. Po dwóch latach nadarzyła się okazja wykupienia kliniki, w której pracował. Ojciec Marcina wyłożył pieniądze i klinika w Redłowie stała się własnością młodego lekarza weterynarii. Ojciec był zadowolony, bo zagłuszył wyrzuty sumienia, pan doktor był zadowolony, bo mógł robić to, co kochał, i na dodatek teraz „na swoim". Jednak szybko się przekonał, że sam sobie nie poradzi, i spotkanie z Grzegorzem było dla Marcina bardzo pomyślnym zbiegiem okoliczności – a i dla Grzegorza także. Szybko się dogadali; Grzegorz początkowo mieszkał w dużym mieszkaniu Balewskiego, a następnie wynajął sobie kawalerkę na placu Grunwaldzkim. Na razie pracował jako siła najemna, miał jednak zamiar wejść z Marcinem w spółkę, złożył już wniosek o kredyt i chciał odkupić pół kliniki. Marcin chętnie się na to zgodził, bo jego ambicją było, żeby jak najszybciej zwrócić ojcu wyłożone pieniądze.

– Ale cóż – zakończył opowiadanie Grzegorz. – Jestem tak samo daleko od realizacji mojego marzenia jak zaraz po studiach. Ani domu z ogrodem, ani jeziora...

– Dobrze, że chociaż kota masz – weszła mu w słowo Aleksandra, głaszcząc Ellę, czarno-białą ulubienicę sąsiada, noszącą imię na cześć wielkiej amerykańskiej śpiewaczki. Nazwał ją tak, uznał bowiem, że mają podobne głosy, ale Leksi jeszcze Grzesiowej Elli nie słyszała.

– Nic swojego, poza tą kotką – rozżalił się Skalski.

– Oj, przestań się mazgaić – znowu mu przerwała. – Ja też nie mam nic swojego i nie narzekam. Będzie jeszcze czas na dorabianie się. Teraz trzydziestka to druga młodość, nie wiesz?

*

– Co się tak wgapiasz w mojego chłopaka? – Obok Aleksandry zmaterializowała się trochę zaczerwieniona Dominika, z drinkiem w ręku. – Chcesz go? To go sobie, kurna, bierz. Weterynarz, zwierzaki, sraki, dupaki. Nudny jak cholera. Bierz go, na zawsze. Ja, widzisz – rozmarzyła się – chcę na dyskotekę, na plażę, na Monte Cassino... A on tylko praca i praca. Siedzi w tej klinice jak głupi i oporządza te różne śmierdzące zapchlone futrzaki. Koooocha mnie, tiaaa. A ja go lekce... lekcę... lekceważę. Tam jest facet, popatrz! – Skinęła głową w stronę łysego kurdupla, tańczącego solo na środku pokoju. – Mały, myślisz – perorowała dalej. – Może mały, ale co tam. Kasę ma wielką, wiesz? I już tego jego wzrostu nie widzisz, kurna. Dla mnie okej.

– Grzegorz to tylko mój sąsiad – usiłowała jej tłumaczyć Leksi, zmartwiona tym, co usłyszała. Musi jakoś zręcznie wytłumaczyć Grześkowi, że Dominika nie jest dla niego. Poczuła więź ze swoim sąsiadem i ironiczne uwagi jego dziewczyny – jego dziewczyny? – bardzo ją ubodły. – Ale masz rację, kasy nie ma. I pracę swoją uwielbia. Jest, jak jest. Więc twoja wola, chcesz go czy nie. Mnie go nie wpychaj.

Nie polubiła tej Dominiki i z niesmakiem patrzyła, jak krąży wokół łysego kurdupla. Wyszukała wzrokiem Grzegorza i podeszła do niego.

– Daj sobie spokój z tą swoją miłością – wypaliła, choć przecież miała mu to jakoś delikatnie wyperswadować. – Ona jest warta tylko tego kurdupla. Właśnie mi oznajmiła, że to jej idol.

Idol okazał się lokalnym przedsiębiorcą, Grzegorza znał, bo w klinice Marcina leczył swojego psa. Aleksandra trochę złagodniała, gdy usłyszała o psie. W końcu nie lubiła jedynie Dominiki, kurdupel właściwie jej nie przeszkadzał.

Przypadkowi sąsiedzi mocno się zaprzyjaźnili, często jadali razem obiady, ostatnio nawet kolacje, ale żadnej chemii między nimi nie było i nawet nie próbowali jej wykrzesać.

– Jak to dobrze, że ta twoja koleżanka się rozwiodła. – Grzegorz znał całą historię przeprowadzki Aleksandry. Całą historię, bo opowiedziała mu o Karolu i Luśce, o wszystkim, co się wydarzyło. – Nie mówię, że podoba mi się powód, dla którego przeniosłaś się z Bydgoszczy, bo żal mi tej twojej przyjaciółki. Ale ogólnie cieszę się, że tak się stało. Szkoda tylko... – Zawiesił głos.

– Grzesiek, przestań. – Leksi od razu zrozumiała, co chciał powiedzieć. – Wolę mieć sprawdzonego przyjaciela niż wymuszonego kochanka.

– Ale czekaj, skoro o przyjaciołach mowa, to czy wiesz, że mój przyjaciel, ten z Towian – teraz z Towian – ma żonę z Bydgoszczy? Farmaceutkę, która odziedziczyła aptekę po cioci, właśnie w Towianach – jak widać, zawód farmaceuty często się zdarzał w rodzinie Jagody. Jagoda Bednarska, może ją znasz? – ożywił się Grzegorz. – A mój przyjaciel, Zbyszek Sowa-Sowiński, przez rok pracował w wojewódzkim inspektoracie weterynaryjnym w Bydgoszczy. Potem wyjechali do Towian[*].

– Niestety – roześmiała się Ola. – Wiesz, Bydgoszcz jest dość sporym miastem, więc znam niewielką część jego mieszkańców. Ale na pewno kiedyś cię tam zabiorę.

Nie miała pojęcia, jak szybko to nastąpi, tyle że nie ona miała zabrać Grzesia do jej rodzinnego miasta.

[*] Więcej o tym w *Sosnowym dziedzictwie*.

Rozdział 21

Teodora nie wiedziała, co robić. Spotykała się z Kajetanem coraz chętniej i zauważyła, że on zaczynał dążyć do... no właśnie, do czego? Do konsumpcji związku? Trywialne. Do kochania się? Niestety, miłości było w tym niewiele, przynajmniej ze strony Teo. Do pójścia do łóżka? Chyba jednak aż tak płaskie to nie było. Więc czym był ich związek? Teodora, tak długo opierająca się wszelkim próbom kontaktów ze strony płci przeciwnej, teraz zaczynała powoli wyłazić z tej swojej skorupy, którą się otoczyła po śmierci męża. Kajtek pierwszy zdołał się przedrzeć przez tę skorupę. Tak trochę.

Nie widywali się często, obydwoje byli zaangażowani w pracę. Chodzili czasami na obiad, nie tylko Pod Orła, a od czasu do czasu szli do teatru lub do filharmonii. Dzisiaj zaś Teodora zaprosiła go do siebie do domu, na kolację. Dopiero gdy już wystosowała owo zaproszenie, dotarło do niej, że Kajetan może je zrozumieć jako zaproszenie na kolację... ze śniadaniem. A ona po prostu nie wiedziała. Nie wiedziała, czy będzie mogła, czy da sobie radę, czy uda jej się nie myśleć... o kimś

innym. Nieżyjącym. Najcudowniejszym i najukochań-
szym. Jedynym. Wiktorze, jej mężu.

– Jeśli koniecznie chcesz pomagać, to obierz pomidory. Chyba wiesz jak?
Kajetan spojrzał na nią obrażonym wzrokiem i włą-
czył czajnik elektryczny. Przedtem postawił na blacie
szafki dwie butelki wina – białe musujące i czerwone
półwytrawne.
– Znamy się już kilka miesięcy, a ja do tej pory nie
wiem, jakie wino lubisz. Zawsze jeździsz samochodem,
więc nigdy nie piliśmy, nawet kieliszka do obiadu.
– I takie, i takie – odrzekła z uśmiechem. – Ale przy-
znam, że białe to strzał w dziesiątkę. I nie mów mi, że
na przykład do polędwicy bardziej pasuje czerwone. Aż
taką koneserką nie jestem, po prostu piję, co lubię, nie
obchodzą mnie żadne winiarskie konwenanse. Ale zaraz... samochód – czy ty dziś nie przyjechałeś samochodem?
– Zostawię go, są przecież taksówki – bąknął Kaj,
lecz widać było, że myśli o całkiem innym wyjściu. Ale
ten temat się zakończył, bo usiedli do kolacji.

Po kolacji, no cóż, było jeszcze trochę wina, bo drugą butelkę białego Teo wyciągnęła z własnej lodówki,
atmosfera zrobiła się taka *amoroso* i jednak do konsumpcji związku doszło. Kajetan wyszedł po śniadaniu,
a Teodora zaczęła rozważać to, co zrobiła. Nie była
niezadowolona, wszystko razem było dość przyjemne,
jeśliby użyć tak ogólnikowego określenia. Ale chodziło
jej teraz o to, co się działo później. I właśnie problemem

187

było, że „później" nie działo się nic. Z jej strony oczywiście, bo o stanie uczuć Kajetana nic nie wiedziała. Ona po prostu zasnęła i trzeba przyznać, że spała dobrze. A to już coś, bo ze spaniem stale miała problemy.

Nosiło ją, chciałaby z kimś pogadać, ale Olka była w Gdyni, a Luśka, no cóż, Luśka miała swoje własne problemy. Właśnie, Luśka. Teodora uzmysłowiła sobie, że już dawno nie miała kontaktu z przyjaciółką. Postanowiła to nadrobić.

– Hej, mamuśka, co u ciebie? – spytała ucieszona, że Jola odebrała telefon. – Może jakiś wspólny obiadek? Dawno nie jadłyśmy kaczki, co?

Ale Jolanta nie dała się namówić na spotkanie. Jej głos brzmiał nieco dziwnie, była jakaś cicha i chyba przygnębiona.

– Luśka, jak ty się czujesz? – Poczuła bezsensowność tego pytania, jeszcze zanim przebrzmiało. Z góry znała odpowiedź. – Tak, tak, wiem, dobrze – zakończyła rozmowę i postanowiła w najbliższym czasie wybrać się do przyjaciółki. Nie widziały się już – ile to? Z niedowierzaniem wyliczyła, że prawie dwa miesiące. Jola dobiła więc już mniej więcej do połowy ciąży.

Ale Teo znowu wpadła w wir roboty, poza tym czasami spotykała się z Kajem i tak mijał jej dzień za dniem. Co do Kaja zaś – postanowiła spróbować. Nie porwał jej wir zmysłów, nie poczuła szaleńczego bicia serca. Było miło i spokojnie. Nie tak jak z Wiktorem, kiedy każda chwila była piękna od pierwszej do ostatniej sekundy. Tak to pamiętała, choć także zdarzały się jakieś przebłyski, w których przypominała sobie i te trochę gorsze chwile. Wady Wiktora, jego bałaganiarstwo, niefrasobliwość i to, co najbardziej ją bolało – że nie chciał mieć dziecka. Nie tak w ogóle, ale nie chciał „teraz". I co? Ich „teraz" przeminęło i już nie wróci. Teraz było tylko „wczoraj". A przed nią – dzisiaj. Jutro. Pojutrze. I tak dalej. Na wczoraj nie powinno być miejsca.

Teo brnęła więc do przodu, krok po kroku. Kajetan miał być jednym z takich kroków, ale zdawała sobie sprawę z tego, że długiego marszu z tego nie będzie. Kilka razy spotkała się z nim, kilka razy poszli do łóżka, obydwoje jednak nie zaangażowali się zbytnio.

– Teo – Kaj miał zmartwioną minę – chciałem cię o coś spytać.

Teodora uniosła brwi.

– No, wal – zachęciła go, bo Kajetan raptem umilkł.

– Często kontaktujesz się z Luśką?

Teosine brwi uniosły się jeszcze wyżej, choć wydawało się to niemożliwe.

– Pytam, bo wiesz, ona jakoś zniknęła.

Po energicznym odpytaniu, jak zniknęła i o co chodzi, Teo dowiedziała się, że przyjaciółka porzuciła pracę w ich firmie, zostawiła pewien ogród, wykonany w połowie, i w ogóle się z nikim nie kontaktuje.

– Na telefony nie odpowiada, sama się nie zgłasza, nie mamy pojęcia, co się z nią dzieje. Martwię się – zakończył zmartwiony.

– Dlaczego dopiero teraz mi o tym mówisz? Długo to trwa? – Teo przypomniała sobie, jak to długo nie widziała przyjaciółki. Poczuła ogromne wyrzuty sumienia i już wiedziała, co będzie robiła jutro od samego rana.

Rozdział 22

Teodora oderwała palec od dzwonka i zaczęła grzebać w torebce. Klucze Luśki były tam, sprawdzała przed wyjściem z domu. Teraz jednak czuła pod ręką wszystko, tylko nie te przeklęte klucze. Zadzwoniła jeszcze raz, dzwonkiem, a potem znowu zatelefonowała. Bez odzewu. Ukucnęła i z irytacją wysypała zawartość torebki na posadzkę przed drzwiami Jolanty. Klucze leżały na samym wierzchu, a więc były pod spodem. Złośliwie. Teo powrzucała wszystko do środka, jak leci, wstała i... o mało nie wybiła kluczem oka Luśce, która właśnie otworzyła wreszcie drzwi.

– O kurczę, jak ty wyglądasz – przeraziła się Teosia. – Coś się stało?

Jola apatycznie wzruszyła ramionami i cofnęła się do pokoju. Zrzuciła kapcie z nóg i zakopała się w rozbebeszonej pościeli.

Teo nie wiedziała, od czego zacząć. Najpierw otworzyła okno, potem zaczęła sprzątać ze stołu, gdzie między szklankami i talerzykami leżały jakieś koperty, dwie otwarte, dwie nietknięte. Kieliszków szczęśliwie nie było, resztki w szklankach też nie pachniały alkoholem.

W lodówce był jakiś zeschnięty żółty ser, otwarte opakowanie twarożku i słoik dżemu, już spleśniałego. Teodora odłożyła na bok korespondencję, a zepsute jedzenie wyrzuciła do worka ze śmieciami. Następnie umyła brudne naczynia i poszła do sklepu. Był niedaleko, więc wróciła po kilku minutach, otworzyła drzwi już swoimi kluczami. Jolanta leżała w takiej samej pozycji. Gdy Teo weszła, przyjaciółka nawet nie odwróciła głowy.

– Wstawaj, zjesz śniadanie. – Teo powiedziała to takim tonem, że Jolka nie odważyła się zlekceważyć polecenia. Zsunęła się z łóżka i boso podeszła do stołu. Zaczęła skubać kawałek chleba, ale Teodora energicznie postawiła przed nią jajecznicę i wcisnęła do ręki widelec.

– Masz to zjeść, a potem sobie porozmawiamy.

Lusia jakoś wmusiła w siebie jedzenie, choć jej mina świadczyła o tym, że je tylko dlatego, iż boi się Teodory. Widać było, że jajecznica rośnie jej w ustach, a przełykanie sprawia trudność.

– No dobrze, a teraz mów, co się dzieje? – Teosia dyskretnie przyjrzała się brzuchowi przyjaciółki. Był chyba normalny, jak w połowie ciąży, dość wypukły, więc pewno z dzieckiem wszystko w porządku. – Dlaczego wyglądasz jak córka narkomana... zaraz, ty chyba nie...?

Jolanta pokręciła głową i bez słowa podsunęła Teodorze leżące na stole koperty. Wszystkie były z banku. Wynikało z nich, że Jola nie spłaca kredytu i bank grozi jej odebraniem mieszkania.

– Nie mam siły, nie mogę pracować, wszystko zawaliłam u Kajetana, więc nic mi nie płaci. Ten kawałek pensji, który dostaję z urzędu, nie wystarcza nawet na czynsz i jedzenie, więc rat nie spłacam. Do rodziców nie wrócę, zresztą nie mają pojęcia o moich kłopotach. Mama martwi się tylko tą moją ciążą. Nie wiem, czy bardziej chodzi jej o zdrowie moje i dziecka, czy bardziej się wstydzi mieć nieślubnego wnuka. A mnie to wszystko jakoś mało obchodzi, chciałabym tylko, żeby dziecko już się urodziło i żeby ktoś je zabrał. Nie mogę spać, ciągle czuję się zmęczona, osłabiona i nic nie mogę robić. Wiem, że Karol mnie zostawił, bo jestem dla niego za głupia, za mało atrakcyjna i w ogóle do niczego. Rozumiem, że nie chce mieć dziecka od takiej matki. Ja...

– Kurczę, przestań! – krzyknęła Teodora, tak głośno, że Luśka aż się skuliła na krześle. – Nie ty jesteś głupia, tylko on. A w ogóle, co to znaczy, „żeby ktoś je zabrał"? Masz zamiar oddać dziecko do adopcji? – Umilkła, bo Jola wstała od stołu i z powrotem zakopała się w łóżku.

– Wychodzę teraz. – Teodora szturchnęła ją palcem w ramię. – Ale jutro wrócę, bądź pewna. Pójdziemy razem do lekarza, właśnie przejrzałam twoją kartę ciąży, ostatnią wizytę miałaś pięć tygodni temu. Już dzwoniłam do twojego doktora, uprosiłam go o termin ekstra. Właśnie jutro znalazł okienko. – Teo przyjrzała się przyjaciółce – Słyszysz? – spytała. – Słyszysz? – powtórzyła pytanie. – Zresztą i tak tu będę, z samego rana.

*

– Jesteś jakaś niewyraźna. – Pani Weronika popatrzyła z troską na swoją ulubienicę. – Pokaż no oczy – zażądała. – Płaczesz?

– Ciociu kochana, jeszcze nie płaczę, ale niewiele mi brakuje. Masz czas? Podwiozę cię na Sielanki i wszystko ci opowiem, dobrze?

– Czy mam czas? Nawet gdybym nie miała, po tym, co usłyszałam... Już się zbieram. – Weronika weszła jeszcze do biurowej pakamery, sprawdziła, czy na pewno wszystko w porządku, i poleciła zostającej na dyżurze pracownicy, że ma telefonować, jakby coś się działo.

W domu najpierw obie razem zrobiły kolację, usiadły przy stole i w czasie jedzenia rozmawiały tylko o pogodzie i tym podobnych drobiazgach. Weronika, choć skręcało ją z ciekawości, hołdowała zasadzie, że w trakcie posiłku nie wolno się denerwować, a coś jej podpowiadało, że przy opowieści Teodory trochę się jednak zdenerwuje.

Nie przypuszczała jednak, że zdenerwuje się bardziej niż trochę. Zmartwiła się zarówno stanem Joli, jak i groźbą utraty mieszkania.

– Wiesz chyba, że nasza Lusia ma klasyczną depresję? Chociaż podczas ciąży... Słyszałam o depresji poporodowej, ale przed? No, co tam, widocznie Jola jest wyjątkiem. Zadzwoń do mnie jutro po wizycie u ginekologa. Chciałabym przynajmniej wiedzieć, czy z dzieckiem wszystko w porządku.

Teo pojechała do domu, a starsza pani usiadła i zaczęła się zastanawiać, jak zaradzić tej sytuacji. Wreszcie wpadła na pewien pomysł, jej zdaniem najlepszy, teraz musiała tylko wprowadzić go w czyn.

Podniosła słuchawkę telefonu – w domu nie używała komórki, chyba że ktoś zadzwonił.

– To ja – oznajmiła krótko, bez przywitania. – Masz się u mnie stawić jutro wieczorem. I nawet nie próbuj mówić, że nie masz czasu.

*

– No i, kochana, tak to miałoby wyglądać. – Weronika z niepewną miną patrzyła na Teodorę, która milczała, przetrawiając usłyszaną wiadomość. – Tylko jak przekonać naszą Lusię?

O tym samym myślała Teo. Pomysł był świetny, a w ogóle to jedyny rozsądny w tej sytuacji.

– Ciociu, wiesz, podziwiam cię. Ja tylko umiałam się zadręczać i jęczeć, a ty nie dosyć, że wymyśliłaś rozwiązanie, to jeszcze wyegzekwowałaś rzecz najważniejszą.

Rozwiązanie było takie – Weronika wezwała Karola i opowiedziała mu o sytuacji, w jakiej znalazła się Jola.

– Wiesz chyba, że to wszystko przez ciebie – oznajmiła siostrzeńcowi i, nie dając mu dojść do głosu, zażądała udziału w akcji ratunkowej. – Pożyczasz niezbędną sumę – jeszcze nie wiem ile, Teo ma się dowiedzieć – i spokojnie poczekasz, aż ci oddamy. W ratach różnej wielkości. I nie wolno ci nas niepokoić, czyli nie przychodzisz do mnie niezaproszony. Jola będzie na razie mieszkać u mnie. Aha – dodała jeszcze – ja cię nie proszę o pożyczkę. Ja ci komunikuję, co masz zrobić. Obligatoryjnie, nie fakultatywnie.

I nie było dyskusji. Zresztą Karol nawet nie próbował się sprzeciwiać. Pieniądze miał, do winy się poczuwał… częściowo, oczywiście. Bo Luśka nie musiała tak od razu zachodzić w ciążę. Przecież kobiety mają te

194

swoje sposoby. Powinny mieć w każdym razie. A że dowiedziała się o Aleksandrze, no to już fatalne zrządzenie losu po prostu. I tyle. Dziecko, cóż, i tak nie zamierzał się go wypierać. Chciał dać małemu – bo to będzie chłopiec, tak przypuszczał, choć nikt mu tego nie powiedział – swoje nazwisko i wspierać matkę dziecka finansowo. Przecież jest porządnym człowiekiem, nie? Więc bez sprzeciwu poddał się dyrektywom ukochanej cioci.

Tak więc Jolanta Biegańska znowu zmieniła miejsce zamieszkania – z Wyżyn przeniosła się na Sielanki. Teodora, oczywiście działając w imieniu przyjaciółki, uregulowała dług w banku i postanowiła pilnować, żeby już od tej chwili spłaty kredytu były regularne. Plan Weroniki powiódł się w całości. Lusia z początku protestowała, bała się bowiem, że będzie zmuszana do dbania o siebie oraz regularnego jedzenia, ale szybko zrozumiała, że jeśli chce utrzymać mieszkanie i urodzić zdrowe dziecko, musi słuchać przyjaciółki. Oraz cioci. Do domu rodzinnego i tak by nie wróciła, zresztą już nawet nie było tam dla niej miejsca.

Mieszkanie Joli zostało wynajęte, szczęśliwie szybko znalazł się chętny, a pieniądze z wynajmu w całości miały być przeznaczone na spłaty rat kredytowych. O zwrocie pożyczki Karolowi na razie nie było mowy. Owszem, dostanie swoje pieniądze, kiedyś. Na szczęście on tak bardzo na szybki zwrot tej sumy nie liczył.

Rozdział 23

– Aleksandra Marianowicz, dzień dobry. Jestem znajomą Izy i w jej imieniu mam prośbę. – Ola, ściskając w dłoni telefon, tłumaczyła Markowi Jackiewiczowi, byłemu mężowi Izki, że przyjaciółka potrzebuje odpisu aktu urodzenia i rozwodu. – Podobno te dokumenty są u pana w domu, leżą w jej pokoju, na dolnej półce szafy.

– Iza nie ma już tu swojego pokoju – usłyszała w odpowiedzi, ale cóż, zrozumiała ten komunikat.

Po chwili jednak Marek obiecał, że poszuka i oddzwoni.

– Numer mi się wyświetlił, zapiszę go sobie.

Leksi nacisnęła guzik dzwonka przy furtce i po chwili z domu wypadła drobniutka postać, majtająca kitkami przy każdym podskoku, a było tych podskoków dużo, bo skakała już nawet przy furtce.

– Czy ty jesteś ta pani, co miała przyjść do taty? Bo tata mówił, że przyjdziesz, a teraz nie może otworzyć, bo jest w piwnicy.

– Tak, to ja. Ola jestem, a ty?

– Sissi. Właściwie to Elżunia, ale tata zawsze na mnie mówi Sissi, bo urodziłam się w Wigilię, jak ta bawarska księżniczka.

Dobrze, że mi to wyjaśniła, pomyślała Aleksandra i spytała:

– Wpuścisz mnie?

– Właściwie to nie wolno mi otwierać nikomu obcemu, ale ciebie już przecież znam, prawda? I tata na ciebie czeka, tak?

– Pani Ola? – Z domu wybiegł potargany mężczyzna, trzymając coś pod pachą. – Przepraszam, że to chwilę potrwało, szukałem tych papierów w piwnicy i wpadłem tam w stare szpargały, wie pani, jak to jest.

– Nie wiem, nie mam piwnicy – zaśmiała się Aleksandra. – Może wreszcie ktoś mi otworzy tę furtkę – poprosiła. – Chyba że mam zabierać dokumenty i się wynosić. Ale... – spojrzała na Elżunię – mam pyszne ciastka...

– Tata, no, tata – pisnęła dziewczynka. – Nie jesteś grzeczny, a zawsze mi mówisz...

– Wiem, księżniczko, przepraszam. I panią przepraszam. – Ojciec Elżuni otworzył furtkę i cofnął się, robiąc zapraszający gest. – Prosimy. A ciastka witamy równie serdecznie. Już szykuję kawę.

Marek był szczupły i wysoki. Miał burzę ciemnobrązowych włosów, niemożliwie potarganych, duży prosty nos i ładnie wykrojone usta. Do tego zdecydowanie męski, szeroki podbródek, pokryty teraz – o osiemnastej – cieniem zarostu. Rano pewnie był porządnie ogolony, pomyślała Leksi i uznała, że jednak z tym zarostem wyglądał owszem, owszem. A bawarska księżniczka była po prostu prześliczna. Dość wysoka na swój wiek, wiotka i smukła, miała włosy w takim samym kolorze jak ojciec, ciemnobrązowe. Chociaż w odróżnieniu od niego dziewczynka była starannie uczesana, loki miała zebrane w dwie kitki opadające na ramiona. Ciemne oczy uśmiechały się wesoło, bo uśmiechała się cała buzia Elżuni.

– A czy są bezy? – spytała. – Bo ja innych ciastek nie jem.

Matko święta, nie ma, zafrasowała się Aleksandra i spojrzała błagalnie na ojca dziewczynki.

– Od dzisiaj jesz wszystkie. – Marek bezbłędnie rozszyfrował niemą prośbę gościa. – I robimy konkurs na najsmaczniejsze ciastko.

Spędzili bardzo miłą godzinę, Oli aż się nie chciało wracać do domu. Do domu? Do pustego, wynajętego mieszkania. Taką księżniczkę chciałaby mieć, swoją własną. Ale raczej nic z tego...

*

– Grzesiu, otwieraj! – Aleksandra stukała nogą w drzwi sąsiada, trzymając oburącz siatkę pełną książek. – To wszystkie twoje, kupiłam, a teraz mi podpisuj.

– Kiedy ty to przeczytasz? – Grzegorz wyjął siatkę z jej rąk i poszedł do kuchni zrobić kawę. Czarną, z cukrem, już wiedział jaką. Bardzo się zaprzyjaźnili, chociaż Aleksandra trochę się obawiała, że sąsiad się obrazi na nią za bezpośrednią opinię o jego dziewczynie. Okazało się jednak, że w zasadzie Grzegorz jest Oli wdzięczny. Tak, tak, za to, że dzięki niej nie wyszło mu z Dominiką. Choć właściwie – raczej wyszło. Szydło z worka. Bo panna Dominisia przy Grzegorzu była miła i układna. Słodziutka i grzeczniutka. Tylko ją przytulić i poprosić o rękę. Tylko że niedoszły narzeczony już teraz wiedział, że to tylko gra, i jakoś szybko się odkochał. Spotykał się z Dominiką jeszcze od czasu do czasu, traktował ją jednak „wyłącznie seksualnie" – to określenie wyjątkowo spodobało się Aleksandrze, choć z racji solidarności kobiecej nie powinno. Silniejsza okazała się jednak solidarność sąsiedzka. Bo – tak szczerze mówiąc – Dominika absolutnie nie spodobała się Oli. A przecież Leksi nie była o Grzegorza zazdrosna, bo w ogóle między nimi nie iskrzyło. Lubili się tylko, jak dobrzy kumple po prostu. Przyjaźń między kobietą a mężczyzną? Okazało się, że może istnieć.

Najbliższy weekend mieli spędzić w Bydgoszczy. Nie razem, choć razem się tam wybierali. Grzegorza zaprosili Jagoda i Zbyszek Sowa-Sowińscy, przyjaciele z czasów studenckich. Jagoda mieszkała kiedyś w Bydgoszczy, teraz miała tam do załatwienia pewne sprawy, umarła jej babcia i należało zlikwidować mieszkanie. Było kwaterunkowe, więc sprzedaż nie wchodziła w grę. Trzeba je jednak było opróżnić, większość rzeczy wyrzucić, coś może zabrać. Grzegorz regularnie kontaktował się ze Zbyszkiem, więc gdy przyjaciel, zapraszając go do Bydgoszczy, jednocześnie poprosił o pomoc: „Stary, mam jakieś kłopoty z kręgosłupem i na razie nie wolno mi dźwigać, a Jagoda musi zlikwidować to mieszkanie do końca miesiąca", Skalski zgodził się, nawet chętnie. W ogóle nie znał tego miasta, a Aleksandra narobiła mu na nie apetytu.

Opowiedział więc Oli, że wybiera się do Bydgoszczy, i zaproponował, żeby także pojechała.

– Mój samochód jest nieco szybszy i bardziej komfortowy, jedziemy więc moim – oświadczył, a Leksi, która już chciała protestować w obronie swojego auta, rozmyśliła się jednak, w duchu przyznając Grzegorzowi rację.

– Będę twoim pilotem, bo sam od razu byś zabłądził w Bydgoszczy. A ja z przyjemnością odwiedzę rodzinę i przyjaciółki – oświadczyła, ciesząc się bardzo.

Miała nadzieję, że Jola już nie będzie się na nią boczyła, bo przecież obydwie powinny być wściekłe na Karola, nie na siebie nawzajem. Wiedziała o depresji Lusi, znała plan Weroniki, była na bieżąco, jeśli chodzi o sprawy przyjaciółek.

– Teo, jak ja się za wami stęskniłam! – krzyczała w telefon.

Teodora ostrożnie przygotowała grunt pod spotkanie, lecz Jolanta apatycznie przyjęła wiadomość o przyjeździe Aleksandry. Ciągle jeszcze nie doszła do siebie, choć powoli wychodziła z depresji. Bardzo pomagała jej w tym Weronika, nie pozwalając dziewczynie na samotne siedzenie w domu. Razem jechały do Czterech Łap, gdzie zawsze było co robić. Potem wracały do domu, robiąc po drodze zakupy, zjadały wczorajszy obiad i pichciły coś na następny dzień. Teo wpadała na Sielanki tak często, jak mogła. Widywały się zresztą w schronisku, tyle że tam często nie było czasu na pogadanie.

Jola w dalszym ciągu miała zwolnienie lekarskie, co zapewniało jej pensję z Wydziału Gospodarki Komunalnej i Ochrony Środowiska urzędu miejskiego – niewielką, bo z połowy etatu, ale zawsze. U Weroniki Lusia mieszkała już dwa miesiące, mijał właśnie siódmy miesiąc ciąży. Karola nie widywała, nie przychodził na Sielanki, nie przychodził też do schroniska – zresztą i dawniej bywał tam rzadko. Weronika trochę tęskniła za siostrzeńcem, więc któregoś dnia zapowiedziała swoją wizytę na placu Wolności. Poszła, wypiła kieliszek dobrego czerwonego wina, porozmawiali o pogodzie oraz o pięknie Wyspy Młyńskiej. Czyli o drobiazgach. Karol nie spytał o Jolantę, o jej przebieg ciąży, o to, jak im się razem mieszka, a ciotka o niczym mu nie opowiadała, choć w głębi duszy miała nadzieję, że właśnie o tym będą rozmawiać. Ale jak nie, to nie. Dziś w ogóle nie wspomniała Joli, że umówiła się z Karolem, i nie opowiedziała jej o przebiegu wizyty. Nie było zresztą o czym mówić, niestety. Trudno, Weronika i tak była zadowolona, że chociaż z tą pożyczką od siostrzeńca się udało.

Aleksandra zapowiedziała, że przyjeżdża z przyjacielem – nie zrozumiały dosłowności komunikatu i przyjęły, że to jej najnowszy chłopak. Urządziły więc całe przyjęcie. Prawie w ostatniej chwili dowiedziały się, że dobrze byłoby, gdyby na to swoje przyjęcie zaprosiły też przyjaciół Grzegorza. Wszystkie relacje między całą tą grupą miały być wyjaśnione osobiście. Weronika dostała skrzydeł, przypomniały jej się dawne spotkania z przyjaciółmi i postawiła sobie za punkt honoru, że urządzi przyjęcie stulecia.

*

Rozłożony i wystawiony na środek pokoju stół uginał się od wszelkiego jadła. Półmiski, salaterki, miseczki, talerzyki. Wszystko napełnione po brzegi. Mięsa, wędliny, sałatki, surówki, pasztety, galaretki, sery i co tam kto zamarzył.

– Jak u Wańkowicza – powiedziała z zachwytem Jagoda. – Nie ma tylko flaków i kołdunów.

– Jagódka? – Weronika objęła ją serdecznie. Odchyliła się trochę, wpatrując się w twarz gościa. – Przecież ja cię znam, byłaś moją uczennicą. Od razu wiedziałam, gdy tylko usłyszałam o tym Wańkowiczu. Teraz mało kto wie, kto on zacz, ale ja moich uczniów nim karmiłam. Po angielsku, żeby było trudniej. Ale dawaliście sobie radę.

– Moja Nówka kochana! – Żona Zbyszka zakryła usta dłonią, a jej była nauczycielka roześmiała się gromko.

– Nie przejmuj się, przecież wiem, jak mnie nazywaliście. Muszę powiedzieć, że nawet mi się to podobało, szczególnie w porównaniu z przezwiskami niektórych moich kolegów.

Jagoda też skończyła popularną „szóstkę", ale jakoś nie znała Tych Trzech, była o rok młodsza. Teraz siedziała już obok Aleksandry i Teodory, obgadując zawzięcie innych nauczycieli z liceum.

– Patrz – powiedziała ze zdziwieniem w głosie, zwracając się do Leksi. – Nie zgadałyśmy się, że chodziłyśmy do tego samego liceum.

– Bo ty opowiadałaś wyłącznie o chłopakach – zaśmiała się Ola, a Jagoda obejrzała się przez ramię, czy Zbyszek nie słyszy. Był o nią zazdrosny, nawet teraz, kilka lat po ślubie.

– Tak dużo nie zdążyłam ci naopowiadać, widziałyśmy się przecież tylko raz. – Rzeczywiście, poznały się dopiero dwa miesiące temu, gdy Sowińscy przyjechali na parę dni urlopu do Trójmiasta. Obecny wspólny pobyt w Bydgoszczy to takie zrządzenie losu, dla Jagody smutne, bowiem – choć nie widywała babci zbyt często – przyjęła jej śmierć z wielką przykrością. Teraz jej rodziną był już tylko Zbyszek i trochę także (co wmówił jej mąż) Grzegorz, od lat traktowany przez Zbyszka jak brat.

Weronika z Jolantą zastawiły stół i wszyscy rzucili się na jedzenie. Grzegorz siedział obok Teo i zachwycona Leksi, za której sprawką ten właśnie układ miejsc powstał, przyglądała się, jak tych dwoje rozmawia z ożywieniem. Kajetan nie został zaproszony, bo Teodora w ogóle o tym nie pomyślała. Kaj mało dla niej znaczył.

– Olka, wiesz, przykro mi. – Leksi usłyszała cichy głos Joli, która stojąc za jej krzesłem, chciała jeszcze coś dodać. Aleksandra spojrzała na przyjaciółkę, drobną mimo sporego już brzucha, i wstała, by ją przytulić.

– Och, jak ja za wami tęsknię – powiedziała cicho. – I niby dlaczego ma ci być przykro? Przecież to, co się stało, nie jest ani moją winą, ani twoją. Wszystko przez... a zresztą, co się stało, to się nie odstanie, teraz trzeba tylko przeć do przodu.

– Na parcie jeszcze za wcześnie – roześmiała się Lusia. – Jeszcze jakieś dwa miesiące, jak dobrze pójdzie. Adaś będzie, wiesz?

– Chłopczyk – zachwyciła się Ola. – Nawet nie masz pojęcia, jak ci zazdroszczę. Mimo wszystko. – A wiesz? – dodała po chwili. – Poznałam pewną cudowną dziewczynkę. Ma pięć lat. Mieszka z rozwiedzionym tatusiem, tylko... – Opowiedziała Joli wszystko o Izie, Marku, Sissi, Grzegorzu i swoim mieszkaniu przy placu Grunwaldzkim.

– Popatrz na Teo – mrugnęła Luśka. – Świetnie dogaduje się z twoim Grzegorzem.

– Tak. Jak ją znam, to opowiada mu o Czterech Łapach. Nic więcej.

Było prawie tak, jak przypuszczały, ale... Grzegorzowi Teosia spodobała się od pierwszego wejrzenia, więc ta rozmowa stała się czymś więcej niż tylko opowieścią o pracy. Teo bez zastrzeżeń zaakceptowała przystojnego towarzysza przy stole i nie uciekała po pięciu minutach rozmowy, jak to się działo w przypadku innych przedstawicieli płci męskiej. Pominąwszy oczywiście Kajetana, ale każda reguła ma przecież swoje wyjątki.

Tego, co łączyło ją z Kajem, sama nie umiała określić. Z początku była to sympatia, przekształcona później w coś więcej, tak jej się przynajmniej wydawało, zaczęła bowiem reagować na wytrwałe starania Kajetana, który pragnął bliższych kontaktów. Od śmierci jej męża minęło już cztery i pół roku; cóż, Teodora nawet poszła z Kajetanem do łóżka i sprawiało jej to przyjemność. Sprawiało – bo zdarzyło się to już kilka razy. Ale były to tylko takie jakieś fizyczne doznania, nic więcej. I teraz przestawała chcieć, zaczęła więc ograniczać ich kontakty, czego on nie mógł zrozumieć. Próbowała mu to wytłumaczyć, ale nie bardzo jej się to udawało. Jednak częstotliwość ich spotkań bardzo zmalała, a seks ustał od kilku tygodni. Do Kowalskiego zaczęło chyba w końcu docierać, że z tej mąki chleba nie będzie. Trochę go to zaskoczyło, bo do tej pory to raczej on nie mógł się opędzić od dziewczyn. A tu raptem któraś go nie chce. Cóż, uznał, że jakoś to przeżyje.

Teodorze świetnie rozmawiało się z Grzegorzem, byli przecież po tych samych studiach, choć studiowali w innych miastach. Obydwoje wybrali swój zawód z miłości dla zwierząt i o zwierzakach właśnie gadali od chwili, w której obok siebie usiedli.

– Daj mi swój adres mejlowy – poprosił Grzegorz. – Tak dobrze nam się rozmawia, może kontynuowalibyśmy to przez Internet, dopóki nie przyjedziesz do Gdyni? Bo niedługo przyjedziesz, prawda? Słyszałem, że Ola cię zapraszała. Cieszyłbym się.

– Może rzeczywiście wpadnę na parę dni, jeszcze przed porodem Luśki. Dawno nie byłam w Trójmieście, a Leksi narobiła mi apetytu swoimi opowieściami. Na Gdynię właśnie, bo w zasadzie zazwyczaj spacerowałam jedynie po Gdańsku. Nawet Sopot traktowałam po macoszemu, istniały dla mnie tylko okolice Neptuna. Adres ci dam, oczywiście. I mam nadzieję, że nie odmówisz konsultacji, gdybym kiedyś potrzebowała, kolego.

Rozdział 24

– Proszę pani. – Obok Weroniki stanęła Danusia, najmłodsza wolontariuszka w Czterech Łapach.

Wprawdzie w regulaminie wyraźnie powiedziano, że wolontariuszem można zostać po ukończeniu czternastego roku życia, ale Danusia – teraz trzynastoletnia – stanowiła w Czterech Łapach wyjątek. Mało kto był tak sumienny, dokładny i odpowiedzialny jak Nutka, która cały czas pamiętała, jak skończyło się jej pierwsze wyjście na spacer z psem. Wyjście samowolne oczywiście. Teraz już wszyscy zapomnieli o tamtej historii, tym bardziej że Diguś znalazł dom. Dziewczynka przychodziła do schroniska tak często, jak tylko pozwalano jej w Domu Dziecka. Chodziła na spacery z małymi psami, takimi, które mogła utrzymać na smyczy. Pomagała w pielęgnacji zwierząt, roznosiła jedzenie, robiła wszystko, co jej polecono. Zawsze też uczestniczyła aktywnie we wszystkich akcjach organizowanych przez schronisko.

Pod koniec roku szkolnego otrzymała list pochwalny, przekazany również do szkoły, w której się uczyła.

Schronisko dawało Nutce dużo radości, pozwalało zapomnieć o własnych zmartwieniach i troskach. Danusia, przytulając jakiegoś zwierzaka, czuła, że i on ją przytula i wlewa w nią otuchę, bo przecież obydwoje są takimi samymi podrzutkami, bez domu i bez prawdziwie bliskich osób.

Teraz z zafrasowaną miną stała obok kierowniczki schroniska.

– Przyszedł znowu ten sam pan – wyszeptała.

– Który, kochanie?

– No ten, co chce adoptować pieska. On jest jakiś dziwny, nie lubię go.

Weronika odłożyła na bok biurka spory stos właśnie segregowanych papierów i poszła do pokoju, w którym urzędowały dwie jej pomocnice i gdzie załatwiano większość rozmaitych spraw. Pod oknem stał mężczyzna z pokaźnym brzuszkiem, w nieco wymiętej marynarce, starannie wygolony.

– Pan w sprawie adopcji? – Weronika puściła rękę Nutki i wzięła do ręki pierwszy lepszy zeszyt z biurka koleżanki.

– Tak, chcę wziąć jakiegoś rasowego psa. Najlepiej szczeniaka. Ta pani – wskazał ręką puste biurko – poszła po jakiegoś. Obejrzę go sobie.

– Koniecznie musi być rasowy? – spytała Weronika, dając znak Danusi, żeby się nie odzywała, bo już widziała, jak dziewczynka otwiera usta.

W tym momencie do pomieszczenia weszła pani Zosia, prowadząc na smyczy małego pieska, podobnego do pudla. Pies był wyraźnie zestresowany, kulił się i podwijał ogon.

– To ma być rasowy pies? – Oburzenie w głosie amatora psiej adopcji można było wręcz kroić nożem. Schylił się do psa, a ten się cofnął i warknął.

– Na dodatek jakiś znerwicowany. Nie chcę go. Pewnie gryzie.

– A pan nie byłby znerwicowany, gdyby pan mieszkał w przytułku? – spytała Weronika, wściekła jak rzadko.

Wyjęła z rąk pani Zosi smycz, ukucnęła i zaczęła uspokajać psiaka. Po chwili zajęła się nim Nutka. Żadne powarkiwania już się nie powtórzyły. Wręcz odwrotnie, psina przytuliła się do nóg dziewczynki i zaczęła wymachiwać ogonkiem.

– Niestety, myślę, że nie mamy dla pana odpowiedniego psa. Ani teraz, ani zapewne w przyszłości. Dziękujemy za wizytę.

Weronika ujęła za łokieć mężczyznę i wyprowadziła go na zewnątrz, a potem spoglądała za nim, dopóki nie opuścił terenu Czterech Łap.

– Dziękuję ci, Danusiu, że mnie powiadomiłaś o wizycie tego pana. Rzeczywiście, był dziwny. – Poklepała dziewczynkę po ręku i schyliła się, żeby pogłaskać pieska. – Dziwny, najdelikatniej mówiąc – mruknęła pod nosem, cicho, żeby Nutka nie usłyszała. – Odprowadź teraz Gucia do boksu, niech się uspokoi. Albo, wiesz co? Weź go na spacer, zasłużył sobie.

Kilka dni po tym incydencie pani Zosia opowiedziała swojej pracodawczyni, że gdy poszła na Zamojskiego dać nekrolog do „Gazety Pomorskiej", bo zmarł jej kuzyn, spotkała tam tego człowieka, który niby chciał adoptować psa.

– On mnie nie poznał, ale ja go tak. Zajrzałam mu przez ramię, wypełniał druk na ogłoszenie o sprzedaży. I ogłaszał tam, że chce sprzedać rasowego mopsa.

– No to wszystko jasne – mruknęła Weronika. – A to łobuz jeden! – zirytowała się. – Pewnie kradnie te psy albo skądś przywozi. Źródło dochodu sobie znalazł. Jakie to szczęście, że nasza Danusia go wyczuła. Niestety, nic nie możemy zrobić. Do nas już zapewne nigdy nie przyjdzie, ale zaraz uczulę wszystkich, żeby uważali.

Na tym incydencie w rezultacie zyskał Gucio, bo Danusia polubiła go bardziej od innych piesków. Ciągle tęskniła do Digusia, pocieszając się tylko tym, że jej pierwszy ulubieniec znalazł prawdziwy, dobry dom. Kajetan często opowiadał jej o psie, pokazując zdjęcia w telefonie komórkowym. Psiak wyglądał świetnie i widać było, że nowe życie mu służy.

– Może i Guciowi znajdziemy jakieś dobre miejsce. – Nutka uśmiechała się do Weroniki, ustawiając na półce różne psie preparaty, dostarczone właśnie przez kuriera. Takie dostawy zdarzały się w Czterech Łapach dość często, były to darowizny od prywatnych sponsorów, wyszukanych przez energiczną kierowniczkę schroniska.

– A wiesz, kochanie, może będę miała coś dla niego. – Weronika już od kilku dni konferowała z sąsiadami, którzy stracili niedawno czworonożnego przyjaciela. Mówili, że już nie chcą psa, bo za bardzo przeżyli śmierć swojego Tupka, pudla czystej rasy. Ale Weronika widziała, z jaką czułością pochylają się nad jej gromadką, i miała przeświadczenie, że długo bez własnego zwierzaka nie wytrzymają. Postanowiła ułatwić im decyzję i któregoś dnia, gdy tylko Danusia pojawiła się w schronisku, poprosiła zmotoryzowaną pracownicę o podwiezienie całej trójki na Sielanki, siebie, Nutki i Gucia. Danusia była podekscytowana, wiedziała, po co tam jadą, i modliła się z całego serca, aby cel wyprawy został osiągnięty. A poza tym cieszyła się, że zobaczy dom pani Weroniki i pozna jej ulubieńców. Trzymała mocno w garści smycz i usiłowała rozczesać pozwijane kudełki psiaka, który absolutnie nie był tym zachwycony, wyrywał się i kręcił, a jego sierść i tak nie dała się ujarzmić.

– Poznajcie Gucia – przywitała się pani Nowaczyńska, prezentując go sąsiadom. – A to jego opiekunka, Danusia.

Gucio, jakby przewidując, że ważą się jego losy, przypadł do rąk sąsiadki, która podeszła do płotu, i całym sobą okazywał, jak bardzo mu się spodobała. Prawie wyrwał smycz z rąk Danusi, która – sprawdziwszy tylko, czy furtka jest już zamknięta – puściła go luzem, widziała bowiem, że pani Bielska, sąsiadka Weroniki, przyjmuje ową psią sympatię z wielkim zachwytem.

Po chwili Gucio podskoczył jeszcze do pana Bielskiego, trącając go nosem w dłoń, jak gdyby sugerując, że właśnie teraz jego kolej na pogłaskanie psa. Jak było do przewidzenia, zawojował państwa Bielskich całkowicie, ale wizyta nie zakończyła się tak, jak życzyłyby sobie tego pracownice schroniska i ich najmłodsza wolontariuszka. Bielscy, mimo zauroczenia Guciem, nie wyrazili chęci zabrania go do domu. Cała ekipa wróciła więc do Czterech Łap z nosami na kwintę.

210

– Nie martw się tak bardzo, Nuteczko. – Weronika przytuliła zgnębioną dziewczynkę. – Zosia odwiezie cię teraz do domu, a jak tylko ci pozwolą, przyjdziesz do nas znowu. Znajdziemy dom dla Gucia, to taki miły piesek, że na pewno ktoś go zechce, zobaczysz.

Sama także była zgnębiona, chyba nawet bardziej niż Danusia. Kochała wszystkie swoje zwierzaki, ale niektóre bardziej zapadały w jej serce. Gucio trafił do schroniska niedawno, ktoś przywiązał go do drzewa rosnącego obok bramy. Stało się to najprawdopodobniej w nocy albo późnym wieczorem, rano znalazła psa jedna z pracownic. Biedak był tak wzruszająco wdzięczny za odwiązanie od tego drzewa i miskę wody, że z miejsca podbił wszystkie serca. Trudno mu było się zaaklimatyzować wśród innych psów, był zanadto ufny i przyjacielski, początkowo więc przegrywał wszystkie walki, nawet te koleżeńskie. Teraz już dawał sobie lepiej radę, ale widać było, że chyba nigdy nie zaakceptuje braku własnego domu. Na wizyty różnych chętnych do adopcji reagował tak nerwowo, że zrażał do siebie potencjalnych właścicieli, rzucał się bowiem na siatkę i przeraźliwie szczekał. A ludzie nie mogli pojąć, że to właśnie najgorętsza prośba o zainteresowanie.

Wieczorem, gdy Weronika i Jola były już po kolacji, ktoś zadzwonił do furtki. Obie spojrzały na siebie ze zdziwieniem, nieczęsto zdarzało się bowiem, że ktoś przychodził niezapowiedziany, a przecież nikt nie anonsował swojej wizyty. Weronika wyjrzała zza drzwi, odganiając zaciekawione psy, które – o dziwo – w ogóle nie szczekały. I właśnie ta psia reakcja, a raczej jej brak przekonał ich właścicielkę, że to jednak ktoś znajomy. Widziała kobiecą postać, ale rysów nie rozpoznała. Już od dawna powinna nosić okulary, ciągle jednak nie miała czasu na wizytę u okulisty. Sąsiadkę rozpoznała dopiero przy wejściu.

– Dobry wieczór – przywitała się pani Bielska.
– Przepraszam, że tak bez zapowiedzi, ale chcę ci coś wytłumaczyć.

I Weronika usłyszała opowieść o chorobie nowotworowej psa sąsiadów, o traumie, jaką była dla nich jego męczarnia, o wielkiej odpowiedzialności za decyzję o skróceniu jego cierpień. O rozpaczy po śmierci Tupka i postanowieniu, że nigdy więcej. Nigdy więcej – bo straszne było to, że tak niewiele mogli pomóc ulubieńcowi, i straszne było obserwowanie jego choroby.

– Nie wyobrażam sobie, żebym miała przechodzić przez coś takiego po raz drugi – szlochała sąsiadka, a Weronika też wycierała oczy. Jola uciekła z pokoju zaraz po tym, jak usłyszała początek opowieści, nie chciała tego słuchać, wszak jednym z najwyraźniejszych zaleceń jej ginekologa było „żadnych stresów". A Weronika już wiedziała, że musi zabrać do domu kolejnego psa. Powzięła zamysł, że będzie z nim chodzić na wszystkie sąsiedzkie herbatki, aż wreszcie Bielscy się złamią i wezmą Gucia. Już, już miała zadzwonić do Karola, by mu polecić kupienie nowej psiej miski i posłania, w samą porę przypomniała sobie jednak, że przecież nie rozmawia z siostrzeńcem. A nawet gdyby ze swojego ostracyzmu zrezygnowała, nie mogła przecież narażać Lusi na tak niepożądaną przez nią – zapewne (?) – wizytę. Właśnie, tylko czy istotnie niepożądaną? Jola i Leksi chyba się pogodziły, tak wyglądało. Więc może dobrze byłoby, gdyby Lusia i Karol... Adaś miałby obydwoje rodziców, rozmarzyła się Weronika, niepoprawna romantyczka. Ale zaraz się otrząsnęła z tych fantazji. Niedorzecznych, jak uznała. Jola powoli wychodziła z depresji, lecz wcale nie wyglądało na to, że chciałaby wracać do swojego mieszkania, nie tylko dlatego, że zostało wynajęte. Bardzo jej tu było dobrze i wcale się nie martwiła, że cała rodzina jest na nią śmiertelnie obrażona. I za to, że będzie miała nieślubne dziecko; i za to, że wybrała cudzy dom zamiast rodzinnego; i za to, że nie przejawia chęci przeproszenia rodziców i błagania, aby ją przyjęli pod swoje skrzydła. Jola na pozór nie przejmowała się stanowiskiem rodziców, a co do brata była pewna, że to jego i jego żoneczki robota – to nastawienie rodziców. Nie było jej przez to mniej przykro, ale nadrabiała miną i postanowiła przeczekać to wszystko. Miała irracjonalną nadzieję, że z chwilą narodzin dziecka – to znaczy Adasia – wszystko się zmieni na lepsze. Weronice było przykro, że stosunki jej podopiecznej z rodzicami są takie, jakie są, ale nie chciała się wtrącać. Uznała, że „nawtrącała się" już wystarczająco w życie Lusi, i teraz też czekała, wraz z nią, na dziecko, wierząc, że będzie to jakiś nowy początek.

Rozdział 25

Teodora stała przy Róży Wiatrów, wdychając jod, a przynajmniej zdawało jej się, że go wdycha. Była z siebie dumna, ponieważ zrobiła sobie tydzień wolnego – jak dla niej niewyobrażalnie długi urlop – i przyjechała do Aleksandry. Leksi już pracowała, więc przedpołudnia Teo spędzała sama, ale była z tego nawet zadowolona. Jeździła po Trójmieście, najwięcej czasu spędzając w Gdańsku, który był dla niej miastem szczególnym. Nie przeszkadzała jej nawet listopadowa pogoda, gdańska Starówka była piękna o każdej porze roku. Raz – ale tylko raz – pojechała do Sopotu, gdzie poczuła się jakoś obco. Nie taki Sopot pamiętała z czasów, gdy przyjeżdżali z rodzicami do Trójmiasta na wakacje. Ten nowy, zabudowany jakimiś szklanymi cudactwami, nie podobał jej się wcale. Za to Gdynia, której prawie nie znała (poza skwerem Kościuszki), pokazywana jej przez Olę i Grzegorza, spodobała jej się bardzo.

Teosia odwróciła się i spojrzała w lewo. Zobaczyła przed sobą budynek z dużym napisem „Akwarium Gdyńskie". Hm, czemu nie, pomyślała. Nigdy tam nie była, a przecież morze uwielbiała od zawsze, z zainteresowaniem oglądała filmy przyrodnicze i te z podwodnego świata lubiła chyba najbardziej. Weszła więc do środka. Chodziła i z ciekawością chłonęła wszystko, co miała przed oczami, nie zwracając uwagi na upływ czasu. W końcu jednak burczenie w żołądku przypomniało jej o istnieniu świata innego niż wodny. Była oczarowana, przytłoczona ogromem wiedzy i wielością eksponatów. Wyczytała, że w Akwarium Gdyńskim zaprezentowane są cztery biotopy występujące na świecie: rafy koralowej, toni oceanicznej, gęstych tropików Amazonii oraz Morza Bałtyckiego. Akwarium od dwa tysiące piątego roku miało status ogrodu zoologicznego – w istocie było najpiękniejszym chyba zbiorem fauny morskiej, jaki udało się Teosi widzieć w całym swoim życiu. Przed jej oczami pływały drętwy, mureny, żółwie, raki, meduzy, rekiny, płaszczki, koniki morskie i ogromna liczba niewiarygodnie kolorowych ryb o przedziwnych kształtach.

Oprócz poszczególnych segmentów akwariowych znajdowały się tu też różne wystawy tematyczne, choćby ta ukazująca historię statków. Na ścianach wisiały szkielety najrozmaitszych ryb i stworów morskich, jakby jeszcze mało tego pływało dookoła. Teosia była zachwycona, oszołomiona i zafascynowana. Mogłaby tu zostać przynajmniej tydzień, tu, przed tymi akwariami, napawając się niesamowitą feerią barw, rozlaną przed jej oczami.

Nie mogła jednak zlekceważyć coraz głośniejszego burczenia w brzuchu. Gdy spojrzała na zegarek, ku swojemu zdziwieniu ujrzała, że spędziła w akwarium przeszło trzy godziny. Na pewno jeszcze tu wrócę, obiecała samej sobie i poszła na obiad. Nawet w czasie szukania restauracji miała przed oczami kolorowe plamy tego podwodnego świata. Po prostu się w nim zakochała i przez pewien czas zastanawiała się nad możliwością przeprowadzki do Gdyni i znalezienia sobie pracy w tym niezwykłym miejscu.

– Chyba musiałabym jednak skończyć oceanografię – oznajmiła zaskoczonemu kelnerowi, który podawał jej menu. Nic nie odpowiedział, przyzwyczajony pewnie do różnych dziwactw gości, ukłonił się tylko.

Teo jednak odłożyła kartę dań na stolik, złapała torebkę i wiszącą na oparciu krzesła kurtkę, a potem wybiegła z lokalu. Kelner, jeśli się nawet zdziwił, nadal nic nie mówił. Zabrał tylko menu i z niewzruszoną miną położył je przed klientami sadowiącymi się przy sąsiednim stoliku.

A Teosia postanowiła podzielić się z kimś wrażeniami z wizyty w gdyńskim akwarium. Burczenie w brzuchu ucichło samo z siebie i uznała, że jeszcze przez jakiś czas nie umrze z głodu. Pomaszerowała ulicą 10 Lutego, doszła do dworca, skasowała bilet, wsiadła do kolejki, zachwycając się po raz kolejny trójmiejskim rozwiązaniem komunikacyjnym i po kilku minutach znalazła się w Redłowie. W klinice Grzegorza jeszcze nie była, ale trafiła tam bez trudu, znała przecież dokładny adres. Grzegorz średnio raz dziennie opowiadał jej o swoim miejscu pracy, rozumiała go i rewanżowała mu się tym samym. Doktor Skalski bardzo się zdziwił na jej widok. Wkładał już kurtkę, jego dyżur właśnie się zakończył.

– O, jak się cieszę. Dobrze, że nie wyszedłem wcześniej, na szczęście Marcin dzwonił, że stoi w korku i trochę się spóźni. Ale – stało się coś? – zaniepokoił się. – Coś z Olą?

– Nie, dlaczego? Nic się nie stało – odburknęła dziwnie zła Teodora. – Nic z Olą. Tylko o niej możesz myśleć? – zawarczała i usłyszawszy, jak to zabrzmiało, zaczęła się usprawiedliwiać. – Przepraszam, głodna jestem, więc warczę. A ponieważ nie lubię jeść sama, pomyślałam, że wpadnę po ciebie.

Kłamczucha, pomyślała, przypominając sobie wszystkie samotne posiłki, na które z własnej woli się skazywała, odrzucając zaproszenia nawet najserdeczniejszych przyjaciółek. Do niedawna. I od niedawna. Od śmierci Wiktora, czyli prawie od pięciu lat. Ostatnio, dzięki Czterem Łapom i pani Weronice, powoli wysuwała się już z tej skorupy, ale do dawnej Teo jeszcze dużo jej brakowało. Z Grzegorzem jednak czuła się tak, jakby znali się od dziecka czy też jakby był jej bratem.

Poszli na obiad i Grzegorz musiał wysłuchać hymnów pochwalnych na cześć nowego odkrycia Teosi. Od razu się przyznał, że jeszcze nie był w akwarium. Teo ucieszyła się więc, że będzie miała pretekst do następnej wizyty w tym miejscu – zupełnie jakby potrzebowała usprawiedliwienia.

– Oprowadzę cię – zaoferowała się. – Najlepiej już jutro.

Grzegorz zaśmiał się, widząc jej entuzjazm. Miło razem mijał im czas. Grzegorzowi Teodora spodobała się od pierwszego wejrzenia, już w Bydgoszczy. Od Leksi wiedział o śmierci męża Teosi, o tym, jak trudno jej było

217

się z tym pogodzić i jak obie przyjaciółki nie umiały jej pomóc. Gdy Teo zgodziła się odwiedzić Aleksandrę, ta w pierwszej chwili nie wierzyła, że jednak do tej wizyty dojdzie.

– Wiesz, przez te wszystkie lata po śmierci Wiktora Teo chodziła tylko do pracy i do Czterech Łap. Nie chciała z nami wyjechać nawet na działkę, nie chciała pojechać nad jezioro, nie dawała się namówić na wypad na grzyby, o kinie czy innych rozrywkach nawet nie wspomnę. Czasami, ale naprawdę rzadko, szła z nami na obiad do jakiejś knajpy. I to wszystko. Dobrze, że jest to schronisko, a w nim nasza przyszywana ciocia Weronika, bo dzięki temu mogłyśmy się widywać. Cieszyłabym się, gdyby wasza przyjaźń... – Urwała zakłopotana.

– Nie mów „hop". – Grzegorz wzruszył ramionami. – Lubię Teo, bardzo lubię, ale na coś więcej chyba trzeba poczekać.

Leksi więc tylko pomodliła się w duchu za pomyślność tych dwojga. Kochała Teodorę i życzyła jej szczęścia. Ale chyba na razie towar zwany szczęściem nie był dostępny dla żadnej z nich. Może w końcu coś się zmieni, westchnęła.

Rozdział 26

Dwunastego grudnia dwa tysiące dziesiątego roku o godzinie dwudziestej pierwszej dwadzieścia Lusia urodziła prawie czterokilogramowego chłopczyka, Adasia. Teodora i Weronika cierpliwie czekały w szpitalu od rana, choć żadna z nich nie mogła być przy porodzie. Luśka nie chciała...

– Będę się jeszcze bardziej denerwować – orzekła i kazała obydwóm iść do domu. Siedziały jednak pod salą.

– Twój syn się rodzi! – Weronika postanowiła zakomunikować siostrzeńcowi wiadomość, która powinna być najważniejsza dla Karola. Milczała przez chwilę, słuchając odpowiedzi, po czym bez słowa nacisnęła klawisz z czerwoną słuchawką.

– Nie jest zainteresowany – wyjaśniła w odpowiedzi na nieme pytanie w oczach Teodory.

– Ciociu! – Teo przytuliła ją serdecznie. – Daj spokój, nie martw się. Przecież od początku było jasne, że nie jest. Aż dziw, że się nie wyparł tego dziecka.

– Myślę, że po prostu jest mu wszystko jedno. Jego – nie jego – nic go to nie obchodzi. I tak przecież rodziny nie zakłada. Ale szkoda, wielka szkoda... miałam trochę nadziei... Widzisz, dziecko, ja go kochałam. Co tam, ja go w dalszym ciągu kocham, mimo wszystko. I dlatego jednak będę się martwić.

Raptem do holu, w którym siedziały, weszła pielęgniarka, którą uprosiły, popierając swoje prośby szeleszczącymi argumentami, żeby powiedziała im, co i jak, gdy tylko maleństwo pojawi się na świecie.

– Chłopczyk, trzy tysiące siedemset pięćdziesiąt gramów, spory. Zdrowy i ładny. Mama w niezłej formie, dochodzi do siebie. Mogą panie już iść do domu. Zapraszamy jutro.

– Ale czy ona niczego nie potrzebuje? – usiłowała się dowiedzieć Weronika. – Może coś do jedzenia?

– A o to już jutro pani dopyta, w razie czego przecież u nas na dole można wszystko kupić.

Weronika, teraz już ciociobabcia, wróciła więc do domu, odwieziona przez Teosię pod samą furtkę. Weszła do pokoju przeznaczonego dla Joli i jej synka, po raz setny chyba wyciągnęła odkurzacz i zaczęła swój z nim taniec, wszak niczym innym to nie było, bo pokój absolutnie nie wymagał sprzątania. Weronika objechała jednak wszystkie kąty odkurzaczem i, schowawszy go, wyciągnęła irchową ściereczkę. Potrzebowała jej do pucowania kołyski. Był to piękny, stary sprzęt, pieczołowicie przechowywany na strychu. Najpierw kołyskę miał dostać Karol, dla swojego pierworodnego dziecka. Gdy się ożenił, Weronika pieczołowicie wyszykowała łóżeczko na biegunach, woskując i polerując własnoręcznie każdy wiklinowy pręcik. Czekała na tego ciotecznego wnuczka i czekała, cóż, nie doczekała się jednak. Teraz wreszcie kołyska miała mieć mieszkańca i – o ironio – będzie nim jednak syn Karola. Z tym, że kołyska nie opuści domu na Sielanki. Weronika raz się z tego cieszyła, innym razem natomiast marzyła o tym, żeby i kołyska, i jej mały właściciel, i jego mama mieszkali wszyscy razem przy placu Zbawiciela, z Karolem oczywiście.

*

Adaś całkowicie odmienił życie mieszkanek domu na Sielanki. Weronika wzięła dwa miesiące urlopu (i tak jeszcze sporo jej zostało) i stała się ciocio-babcio-opiekunką. Teodora, pełnoprawna ciocia, też wpadała tam prawie codziennie.

– Dajcie mi trochę pozajmować się własnym dzieckiem – śmiała się Lusia. – W ogóle mnie do niego nie dopuszczacie.

Trochę miała racji…

Aleksandra jeszcze małego nie widziała. Wyżebrała jednak parę dni urlopu i miała przyjechać do Bydgoszczy na święta.

– Teo – zadzwoniła do przyjaciółki – mogę przywieźć Grześka? Wiesz przecież, że on nie ma żadnej rodziny. Nie wynajęłaś jeszcze tego mieszkania po babci, prawda?

Babcia Dora zmarła trzy miesiące temu, zostawiając testament, co wielce zdziwiło całą rodzinę Rybczyńskich. Okazało się, że starsza pani dobrze wiedziała, jak taki dokument sporządzić, a dla całkowitej pewności spisała swoją ostatnią wolę u notariusza. Właściwie

– u pani notariusz, która szczęśliwie była jej najbliższą sąsiadką. To ona właśnie wręczyła ów testament Teodorze, niezbyt zręcznie, bo na pogrzebie.

– Znam panią już wiele lat, ale nie znam pani nowego adresu – przepraszała pani notariusz. – A zobowiązałam się, że dopilnuję wypełnienia postanowień tego testamentu. Proszę, tu jest moja wizytówka, kiedy tylko pani zechce, jestem do dyspozycji.

Teodora wzięła papiery, ale zajrzała do nich dopiero kilka dni po tym, jak rodzina rozjechała się do swoich kątów. Gdy skontaktowała się z panią notariusz, okazało się, że ma trochę spraw do pozałatwiania, żeby ten testament nabrał mocy prawnej. Babcia Dora uczyniła Teosię jedyną spadkobierczynią całego swojego majątku, którym było mieszkanko na Gdańskiej. Mieszkanko, wykupione przez Teo rok po ślubie, za radą męża. Wykupiła na nazwisko babci oczywiście, lecz za pieniądze Wiktora, bo wprawdzie nie była to duża suma, jednak ani babcia, ani wnuczka żadnych oszczędności wtedy nie miały. Wiktor zaś miał, jeszcze po rodzicach.

Cała rodzina absolutnie zgadzała się, że mieszkanie należy się Teosi. Wszyscy podpisali więc stosowne oświadczenia i mieszkanie babci należało teraz do wnuczki.

– Co masz zamiar z nim zrobić? – spytała kiedyś mama. – Bo wiesz, od przyszłego roku córka Sołeckich chce studiować w Bydgoszczy, to może byś jej wynajęła?

Stanęło na tym, że na razie Teo pozałatwia wszystkie formalności, a potem odnowi mieszkanie i zdecyduje, co dalej. Nie bardzo miała ochotę wynajmować je Sołeckim, czyli najbliższym sąsiadom rodziców, bo Kasia, ich córka, była dość rozrywkową dziewczyną i Teosia bała się konfliktów z sąsiadami. Musiała więc wymyślić jakiś pretekst, żeby odmówić. Na szczęście miała na to prawie rok, od śmierci babci, teraz już mniej.

– Nie, mieszkania nie wynajęłam i chętnie je udostępnię Grzegorzowi. Właśnie skończyłam remont generalny, ale nie wymieniłam jeszcze mebli. Grześ będzie więc musiał spać na staromodnym łóżku, po babci. Oczywiście pościel mam nową. – Zaśmiała się. – Cieszę się, że was zobaczę! – Cmoknęła w słuchawkę.

– Nas czy Grześka? – nie odmówiła sobie Leksi, powtarzając sobie w myślach jakieś zaklęcia na szczęście. Wymarzyła sobie bowiem, że skojarzy tych dwoje, no, w każdym razie bardzo się postara.

– A wiesz? – usłyszała. – Grześka też!

Rozdział 27

Do świąt zostały już tylko trzy dni i wszystko na Sielanki błyszczało i pachniało. W zasadzie Teodora przeprowadziła się tam na te kilka dni, przecież u Weroniki było sporo miejsca. Wyrywały sobie z rąk odkurzacz, ściereczki, szmatki i różne butelki z płynami do czyszczenia. W końcu ustaliły, że Teodora sprząta, a Weronika gotuje. Zakupy zrobiła Teo, bo miała samochód. Jadłospis – i to, co trzeba było kupić – ustaliły kolektywnie, Teosia wszystko skrupulatnie spisała, żeby o czymś nie zapomnieć.

– Dziewczynki! – Weronika wpadła na pewien pomysł i przedstawiła go podczas obiadu. – Co powiedziałybyście na to, żebym na tych kilka świątecznych dni zaprosiła do nas Nutkę?

– Ach, to świetny pomysł! – ucieszyła się Teo, która bardzo lubiła Danusię. Dziewczynka przypadła jej do serca szczególnie za jej stosunek do zwierząt, a zresztą to biedne, osierocone dziecko chwytało ją za serce z każdego powodu. Nawet dlatego, że miało brązowe oczy, jak... Wiktor.

To Boże Narodzenie miało być pierwszymi świętami, których Teodora nie będzie spędzać w Solcu. Jej rodzice wybierali się na Wigilię do Poznania, do siostry mamy; Teo oczywiście też była zaproszona, ale do Poznania jeszcze na razie jeździć nie mogła. Wszystko jej tam przypominało męża, o dziwo, bardziej niż tu, w Bydgoszczy, mieście, w którym się pobrali, mieszkali i w którym Wiktor zmarł. Mimo że od jego śmierci upłynęły dokładnie cztery lata, dziewięć miesięcy i szesnaście dni – Teo odliczała każdy dzień, choć nie chodziła już codziennie na cmentarz – poczucie straty wciąż było tak samo dotkliwe. Dawała sobie radę, dzisiaj lepiej niż wczoraj, przedwczoraj czy też przed miesiącem, ale każde święta, imieniny, urodziny, inne rocznice i wszystkie tak zwane okazje były dla niej bardzo smutnymi dniami. Kiedy była zajęta – pracą, schroniskiem, Luśką, a nawet sprzątaniem – udawało jej się nie myśleć o Wiktorze w każdej sekundzie, ale wczesnym rankiem lub wieczorem, gdy nic jej mocno nie absorbowało, tęsknota, ból i żal dopadały ją prawie każdego dnia. Teraz więc była zadowolona z tego, że ma dużo zajęć, i cieszyła się na wspólny czas z przyjaciółkami. Z wszystkimi przyjaciółkami, bo do Leksi bardzo tęskniła i chociaż przecież była u niej miesiąc temu w Gdyni, ciągle jej brakowało tej uparciuchy. Miała też nadzieję, że między Olą a Jolką teraz już wszystko będzie dobrze, jak dawniej. I to oczywiste, że mały Adaś rozbroi wszystkie serca. Był słodkim, grzecznym, ślicznym chłopaczkiem. Ten głupi Karol nie wie, co stracił. A właściwie – czego sam się wyrzekł, cymbał jeden.

Tymczasem Weronika zastanawiała się nad rozszerzeniem listy swoich świątecznych gości. Zastanawiała się, całkiem poważnie, czy jednak nie zaprosić siostrzeńca. Tak, wiedziała, że jest głupi, podły i cyniczny, ale... kochała go i bardzo za nim tęskniła. Dawniej widywali się przynajmniej raz w tygodniu, a teraz nie widziała go od...? Od długiego czasu. Z całą pewnością nie widziała go zbyt długo. Dzwonił jednak do niej od czasu do czasu, żeby się upewnić – jak mówił – czy czegoś jej nie brakuje (owszem, brakowało jej jego wizyt) i spytać o zdrowie (czy tęsknota to choroba? – jeśli tak, to Weronika była chora, owszem). Usiłował ją namówić choćby na obiad w Pod Orłem albo na kawę z tiramisu (wiedział, co lubi) na Wyspie Młyńskiej, była jednak nieprzejednana. Za każdym razem odmawiała, choć z bólem serca. Teraz jednak idą święta i jest przecież Adaś, no więc chyba są powody, by zakończyć tę separację. Choć niestety, to właśnie Adaś, ogólnie mówiąc, stał się największym powodem odsunięcia jej siostrzeńca. No i nie zaprosi go przecież bez uzgodnienia z dziewczętami, a głównie – z Jolą. Weronika biła się z myślami i była coraz bardziej zmartwiona.

– Ciociu – Teo siedziała przy stole, przed nią stał kubas z kawą, z piekarnika dochodził upojny zapach ciasta – kawa ci stygnie. Siadaj, proszę, obok mnie i mów. Przecież widzę, że coś cię gryzie. Nawet mogę zgadnąć, jeśli chcesz.

Weronika spojrzała na swoją ulubioną „siostrzenicę", nabrała powietrza w płuca i... nic nie powiedziała. Kochała Teodorę prawie tak jak Karola. Szkoda, pomyślała, że ten mój głupek od razu się w niej nie zakochał.

Choć chyba i tak nic by z tego nie wyszło, bo Teosia jeszcze ciągle rozpaczała po Wiktorze.

Nie wiedziała, że się myli – i nie. Myliła się, bo przecież Karol najpierw zakochał się w Teodorze, ale nie miała pojęcia, że wszystkie jego kolejne kroki czynione były jej na złość. Nie myliła się natomiast, wiadomo, w opinii co do Teosinej żałoby, która trwała i trwała, i trwała... Weronika miała tylko nadzieję, że któregoś dnia ta dziewczyna się otrząśnie i jeszcze zazna szczęścia w życiu. Ostatnio dużą nadzieję pokładała w owym Grzesiu od Aleksandry, jak go między sobą nazywały. Bardzo się ucieszyła na wiadomość, że pan Grzegorz przyjeżdża na święta. Wiedziała, że dla Leksi jest on tylko przyjacielem, choć nie mogła pojąć dlaczego. Obydwoje byli tacy przystojni i od pierwszego wejrzenia powinni zakochać się w sobie.

– Dziwna jest ta chemia, prawda? – Weronika wyartykułowała to zagadkowe pytanie, siadając w końcu przy stole. Ciasto już się upiekło i teraz studziło się na szafce obok kuchenki.

– Ciociu, jaka chemia?

Teo nie mogła oderwać oczu od stygnącego makowca. Popatrzyła na ulokowane pod stołem psy, zdziwiona, że w ogóle nie zwracają na nic uwagi. Po chwili uprzytomniła sobie jednak, że dla psów taki makowiec pachnie o wiele mniej atrakcyjnie niż na przykład schab, który dopiero czekał na swoją kolej w piekarniku, a na razie leżał w marynacie w lodówce.

– O czym ty mówisz? – Oderwała wzrok od ciasta i popatrzyła pytająco na Weronikę, która śmiała się z jej zdziwienia.

– O Leksi i Grzegorzu. Uważam, że powinni być parą, a oni tylko się przyjaźnią. I nie mogę tego pojąć, choć właściwie tak przewrotnie trochę się z tego cieszę.

Teodora spojrzała z ukosa na tę ich przybraną ciocię – i zmieniła temat.

– Ciociu, nie wytrzymam, ten makowiec tak pachnie, że po prostu muszę kawałek zjeść. Mogę?

Zjadły więc po kawałku makowca, choć był jeszcze ciepły, więc podobno niezdrowy, ale co tam, smakował rewelacyjnie, i tyle.

– Martwię się, masz rację – wyznała jej Weronika. – I pewnie wiesz dlaczego. Ale sama ci powiem...

– Karol, tak? – przerwała jej Teodora. – Święta, wiadomo, rodzina powinna być razem, masz dylemat, rozumiem. Wiesz, jeśli o mnie chodzi, to on mógłby tu sobie przyjść, ale w tej sprawie chyba Luśka ma najwięcej do powiedzenia. No, nie – zmitygowała się po chwili. – Ty, ciociu, masz najwięcej do powiedzenia. To twój dom.

– Dziecko kochane... – Weronika wstała i odwróciła się tyłem do Teo, niby robiąc coś przy szafce, a tak naprawdę po to, by ukryć łzy. – Mój dom, ale teraz jesteście dla mnie jak rodzina. Nie zrobię niczego wbrew Lusi, choćby mi serce miało pęknąć.

– O co chodzi, ciociu kochana? – spytała Jola, która właśnie weszła do kuchni, z Adasiem w objęciach. – Obudził się, najadł i chce do babci. – Odwróciła go w stronę Weroniki. Mały patrzył na przybraną babcię i, przysięgłaby, uśmiechał się.

– Wygląda, jakby się śmiał – rozczuliła się Weronika i popatrzyła znacząco na Teodorę.

Tak, Teo doskonale rozumiała, że Lusia i jej synek byli teraz najbliższą rodziną przybranej cioci. Rodzice Luśki zaakceptowali to, że ich córka urodziła nieślubne dziecko, nie mogli jednak zrozumieć, dlaczego woli mieszkać u obcej w sumie osoby niż w rodzinnym domu. Najpierw się obrazili, ale chęć zobaczenia nowego wnuka zwyciężyła i zaprosili Lusię z synkiem oraz panią Weronikę na obiad w pierwszym dniu świąt. Wigilię sobie darowali, bo Jola zapowiedziała, że spędza ten wieczór na Sielanki, i już. A oni zaplanowali Wigilię na Gdańskiej, z synem, synową, pierwszym wnukiem i rodziną synowej. Luśka była szczęśliwa, że to ją ominie. Na ten świąteczny obiad się zgodziła, po gorącej dyskusji z Weroniką, która ją przekonała.

– Rodzina, dziecko, to rodzina. – Pani Nowaczyńska wygłosiła tę sentencję i obiecała, że pójdzie z Jolą i Adasiem do dziadków.

Sielankowa Wigilia powoli nabierała kształtów, choć był też problem z rodziną Aleksandry. Rodzice Oli nie wyobrażali sobie świąt bez swojej pierworodnej. Siostry zresztą też. Leksi była więc w rozterce, bo tak naprawdę i ona sama również nie wyobrażała sobie świąt spędzonych gdzie indziej niż na Kościuszki. Do rodziców bardzo tęskniła, zresztą brakowało jej nawet tych dwóch smarkatych, Magdy i Dorotki. Oraz kota Miodka. W rezultacie – krakowskim targiem – uzgodniono, że Ola wczesną Wigilię spędzi z rodziną, a potem przybiegnie na Sielanki, gdzie przenocuje i po świątecznym śniadaniu znowu wróci do państwa Marianowiczów.

– Ciociu? – Jola nie dawała za wygraną. – Słyszałam swoje imię. Czy któraś z was powie mi w końcu, o co chodzi? – Popatrzyła teraz na Teodorę, która, zakłopotana, odwróciła głowę. Lusia w życiu nie widziała zakłopotanej Teośki, więc zdziwiła się nieco, lecz zaraz na jej twarzy zaczęło się malować zrozumienie.

– Taaak... chyba wiem, o co chodzi. – Popatrzyła teraz na Weronikę, zaczerwienioną i zmieszaną. – O Karola, prawda?

– Wy obydwie jesteście za mądre – odrzekła z nieco sztucznym uśmiechem zapytana. – Cóż, Lusieńko, owszem, o Karola. Święta to święta, prawda? Rzecz rodzinna, jak mówią. Ale tłumaczyłam właśnie Teosi, że dla mnie teraz na pierwszym miejscu jesteście ty i Adaś. Znaczycie dla mnie więcej niż rodzina, więc Karol na pewno zrozumie, jeśli go nie zaproszę na Wigilię. Zresztą on chyba nawet się tego nie spodziewa. Nie ma o czym mówić. – Weronika pociągnęła nosem i zaczęła coś tam mruczeć do maluszka.

– Jeśli o mnie chodzi – odezwała się cicho Jolanta – nie mam nic przeciwko obecności Karola. W końcu i tak kiedyś wpadlibyśmy na siebie. Owszem, mam do niego żal, ale teraz już tylko o to, że się odwrócił od swojego syna. Nie wymagam od niego żadnego zaangażowania, te alimenty, które, ciociu, z nim ustaliłaś, przyjmę, dla Adasia. Nie mogę jednak zrozumieć, jak można nie chcieć nawet spojrzeć na swoje dziecko. Więc jeśli chciałby spojrzeć teraz, z okazji świąt, przyjmę to za dobrą monetę.

Weronika zaczęła pochlipywać.

– W ogóle to mam nadzieję na ogólne pojednanie. – Lusia jeszcze nie skończyła. – Brakuje mi Leksi, nawet nie zdawałam sobie sprawy, jak bardzo. Cieszę się więc,

że znowu się zobaczymy. Mam nadzieję, że Olka znajdzie sobie kogoś tam, w Trójmieście, szczerze jej tego
życzę. Myślałam nawet, że to będzie ten Grzegorz, ale
podobno to tylko przyjaciel. Czemu się śmiejecie? – Popatrzyła na Weronikę i Teodorę, które szczerzyły zęby,
obydwie, jak na zawołanie.

– Nie śmiejemy się, tylko się uśmiechamy – wyjaśniła
ciocia. – A dlatego, że przed chwilą właśnie mówiły-
śmy to samo o tej naszej gdyńskiej parze. Doszłyśmy
do wniosku, że po prostu nie ma między nimi chemii,
i już. Ja, wiecie, w szkole nie lubiłam chemii – wyznała Weronika, czym wzbudziła wesołość u obu swoich
„dziewczynek". – Czyli co? – upewniła się. – Mogę zaprosić Karola? Naprawdę?

– Naprawdę, kochana ciociu. – Lusia kiwnęła głową.
– Trzeba jeszcze tylko uprzedzić Leksi, żeby nie natknęła
się na niego nieprzygotowana.

– No i żeby kupiła mu prezent – zaśmiała się Teodora.
Na tym stanęło.

Rozdział 28

Wigilia tego roku wypadała w piątek, dość pecho-
wo, bo cóż, święta w sobotę i niedzielę to strata dwóch
wolnych dni. Najbardziej przeszkadzało to Aleksandrze,
która musiała walczyć aż o pięć dni urlopu. Na dodatek
wolny dzień Nowego Roku dwa tysiące jedenastego też
został „ukradziony", bo przypadał w sobotę. Na szczęście Leksi jakoś się udało, szef zgodził się na te pięć wolnych dni, był to urlop bezpłatny oczywiście, bo innego
na razie Ola nie miała. Nie przejęła się jednak utratą
części zarobku, dopłaciłaby jeszcze, tak była szczęśliwa,
że zobaczy rodzinę i przyjaciół. Grzegorz też wyprosił
u Marcina ten wolny tydzień, z góry zgadzając się pełnić
wszelkie dyżury w wolne dni pierwszego półrocza roku
następnego. Półrocza; uznał bowiem, że dyżury przez
rok to za wiele. To drugie półrocze mieli jakoś podzielić między siebie; obaj nie wiedzieli jeszcze, że los i tak
zadecyduje za nich. Inaczej.

Na razie jednak Grzegorz wypucował auto i w czwar-
tek późnym popołudniem wyruszyli, wraz z Leksi,
w stronę Bydgoszczy. W okolicach Świecia zatrzymali

się w kawiarence przy stacji benzynowej, bo chciał coś zjeść.

– Nie chcę zaczynać wizyty od katowania wszystkich odgłosami burczenia w brzuchu, a zapewniam cię, że byłoby tak, gdybym dojechał na miejsce bez podwieczorku.

Aleksandra nic nie powiedziała, nie wzruszyła nawet ramionami, na co miała wielką ochotę. Nie zrobiła tego, ponieważ... poczuła, że to właśnie jej z głodu burczy w brzuchu. Obiadu właściwie nie zjadła, połknęła tylko jajecznicę w zakładowym bufecie. Okazało się, że to za mało, była jednak przekonana, że wystarczyłoby, gdyby nie ta gadanina Grześka o podwieczorku i tak dalej. Zjedli więc flaki, z wielką bułą, i poczuli się naprawdę nasyceni. Leksi miała tylko nadzieję, że ich żołądki to wytrzymają. Na dodatek wypili po kawie, do której, za namową sprzedawczyni, wzięli jeszcze smaczne napoleonki.

– Dobra, zjadłem, to teraz idę trochę pospać – obwieścił Grzegorz, tak poważnie, że Ola prawie mu uwierzyła.

– Okej, facet to facet, właź do tyłu i śpij, a ja dojadę do Bydgoszczy. Nie martw się o swój samochód, dam radę. – Wyciągnęła rękę po kluczyki i spostrzegła, że przyjaciel śmieje się w kułak.

– Nawet gdybym był naprawdę śpiący, wizja ciebie za kierownicą mojego auta obudziłaby mnie natychmiast. Żadna kobieta na całym świecie nie poprowadzi tego samochodu. Tego ani żadnego, który będzie mój w przyszłości. Howgh!

– Mówiłam, że facet to facet. Nie wystajesz poza gatunek, niestety. – Leksi opuściła rękę i podeszła do auta od strony pasażera. Uprzednio jednak włożyła pudełko kupionych przed chwilą napoleonek do bagażnika, wypakowanego już po brzegi; wieźli przecież całe mnóstwo prezentów. Te ciastka były naprawdę przepyszne. Uśmiechnęła się; Grzegorz może i „nie wystawał", ale nadzwyczaj go lubiła. Poza tym miała co do niego pewne plany. A właściwie jeden plan. Ścisnęła kciuki i wsiadła do auta.

*

– Chyba nie będziemy dłużej czekać, siadajmy do stołu – zarządziła Weronika, z trudem powstrzymując łzy. Karol nie pojawił się do tej pory, choć powiedział, że przyjdzie.

A było tak, że dwa dni przed Wigilią pojawiła się bez uprzedzenia na placu Wolności. Siostrzeniec Karol tak się zdziwił na jej widok, że po prostu zaniemówił. Stał w drzwiach jak zamurowany, aż musiała go ofuknąć.

– Wpuścisz mnie czy mam sobie pójść?

Wpuścił ją, oczywiście, choć za godzinę był umówiony z Teodorą – to drugie wydarzenie, które wprawiło go w osłupienie. A właściwie pierwsze, bo Teo zadzwoniła rano, a ciocia pojawiła się po południu.

– No więc uznałam, że nie możesz mi odmówić, bo to przecież Wigilia. A syna i tak kiedyś musiałbyś poznać, jeśli chcesz w dalszym ciągu być członkiem mojej rodziny – postraszyła go, kończąc opowieść o celu dzisiejszej wizyty.

– Ciociu, jesteś pewna? Te twoje dziewczyny zgodziły się, żebym przyszedł? – upewniał się ten wstrętny kłamczuch.

– Tak naprawdę to są twoje dziewczyny, a przynajmniej były, prawda? Ale dobrze, mniejsza o to. Zgodziły się, aczkolwiek bez entuzjazmu. Zrozumiały jednak, że dla mnie to bardzo ważne, mam więc nadzieję, że i ty zrozumiesz.

– Ciociu...

Karol szybko uniósł się z krzesła i ucałował Weronikę najpierw w policzek, a potem w rękę, pochylając się przy tym prawie do ziemi. Nie był bowiem z tych, którzy całując kobietę w rękę, prawie wyrywają jej ramię ze stawu, ciągnąc dłoń w górę, ku swoim ustom. Zresztą dobrych manier nauczyła go ciocia. Cóż, pewnie nie wszystkich... niektóre jednak udało jej się mu wpoić – tak właśnie pomyślała sobie Weronika po tym pocałunku w rękę. Miałeś być takim dobrym chłopcem, dodała jeszcze.

– Przyjdę z wielką przyjemnością. I z przyjemnością poznam swojego syna.

– Adasia, wigilijnego solenizanta – przypomniała mu ciociobabcia. – Aha, i jeszcze chciałam ci powiedzieć, że dwa dni temu umarł twój wujek, Bolesław.

– Jaki wujek, ciociu?

– No tak, możesz go nie pamiętać. Nasz brat, to znaczy mój i twojej mamy. Bolesław. Po wojnie został w Tunezji, tam się ożenił, miał dwoje dzieci. W Polsce był ostatnio chyba jeszcze przed stanem wojennym. Dzieci nawet nie mówią po polsku, żona była Francuzką, też już nie żyje.

– No tak, ciociu, przypuszczam, że ci przykro z powodu śmierci brata, ale czemu mi o tym mówisz? Zostawił nam jakiś spadek? – Karol usiłował zażartować, ale z oburzonej miny cioci wywnioskował, że żart raczej mu się nie udał.

– Myślałam, że dalej prowadzisz tę kronikę rodzinną – burknęła Weronika, myśląc po raz kolejny, że chyba jednak nie udało jej się aż tak dobrze wychować siostrzeńca. Tak dobrze, jak by chciała, bo przecież taki zupełnie beznadziejny to on nie jest, uznało zaraz jej kochające ciociomatczyne serce. – Nawet przyniosłam ci zdjęcie Adasia, żebyś je do tej swojej księgi wkleił. – Pogrzebała w torebce i wyciągnęła fotografię malca. Syna, którego do tej pory Karol nie widział. – Zdjęcia Bolka nie mam, to znaczy aktualnego zdjęcia, mam jakieś bardzo stare. Ale może być i stare, prawda? Dam ci, jak przyjdziesz.

– Kronikę? – Karol uprzytomnił sobie, że istotnie, sporządził kiedyś coś takiego zaraz po śmierci rodziców. Wkleił tam ich zdjęcia i nekrologi. Pokazał cioci i poprosił o wszelkie informacje o rodzinie, oświadczając że zamierza prowadzić księgę rodu. Kompletnie o tym zapomniał, a ciocia, okazuje się, nie. – A tak, rzeczywiście, dziękuję.

Weronika nie wiedziała, czy podziękowanie dotyczy zdjęcia synka, czy informacji o śmierci wuja, czy też przypomnienia o rodzinnej księdze. Nie chciało jej się jednak tego wyjaśniać.

– Czekam więc na ciebie w Wigilię – pożegnała się.

Przypominała sobie teraz tę rozmowę, zerkając na zegarek. Nie pamiętała, czy określiła godzinę, o której Karol miał się stawić na Sielanki. Pamiętała jednak, że mówiła mu, iż zaczną później niż zwykle, z uwagi na sytuację Aleksandry. Teraz pocieszała się więc w duchu, że siostrzeniec woli przyjść ostatni i dlatego jeszcze go nie ma.

– Ciociu, poczekajmy jeszcze pół godziny. Widzimy przecież, że przykro ci z powodu Karola. Jestem pewna, że on przyjdzie, myślę jednak, że zbiera się w sobie. Jego obecność dzisiaj tu, przy twoim stole, jest trudna dla nas wszystkich. Dla niego chyba najtrudniejsza, bo pewnie wie, że my – Te Trzy – stworzymy jednolity front, może nie przeciw niemu, ale wspólny, babski.

Teo wiedziała, co mówi, bo upewniła się co do tego dwa dni przed Wigilią, podobnie jak Weronika, choć żadna z nich nie wiedziała o poczynaniach tej drugiej. Teodora sądziła, że ciocia zaprosi siostrzeńca telefonicznie, a Weronice do głowy by nie przyszło, że Teosia mogłaby chcieć interweniować. Nie wiedziała przecież, że dla Karola Teodora jest od samego początku kimś wyjątkowym.

A Teo nakazała telefonicznie Karolowi, by stawił się w Karczmie Młyńskiej przy Mennicy. Ostatnio polubiła to miejsce, głównie z uwagi na lokalizację. Przyjemniej było tam oczywiście o innej porze roku, ale i w zimie podobał jej się widok z okna. Lubiła też wystrój karczmy, drewniane stoły i ławy, zdumiewająco wygodne, ściany z cegieł, piękny bielony piec i mnóstwo przeróżnych staroci porozstawianych wokoło i porozwieszanych na ścianach. Samowar, młynki, tłuczki, kufle, ach, czego tam nie było! Nawet stary odbiornik radiowy, taki z magicznym zielonym okiem i płóciennym frontem. Taki sam miała babcia Dora i stał do tej pory w mieszkaniu na Osiedlu Leśnym. Teo zasmuciła się, jak zawsze, gdy pomyślała o babci. Jedzenie w Karczmie też jej odpowiadało, aczkolwiek Pod Orłem smakowało lepiej. Jednak Pod Orłem umawiać się nie chciała, wspomnienia ze spotkań z Karolem w tym miejscu były zdecydowanie niemiłe.

– Od razu przejdę do sedna – powiedziała natychmiast po złożeniu zamówienia (łosoś w sosie szpinakowym). – Pewnie zdziwił cię mój telefon...

– Owszem, bardzo mnie zdziwił – przerwał jej Karol. – Ale już wiem, o co chodzi. O Wigilię u cioci Weroniki. Była u mnie dzisiaj, wyszła dosłownie przed kwadransem. Ledwo zdążyłem. – Nie przyznał się, że przyjechał spóźniony, ale Teo na szczęście jeszcze bardziej, zdążył więc przed nią.

– W takim razie powiem tylko, że choć święta w twoim towarzystwie są dla mnie znacznie mniej miłe niż święta bez ciebie, nie wyobrażam sobie, że mógłbyś nie przyjść. I dlatego właśnie się z tobą spotkałam. Żeby wbić ci do głowy, że nie wolno ci nie przyjść. Rozumiesz? Chcesz czy nie, przyjdziesz i będziesz miły. I wszyscy będziemy udawać, że jest dobrze, w porządku i bezproblemowo. Dla cioci Weroniki to zrobimy. Wszyscy. I my trzy, i ty, okej?

Zjedli kolację i Karol obiecał, że przyjdzie.

– A wiesz? – powiedział z dziwnym błyskiem w oku. – Nawet jestem ciekaw tego mojego syna. Podobny do mnie?

238

Spojrzała na niego ze złością. – Mogłeś się o tym przekonać już dwunastego grudnia. Powinieneś być tam, w szpitalu, czekać na swoje dziecko.

*

Prawie wszyscy siedzieli już przy stole, jeszcze tylko Lusia zaglądała do kołyski, gdy zabrzmiał dzwonek, a psy zaczęły się tłoczyć przy drzwiach. Szczeknął tylko Gucio, który jeszcze nie znał ostatniego gościa. Pozostałe psy już przez drzwi, ścieżkę i furtkę wywęszyły Karola. Weronika wcisnęła automat otwierający furtkę, drzwi wejściowe nie były zamknięte na zamek, bo któryś z psów ciągle wchodził lub wychodził. W progu stanął Karol, z mnóstwem paczek w rękach.

– Wujku! – pisnęła Danusia, która najbardziej nie mogła się doczekać rozpoczęcia wieczerzy wigilijnej, bo ciekawa była prezentów. – Czy to prezenty?

– A byłaś grzeczna, moje dziecko? – zahuczał basem Karol, rozśmieszając dziewczynkę.

– Już grzeczniejsza nie mogłaby być – odpowiedziała za nią Weronika, odbierając od siostrzeńca część paczek, resztę porwała Nutka, pod choinką podobnych pakunków było naprawdę mnóstwo. Podekscytowanie Danusi sięgało zenitu. Nie mogła ustać w miejscu, poruszała się jak na sprężynach. Biegała do kuchni, przynosząc a to serwetki, które zresztą już leżały przy każdym nakryciu, a to solniczkę i pieprzniczkę, a to…

– Nutka, siadaj wreszcie – powiedziała z uśmiechem Teodora. – Tu, obok mnie.

– Przecież wiem, widzę karteczkę.

Rzeczywiście, przy każdym nakryciu leżała karteczka z imieniem gościa, bo Weronika nie chciała niczego zostawiać przypadkowi. Karol otrzymał miejsce obok Lusi, Grzegorz miał usiąść przy Teo, a z drugiej strony Teodory leżała wizytówka z imieniem Danusi. Właściwie było tam napisane: „Nutka, nasz gość honorowy". Dziewczynka porwała karteluszek, pocałowała go, po czym, oglądając się, czy nikt nie patrzy, schowała papier do torebki, wygładziwszy go pieczołowicie. Weronika spoglądała na to z zadowoleniem, bo taką właśnie reakcję chciała wywołać. Wiedziała, że to dziecko nie otrzymało zbyt wiele serdeczności w życiu, chciała jej więc dać odczuć, że jest tu lubiana i wszyscy się cieszą z jej obecności. Teraz nie mogła się doczekać radości Nutki po otwarciu prezentów.

Ale najpierw popatrzy sobie na inną reakcję.

Karol obchodził stół dookoła, witając się z wszystkimi. Zaczął tak, żeby Jolanta znalazła się na końcu – lecz wreszcie dotarł i do niej. Wstała od stołu i podeszła do kołyski.

– Chodź, przedstawię cię komuś – powiedziała na pozór lekkim tonem.

Teo jednak natychmiast wychwyciła drżenie jej głosu i poderwała się na nogi, chcąc do nich podejść, gotowa do pomocy. Została jednak na swoim miejscu, czując na ramieniu rękę Leksi. Stały tak obok siebie jak dwa buldogi, gotowe rzucić się do przodu na najmniejszy sygnał przyjaciółki.

Obyło się jednak bez żadnej interwencji. Karol przysunął się, chcąc pocałować Lusię w policzek, ta jednak uchyliła się, podając mu rękę. Uścisnął więc jej dłoń i podszedł do kołyski. Leżące w niej dziecko machało rączkami i nóżkami, nie zwracając uwagi na otoczenie. Pochylił się i niepewnie wyciągnął rękę, chcąc... dotknąć syna? Poprawić mu kocyk? Wykonać jakikolwiek gest, w odpowiedzi na pełne oczekiwania spojrzenia wszystkich zgromadzonych w pokoju? Zatrzymał jednak rękę nad maleństwem, gdyż tak naprawdę to nie wiedział, co powinien zrobić. Chciał dotknąć synka i bał się, bo chłopczyk był taki maleńki, że wydawało się, iż każde dotknięcie zrobi mu krzywdę. Wtem na palcu Karola zacisnęła się mała piąstka, z siłą, która go zdumiała. Czuł wyraźnie każdy paluszek na tym swoim paluchu i było to tak, jakby każdy z tych paluszków gładził go po sercu. Spojrzał w dół i napotkał skupione spojrzenie granatowych oczu, okolonych długimi rzęsami. Malec patrzył z takim natężeniem, że aż zmarszczył czółko. Po chwili puścił palec Karola i cmoknął, wypuszczając bąbelki śliny. Czujna matka wytarła mu buzię delikatną chusteczką i powiedziała: „To właśnie Adaś" – jakby takie wyjaśnienie było w ogóle potrzebne. Karol poczuł coś dziwnego, miał nieodpartą ochotę chwycić to dziecko, podnieść do góry i z całej siły przytulić. Zamrugał oczami, bo raptem stracił ostrość widzenia. Mój syn, pomyślał, łącząc pierwszy raz w życiu z pełnym zrozumieniem te dwa wyrazy. Nie stały się jednak słowami, bo nie wypowiedział ich głośno, choć przez chwilę miał ochotę obwieścić całemu światu: „To mój syn, mam syna!". Opanował się jednak i tylko leciutko musnął chłopczyka po główce, a potem odsunął się od kołyski.

– Siadajcie, siadajcie, kochani. – Wzruszona Weronika zaganiała swoje stadko do stołu, pod którym kłębiła

się już jej futrzasta czereda: Mały, Bisiek, Afcio, Mufka i Gucio. Kizia i Mizia siedziały, jak zwykle, na obu
końcach sofy stojącej przed kominkiem. Widocznie zapachy z kuchni i ze stołu były dla nich mało atrakcyj-
ne. Zresztą jej kotki nigdy nie żebrały o jedzenie. One
raczyły jeść, a czyniły to, kiedy chciały, czym nieustan-
nie cieszyły swoją panią, gdy zaglądała do ich misek.
Dopóki miski były pełne, dopóty Weronika martwiła
się, że jej pupilkom coś dolega. Psiaki Weroniki mogły
jeść zawsze, a najchętniej jadłyby z panią lub z każdym,
kto właśnie siedział przy stole. Bułka z szynką? Oczywiście. Chleb z dżemem? Czemu nie? Wszystko. Dobrze
wiedziały, że nie wolno prosić o smakołyki przy stole,
a domownicy rozumieli, że nie wolno dzielić się z psami
własnym jedzeniem, ale... no właśnie. Dziś Weronika
ogłosiła, że zwierzęta też mają prawo do świętowania,
i machnęła ręką na te wszystkie czworołapy plączące się
pod nogami. I tak na stole mało było psich przysmaków,
Wigilia przecież, więc mięsa i wędlin nie było.

Ale zanim zaczęli ucztować, Weronika nagle zniknęła, a po chwili pojawiła się w drzwiach salonu z jakąś
książką w ręku.

– Kochani, no, muszę po prostu. Wiem, że czekamy
na tę wieczerzę już dość długo i pewnie wszyscy zgłod-
nieli, ale muszę wam coś przeczytać. To ten palec Karola i scena, której przed chwilą byliśmy świadkami, tak
mnie natchnęła. – Otworzyła książkę bez kartkowania,
na zaznaczonej stronie, spojrzała przed siebie i – siadajcie – zezwoliła łaskawie.

Gdy ucichło już szuranie krzeseł i wszystkie oczy
zwróciły się ku niej, zaczęła czytać:

– „Pamiętam, kiedy wypłynęło pierwsze ludzkie słowo (bo »tata«, »mama«, »cioci«, »ensi«, »papu« stoją jeszcze na pograniczu zwierzątkowych pochrząkiwań, po-
mruków i popisków). Kiedy pochyliłem się nad głęboką
kolebeczką, w głębi której malec już się nadął do snu,
otworzył w napuchniętej przedsennie buzi oczka (miał
je z typową mongolską fałdą, odziedziczone po Tatarach
Baczyżmalskich, przy czym lewe było »dropiate«, z żółtą
łatką na tęczówce) i chytrze spojrzał na mnie; podniósł
pulchny paluszek i zwierzył się z ogromnego dorobku:
– Palać... W tym dniu nauczył się, że tak się nazywa
palec"[*]. Wiem, że zanim Adaś zacznie mówić, upłynie
jeszcze trochę czasu, ale wierzę, że będzie równie mądry
i sprytny, jak...
– Tili Wańkowiczówna, czyli Martusia – wpadła jej
w słowo Jola. – Ciociu, niesamowite, czy wiesz, że niedawno przeczytałam *Ziele na kraterze*? Drugi raz, bo po
raz pierwszy zetknęłam się z Wańkowiczem w liceum.
Teraz, paradoksalnie, mam trochę więcej czasu niż dawniej, więc gdy już ułożę Adasia do snu, siedzę obok niego i czytam.
– Proszę pani. – Obok łokcia Weroniki stanęła Danusia, błagalnie patrząca na książkę. – Czy ja mogłabym
pożyczyć tę książkę? Przysięgam, że będę jej pilnować
i strzec, żeby nic się jej nie stało.
– Oczywiście, Nuteczko – zgodziła się właścicielka.
– A teraz już naprawdę rozpoczynamy wieczerzę – zarządziła, podchodząc do każdego po kolei z talerzy-
kiem, na którym leżały kawałki opłatka.

[*] Melchior Wańkowicz, *Ziele na kraterze*, Instytut Wydawniczy
„Pax" 1976, str. 17.

– A czemu wy obydwie ryczycie? – Grzegorz, usadzony przy stole między Teo i Leksi, patrzył to na jedną, to na drugą, bo obydwu im mocno zwilgotniały oczy po usłyszeniu odczytanego przez Weronikę fragmentu książki. Usłyszawszy pytanie Grzesia, dziewczyny spojrzały na siebie i roześmiały się jednocześnie. – Jak siostry, prawda? Syjamskie – powiedziała Aleksandra, a Grzegorz kolejny raz w życiu pomyślał, że nigdy nie zrozumie kobiet.

– A wiecie? – ogłosiła Lusia. – Będzie wesele, w czerwcu. Kajetan i Mirka się pobierają. Ogromnie się cieszę, bo nigdy bym się nie spodziewała. Wyglądało mi nawet na to, że niezbyt się lubią, zawsze darli ze sobą koty i mieli odrębne spojrzenia na każdy projekt, jaki powstawał w naszej spółce. Ach – rozczuliła się – jak mi brakuje tych naszych twórczych rozmów. I tego grzebania w ziemi, wszystkiego, nawet wyrywania chwastów. Tu, u cioci, tylko trawa i iglaki. Dla mnie nic do roboty – chlipnęła, ale tak na niby.

– Chyba masz teraz inne zajęcia, prawda? – powiedziała z uśmiechem ciocia Weronika, a Nutka zakończyła temat:

– To może skoro stworzą nową rodzinę, wezmą jakiegoś pieska z naszego schroniska? – zapaliła się. – Mam nawet jednego na oku, pani Weroniko, myślę o Klusku, co pani na to?

– Kochana, spokojnie, Kluskowi znajdziemy dom, mam nadzieję. A nasi czerwcowi nowożeńcy chyba na razie nie wezmą jednak psiaka, bo jak wiesz, pracują prawie całymi dniami. Znasz przecież pana Kajetana.

– Oczywiście. To przecież jego rodzice adoptowali Digusia. Bardzo dobrze go znam. I lubię. Wiem, namówię go przynajmniej na kota.

– Dałam im wasze adresy – powiedziała Jola. – Prosili o nie, bo chcą wam wysłać zaproszenia. Musimy wymyślić jakiś wspaniały prezent.

– No, kota, mówię przecież. – Nutka aż podskoczyła, wielce zadowolona, że ulokuje gdzieś kolejnego podopiecznego z Czterech Łap.

Gdy wszyscy prosili Jolę o przekazanie serdecznych życzeń przyszłym nowożeńcom, Teodora nagle poczuła jakieś drgnienie serca. Czyżby zazdrość? Poczucie żalu? Ej, chyba nie, przecież Kajetan znaczył dla niej bardzo mało. Ale… no tak, ludzie wokół układają sobie życie, tylko dla mnie wszystko się już skończyło, pomyślała i zerknęła na siedzącego obok Grzegorza. Miły facet, owszem, jednak co z tego, skoro mieszka w całkiem innym mieście. Nawet gdyby co…

Nie był to koniec niespodzianek tego wigilijnego wieczoru. Około dziewiątej wieczorem rozległ się dzwonek przy furtce. Wszyscy bardzo się zdziwili, bo nikogo się już nie spodziewano. Zdumiona Weronika zamiast zapytać przez domofon „kto tam?", narzuciła polar na ramiona i wybiegła z domu.

– Myślałam, że to kolędnicy – powiedziała do stojącej za furtką sąsiadki. – Zawsze mam w kieszeni polaru kilka złotych, na ogół dla listonosza, ale co ja plotę? – zreflektowała się. – Wejdź, proszę. Czy coś się stało? – Popatrywała zaniepokojona na Martę Bielską.

Wizyta sąsiadki nie byłaby niczym dziwnym, obie panie dość często spotykały się raz u jednej, raz u drugiej, piły kawę i wymieniały ploteczki o sąsiadach; jednakże niespodziewana wizyta późnym wieczorem w Wigilię była co najmniej dziwna. Mina sąsiadki nie wskazywała jednak, że wydarzyło się coś złego.

– Nie, nie, nic się nie stało. Bardzo cię przepraszam za zamieszanie, na pewno masz gości, ale... – tłumaczyła się Marta, drepcząc za Weroniką, która zmarzła trochę przy furtce i teraz szybko szła w stronę domu, zaprosiwszy sąsiadkę do środka.

Po słowach przeprosin, przywitaniu się z gośćmi, a także po opanowaniu wielkiego zdumienia na widok Karola (sąsiadka znała przecież całą sytuację, jakże by nie), wytarmoszeniu wszystkich psich łebków obskakujących nowego gościa, okazało się, że pani Bielska przyszła po swój prezent gwiazdkowy.

– Wiem, mówiłam ci, że już nigdy nie będziemy mieć psa. Po śmierci Tupcia postanowiliśmy to obydwoje. Ale tak nam brakuje tego stukania pazurków o podłogę, machającego ogonka i zimnego nosa wtulającego się w dłoń. Patrzymy na twój ogród, widzimy te twoje psy i serca nas bolą. A ten najnowszy, Gucio, za każdym razem podbiega do ogrodzenia, jakby chciał do nas wejść, jakby mówił: „Weźcie mnie, kocham was". Wiem przecież, że u ciebie jest mu wspaniale, i wiem, że was kocha, ale...

– Ale – przerwała jej Weronika – cieszę się bardzo. Wiedziałam, że długo bez psa nie wytrzymacie, znam was przecież. A Gucio rzeczywiście wyjątkowo cię lubi, lubi was oboje, widzę, jak reaguje na wasz widok.

Teraz też, spójrz na niego, leży obok ciebie, właściwie na twojej stopie, na mnie nawet nie patrzy, zdrajca jeden – śmiała się. – Więc zabieraj ten swój prezent gwiazdkowy do domu.

A rozpromieniona Danusia rzuciła się pani Marcie na szyję, pytając, czy będzie mogła czasami odwiedzić swojego przyjaciela.

– Obraziłabym się, gdybyś do nas nie przyszła – odrzekła pani Bielska, przytulając dziewczynkę.

Rozdział 29

Aleksandra szła w stronę wejścia na sopockie molo. Lubiła tu przychodzić w zimie, nie przeszkadzał jej chłodny wiatr, nawet najbardziej przenikliwy. Lubiła wdychać pełną piersią każdy podmuch przesycony jodem i niepowtarzalnym zapachem morza. O dziwo, właśnie tu, na molo w Sopocie, morze pachniało dla Leksi najbardziej wyraziście. Nie na Helu na przykład, tylko tu. Dzisiaj przyjechała do Sopotu, bo chciała się poużalać nad sobą. Lubiła, gdy wiatr smagał ją po twarzy, bo wtedy, jeśli nawet ktoś zauważył jej łzy, mógłby pomyśleć, że wycisnął je wiatr. Ale kto właściwie miałby to zauważyć, nikogo przecież nic a nic nie obchodziła. Owszem, rodzice o niej myśleli, przyjaciółki na pewno też. Ale oni wszyscy byli teraz daleko („Niespełna dwieście kilometrów stąd", szepnął chochlik, wyśmiewający jej gorzkie żale. „Cicho bądź", tupnęła na niego nogą i dalej się użalała nad sobą). A ona tu biedna samotna taka, nawet psa nie ma („Jakbyś w Bydgoszczy miała" – wewnętrzny prześmiewca nie dawał za wygraną. Nie miałam, ale były Cztery Łapy, więc zawsze mogłam tam iść i poprzytulać któregoś, kłóciła się ząb za ząb). Zaraz, chwileczkę, zastanowiła się głośno, przecież Grzegorz na pewno będzie wiedział, gdzie tu jest jakieś schronisko dla zwierząt, wolontariusze wszędzie się przydadzą, tam zawsze będę miała coś pożytecznego do roboty.

– Dziękuję! – wykrzyknęła głośno do swojego chochlika i odwróciła się gwałtownie, o mało nie przewracając małej postaci stojącej tuż za nią.

– Do kogo pani mówi? – spytała dziewczynka, a Leksi zastanowiła się, skąd zna to dziecko. Ale już po chwili ujrzała mężczyznę, w którym rozpoznała Marka, męża Izki.

– O, dzień dobry, bawarska księżniczko. Ty jesteś Sissi, prawda? – Uśmiechnęła się do małej.

– Pani Ola! – wykrzyknęła w tej samej chwili Elżunia. – Tata, popatrz, to ta pani, która nauczyła mnie jeść ciastka inne niż bezy!

Leksi błogosławiła w myślach wiatr, istotnie wyciskający łzy z oczu wszystkim, nie tylko mazgajom. Nawet dzieciom.

– Nie spodziewałabym się, że ktokolwiek wyjdzie z domu w taką pogodę.

– I na dodatek przyjdzie na molo, gdzie najbardziej wieje – wpadł jej w słowo tata księżniczki. – My przychodzimy tu bardzo często, Sissi jest takim dziwnym dzieckiem, kocha wiatr.

– Jak ja – przyznała się ze śmiechem Aleksandra, pochylając się nad dziewczynką. – Pójdziemy na ciastka? – zapytała, a po chwili spojrzała na Marka. – Przepraszam, pewnie macie już jakieś plany, a ja jak ten filip z konopi…

– Co to filip z konopi? – chciała wiedzieć Elżunia, a jej tata powiedział, że wyjaśni to w kawiarni, ujął lekko Leksi za łokieć i ruszył z nią w stronę wyjścia z molo.

– Znamy tu pewne świetne miejsce, gdzie są wyśmienite bezy – powiedział. – Nie mamy żadnych konkretnych planów, choć tak naprawdę to w planie były właśnie ciastka. Zapraszamy.

Poszli, choć Leksi cały czas miała wrażenie, że wepchnęła się, wprosiła na siłę i jest niczym piąte koło u wozu. Taki miała nastrój i nie poprawiły go nawet bezy zjedzone w ulubionej cukierni Sissi.

– Tata, a kiedy teraz pani Ola do nas przyjdzie?

– Spytaj panią Olę. – Marek pociągnął dziewczynkę za kitkę, wywołując tym pisk protestu. – Oj, no tata, wieeesz przecież, że nie lubięęę...

– Elżuniu, a może teraz ty do mnie przyjdziesz? – Leksi sama nie wierzyła, że powiedziała coś takiego. No przecież ten Marek pomyśli, że ona go podrywa...

Ale Marek, bez względu na to, co myślał, uśmiechnął się tylko i popatrzył na córeczkę.

– No co, księżniczko? Pójdziemy do pani Oli?

– Teraz? Zaraz? – ożywiła się dziewczynka.

– No, może tak zaraz to nie. Ale może być w przyszłą sobotę. Pasuje? – Ujrzała, że Marek kiwnął głową, zapisała mu więc adres na serwetce z cukierni. – Na ciastka? O szesnastej, dobrze?

– Ale się wprosiliśmy... – Tata Sissi miał zakłopotaną minę.

Oni się wprosili? – pomyślała Ola, trochę oszołomiona tempem wydarzeń.

Rozdział 30

– Karol? – Leksi odruchowo odebrała telefon, nie patrząc, kto dzwoni, i teraz słyszała głos Tego, Którego Nienawidziła. Czy gdyby wiedziała, kto dzwoni, też by odebrała? Chyba jednak tak, nawet z ciekawości, o co może mu chodzić.

– Stało się coś? Coś z Weroniką, tak? A może z Lusią? – dopytywała się gorączkowo, pewna przecież, że nie zadzwoniłby do niej ot tak sobie. Nie po wszystkim, co zaszło, bez względu na to, jak miło i sympatycznie było na wigilijnym spotkaniu u Weroniki. A było rzeczywiście bardzo przyjemnie i momentami wydawało się – Aleksandrze w każdym razie tak – że nic złego nigdy się nie wydarzyło i że ta grupa, zebrana przy świątecznym stole, jest po prostu gronem serdecznych przyjaciół, którym tym milej jest teraz ze sobą, bo dawno się nie widzieli. Leksi popatrywała z ukosa na Koźmińskiego i… kurczę, ależ on przystojny… kołatało jej w głowie. Chociaż podły drań, i tyle.

– Nic się nie stało, przecież gdyby coś złego się wydarzyło, wiedziałabyś o tym natychmiast. Nie ode mnie, prawda? Mało masz tych przyjaciółek w Bydgoszczy?

Łącznie z moją rodzoną ciocią, która po stokroć woli każdą z was – rozżalił się niespodziewanie. – Jestem w Gdańsku, mam tu klienta, który... ale mniejsza z tym. Jestem tu i pomyślałem, że może zjadłabyś ze mną obiad? Wiem, wiem – nie dawał jej dojść do głosu – pewnie masz sto lepszych propozycji. Ale tak w imię starej przyjaźni...

– Przyjaźni? – wpadła mu w słowo Leksi. – Zgłupiałeś chyba. No dobrze – ze zdziwieniem usłyszała własne słowa. Przecież chciała mu powiedzieć, żeby się wyłączył, nie dzwonił, wypchał i zniknął. Na zawsze. – Obiad przecież i tak muszę zjeść. Bądź o drugiej przy fontannie. Tej przy skwerze Kościuszki. W Gdyni.

Najpierw poszli na obiad. Potem Karol poprosił, żeby poświęciła mu te pół dnia. Do wieczora, jutro musiał wracać do Warszawy.

– Samochód zostawiłem pod hotelem – oznajmił. – Pozwól zaprosić się na wino, ale może jeszcze nie teraz. Teraz chciałbym nacieszyć się trochę morzem.

Popłynęli więc na Hel. Wrócili stamtąd o wpół do dziesiątej, było jeszcze dość jasno, jak to w czerwcu. Karol zniknął Leksi z oczu na piętnaście minut przed pierwszym rejsem, ale zdążył wrócić przed odpłynięciem tramwaju wodnego. Trzymał w ręku jakąś torbę, a na pytanie dziewczyny, co tam jest, odparł tajemniczo; „aprowizacja". Gdy dopłynęli na Hel, sprawdzili jeszcze raz godzinę powrotu, zgadzało się, mieli trzy i pół godziny do dyspozycji. Obeszli więc niespiesznie deptak, tam i z powrotem, aż wreszcie Karol poprosił:

– Chodźmy na plażę.

– Nie mam przecież kostiumu – skrzywiła się Leksi.

Poszli jednak, usadowili się z tyłu, przy kępie zieleni. Słońce świeciło jeszcze całkiem mocno, ale plaża nie była już tak zatłoczona. Karol zdjął koszulę, położył ją prawą stroną na piasku i zaprosił gestem Olę, by usiadła. Zawahała się chwilę, po czym zdjęła kremowe płócienne spodnie. Na szczęście miała na sobie bawełniane szorty w paseczki, wyglądające jak dół kostiumu kąpielowego. Położyła się na piasku, mając pod głową koszulę Karola. Poklepała miejsce obok siebie, ale on wyciągał coś z tej swojej tajemniczej torby „z aprowizacją". Okazało się, że miał tam świetne białe wino musujące, takie z górnej półki. A także plastikowe kubeczki. Oraz paczkę słonych precelków.

– Chyba popełniamy przestępstwo – zaśmiała się Aleksandra, skwapliwie biorąc do ręki napełniony w trzech czwartych kubeczek.

– Przestępstwo nie, ale wykroczenie tak.

– A, prawda, pan prawnik – mruknęła dziewczyna, prawie duszkiem wychylając swoje wino. – Ależ to dobre! – westchnęła, wyciągając kubek po dolewkę.

Co ja tu robię? – zastanawiała się w myślach, niezadowolona z tego, że jest... tak zadowolona. Powinnam go pogonić, jak tylko odebrałam telefon. Powinnam iść do domu zaraz po zjedzeniu obiadu, skoro już tak bez sensu poszłam na ten obiad. Powinnam... ech, co tam, dzisiaj jest, jutro go nie będzie. Nie ugryzie mnie przecież ani ja jego. Szkoda tylko, że tak dobrze się bawię, wyrzucała sobie.

Z tym „ugryzieniem" myliła się jednak. Na drogę powrotną Karol kupił drugą butelkę tego samego wina i w ciągu godziny rejsu uporali się z nią, chichocząc jak dwoje nastolatków, którzy kryją się przed dorosłymi. Gdy dobili do Nabrzeża Pomorskiego, trochę już plątały im się nogi. Karol pamiętał jednak, gdzie mieści się sklep, w którym kupił pierwszą butelkę, poprowadził tam więc Aleksandrę, a jej już zrobiło się wszystko jedno, dokąd idzie. Sklep na szczęście był całodobowy. Kupili wino, kilka bułek i dwa gatunki pokrojonego żółtego sera.

– Prowiant na kolację mamy, napój mamy, wodzu prowadź – ogłosił Karol, a Leksi w sposób naturalny przyjęła, że ma prowadzić do swojego domu.

– To tylko miejsce, w którym obecnie pomieszkuję, nie dom – tłumaczyła Karolowi, który w ogóle nie rozumiał, o co chodzi, i któremu było wszystko jedno. Dom, mieszkanie czy miejsce... ważne, że idą razem tam, gdzie jest łóżko... zapewne niewiele poza tym go teraz obchodziło.

Doszli więc tam, gdzie stało łóżko, wypili trzecią butelkę wina, zjedli trochę żółtego sera i zajęli się konsumpcją innego rodzaju... Rano Leksi z przerażeniem zobaczyła obok siebie pochrapującego Karola i o mało nie umarła na ten widok. Nie dlatego, że źle się czuła fizycznie, choć oczywiście kaca miała ostrego. Poczuła się psychicznie źle. Źle to mało powiedziane. Poczuła się strasznie, okropnie, przeogromnie podle.

Trzy miesiące temu użalała się nad sobą na deskach sopockiego molo. W ramach pocieszenia los zesłał jej wtedy małą Sissi z jej przemiłym ojcem. A co ów los zrobił jej teraz? Jak mogła dopuścić, żeby to się stało? Przecież nienawidzi tego tu obok. I co? Wystarczyło trochę wina i myk, znaleźli się w łóżku! O Panie Boże święty, jak mam się teraz zachować? – myślała.

254

– O, nie śpisz już – usłyszała. – Może mała powtórka? Było całkiem przyjemnie, prawda?

– Nie wiem, byłam doszczętnie zalana, o czym nie muszę ci mówić. Na trzeźwo nigdy bym do tego nie dopuściła.

– Nigdy? O ile pamiętam, dopuszczałaś do tego całkiem chętnie – przerwał jej Karol, dość mocno pociągając ją za ramię, tak że wpadła prosto w jego ramiona, a wtedy zaczął ją całować. Mimo że nie było to nieprzyjemne, Leksi wyrwała mu się energicznie.

– Stop! Czy ty nie rozumiesz po polsku? Jestem już trzeźwa, choć, niestety, skacowana, jak cholera. Kiedyś dopuszczałam, ale zapomniałeś chyba o czymś. Właściwie o kimś.

– Mówisz o Luśce? A wiesz, zastanawiam się, czy do niej nie wrócić. Ten mały jest całkiem fajny. Jak na dziecko.

– Ten mały ma na imię Adaś i jest twoim synem. A tak w ogóle, to co ty gadasz? Jakie wrócić? Widujesz się z nią? A co ona na to? I dlaczego w takim razie wciągnąłeś mnie do łóżka?

– Udajesz, że nie pamiętasz, więc ci przypomnę. Naprawdę nie musiałem cię wciągać. Sama weszłaś, bardzo chętnie. W ogóle byłaś szczodra. – Zaśmiał się. – W restauracji ciągle wołałaś kelnera i usiłowałaś zapłacić rachunek. A on ci tłumaczył, że rachunek już zapłacony. Uczciwy taki.

– W jakiej restauracji? Przecież prosto z rejsu przyszliśmy tu, do mnie.

– Tak, ale skończyło nam się wino i uparłaś się, żeby gdzieś pójść. Mówiłaś, że jesteś głodna i że chcesz jeszcze wina.

– O rany! – jęknęła Leksi. – Nic nie pamiętam! Możesz teraz wszystko mi wmówić, nawet że to ja wciągnęłam cię do łóżka. Ale zostawmy tę sprawę. Teraz ubierzesz się i szybko znikniesz mi z oczu. A co do Luśki... byłeś podły i jesteś podły. Mam tylko nadzieję, że nie pochwalisz się przed nią naszym rejsem i tym, co potem. I mam nadzieję, że ona jednak skutecznie przepędzi cię na cztery wiatry. Wynoś się. Stąd i z mojego życia.

– Kurczę, co jest z tymi babami? O co chodzi? Dobrze było? Dobrze. Więc co w tym podłego? Luśka nie musi się o niczym dowiedzieć, mam nadzieję, że w ciążę nie zaszłaś. Bo tamto dziecko jest moje, wiedziałem o tym od początku. Ale twoje dziecko... nie mam pojęcia, czyje byłoby. Przecież niekoniecznie moje, prawda?

– Wynoś się, powiedziałam. I nie martw się o dziecko, twoje czy nie. W istocie, gdyby było, byłoby po prostu moje. Ale go nie będzie.

Karol wyszedł, a Leksi przepłakała cały dzień. Płakała nad swoją głupotą, nad losem Luśki i Adasia, zastanawiając się, co zrobić, żeby nie dostali się w ręce tego... tego padalca, gorszego określenia chwilowo nie mogła wymyślić. Płakała, bo chciało jej się płakać, i już. Nie czuła głodu, czuła się fatalnie, wyglądała strasznie, aż się cofnęła sprzed lustra w łazience, gdy po prysznicu nieopatrznie w nie spojrzała.

Nagle zadźwięczał dzwonek. Leksi wściekła rzuciła się do drzwi, otworzyła, nie patrząc przez wizjer, pewna, że to Karol.

– Mówiłam, żebyś zniknął z mojego życia! – wrzasnęła i z przerażeniem ujrzała, że stoi przed nią Grzegorz. Bardzo zdziwiony.

– No, kurczę, nie mogłeś zatelefonować? Widzisz, jak ja wyglądam, nie nadaję się dzisiaj do życia.

– Dziewczyno, dla mnie zawsze wyglądasz pięknie. Martwię się, bo czekam od rana, a ty się nie pokazujesz. Zapomniałaś, że w niedziele zawsze jemy razem śniadanie? I o ile pamiętam, nigdy nie mówiłaś, że mam zniknąć z twojego życia.

Opowiedziała mu więc wszystko. I tak znał jej poprzednie życie, łącznie z historią o Marianie. Ponieważ nie było między nimi chemii, zaprzyjaźnili się na przekór twierdzeniu, że między kobietą i mężczyzną przyjaźni być nie może. Między nimi była. Aleksandra także znała życiorys Grześka, łącznie z incydentem z Towian, z którego najbardziej lubiła epizod z „chorym" wężem[*].

– Zamiast mi współczuć, ty się śmiejesz – zezłościła się i dostał kuksańca w bok.

– Bo wyobrażam sobie tę scenę w restauracji: „Proszę pana, chcemy zapłacić rachunek!". „Ależ państwo już zapłacili" – chichotał, niezrażony jej kuksańcem.

– A tym całym Karolem nie przejmuj się. Miałaś chwilę udanego seksu i tak to potraktuj. Nawet ci zazdroszczę, bo u mnie posucha.

– Nic nie rozumiesz – odparła zirytowana Leksi.

– Chodzi mi o Luśkę. I o jego podejście. Jeśli Karol naprawdę zechce, Jolka do niego wróci. A on przecież w ogóle się nie zmienił. W dalszym ciągu będzie skakał z kwiatka na kwiatek. I znowu ją skrzywdzi. Ona już miała depresję, opowiadałam ci. I ciąg alkoholowy

---

[*] Pewna babcia przyniosła do lecznicy Grzegorza rzekomo chorego węża, który nie chciał jeść. Nie chciał, bo był po prostu okropnie objedzony. Co z tego wynikło, przeczytacie w powieści *Sosnowe dziedzictwo*.

też miała, Teo ją wyciągnęła. Więc teraz martwię się i nie wiem, co zrobić. I jestem wściekła na siebie. Jak mogłam tak się zalać? I dlaczego w ogóle zgodziłam się na spotkanie z tym łobuzem? Nie mogę tego pojąć i nie znoszę się. Chcę zniknąć. Bardzo mi wstyd.

Grzegorz siedział bez słowa, przeczekując kolejne wybuchy płaczu. Ponieważ Ola nie dała się wyciągnąć z domu, zamówił pizzę dla obojga, dla niej bez keczupu i tylko z serem, innej nie jadła.

Kiedy wyszedł, Leksi stanęła przed lustrem i podnosząc w górę dwa palce lewej ręki, przysięgła swojemu odbiciu, że nigdy więcej nie będzie żadnego picia. To znaczy nie będzie więcej niż dwa–trzy kieliszki, dodała skrupulatnie. I już nigdy nie spotka się z Karolem. To znaczy nie spotka się z nim sam na sam, chyba że przypadkiem, dodała skrupulatnie. I postanowiła wymazać cały ten incydent z pamięci. To znaczy o ile mi się uda, dodała skrupulatnie.

I gdy wieczorem, jak co tydzień w niedzielę, zadzwoniła Teo, Leksi udało się mówić całkiem rześkim głosem, gdy opowiadała o miłym dniu na gdyńskiej plaży.

– Byłam z Grześkiem, bo on sam się nudzi, biedak. Najchętniej przesiedziałby całą niedzielę w tej swojej klinice, całkiem jak ty – dorabiała fabułę. O Grzegorzu wspomniała tylko po to, żeby zaznaczyć, że on nie ma żadnej dziewczyny. Cały czas wierzyła, że jej się uda, uda jej się, uda jej się...

Rozdział 31

Krystyna Dobrzycka stała na orłowskim molo i wpatrywała się w najpiękniejszy widok w całym Trójmieście. Po lewej stronie molo, oświetlony słońcem, wisiał nad rybacką plażą klif, ukochane miejsce jej dzieciństwa. Nie tylko dzieciństwa zresztą; najpierw przyjeżdżała tu z rodzicami, później z przyjaciółmi, a potem z mężem. I z synkiem. Teraz także syn stał obok niej, ale męża nie było. Rozwiedli się dwa lata temu z powodu starego jak świat. Ta druga (ta trzecia?) – cóż, Krysia dowiedziała się o niej i nie chciała wybaczyć. Mimo dziecka, a może właśnie dlatego.

– Muszę mieć trochę szacunku do siebie – powiedziała, wystawiając do przedpokoju walizkę z rzeczami męża. Niezbędnymi rzeczami. – Po resztę przyjdź jutro, byle przed południem. Kiedy mnie i Mateuszka nie będzie w domu.

– A co z dzieckiem? – chciał wiedzieć jej wiarołomny mąż.

– Teraz mnie pytasz? O dziecku trzeba było myśleć, zanim twoja zażyłość z tą... z tą... panią... Dziecko będziesz mógł widywać, szczegóły ustalimy, tylko nie dziś. Teraz zejdź mi z oczu.

I po wszystkim. Po małżeństwie, wspólnym życiu, planach powiększenia rodziny. Nawet po wspólnym urlopie, a mieli zaplanowany wyjazd na Kretę. I po co? Żeby mógł tęsknić do swojego nowego słoneczka? Tak właśnie ją nazywał; „słoneczko". Krystyna dowiedziała się o tym z SMS-a wysłanego omyłkowo do niej, żony, której on nigdy nie nazywał „słoneczkiem". Dureń. Bęcwał. Drań. Do kwadratu.

Początkowo chciała powrócić do swojego panieńskiego nazwiska, bo wszystko, co było związane z tym durniem, bęcwałem i draniem, potwornie ją mierziło. Ale zrezygnowała z tego pomysłu z uwagi na syna. Był Dobrzyckim i niech już tak zostanie. Nie zamierzała utrudniać eks-mężowi kontaktów z dzieckiem, a nie czuła się na siłach tłumaczyć Mateuszowi, dlaczego teraz miałby nazywać się inaczej niż do tej pory. Albo dlaczego mamusia nazywa się inaczej niż on. Poza tym porażała ją myśl o wymianie wszystkich dokumentów.

Machnęła więc ręką i została przy nazwisku męża. Brała też pod uwagę możliwość, że robi tym przykrość nowej pani Dobrzyckiej, która być może chciałaby być jedyną panią tego miana godną. O ile w ogóle taką Dobrzycką zostanie, bo tego Krysia nie była pewna. I mało ją to obchodziło. Choć... nieprawda, obchodziło ją jak diabli. Ale wpływu na to nie miała. Teraz, po dwóch latach, mówiąc tak całkiem szczerze, jeszcze tęskniła do tego durnia, bęcwała i drania. Jak głupia. Z pewnością jednak nie dawała tego po sobie poznać.

W dwutysięcznym roku rozpoczęła nowy etap życia. Przyłączyła się do koleżanek ze studiów, Urszuli i Bożeny, które otworzyły prywatną klinikę stomatologiczną* i zaproponowały jej współpracę. Bardzo jej to odpowiadało, bo na miejscu – tak między sobą mawiały – był też prywatny miniżłobek, czyli cudowna pani Stefania, zajmująca się synkiem Urszuli, Michasiem. Krystyna przychodziła więc z sześciomiesięcznym wówczas Mateuszkiem i obaj chłopcy baraszkowali sobie pod czujnym okiem ich opiekunki.

Współpraca trzech pań trwała nadal, a liczba dzieci oddanych pod opiekę pani Stefanii wzrosła, Urszula bowiem urodziła jeszcze bliźniaczki, Asię i Jasię. Dzieci przez te wszystkie lata zdążyły urosnąć; niania, niestety, zmarła, ale przyjaźni Urszuli, Bożeny i Krystyny czas nie naruszył. Pracowały razem, wspierały się, jak mogły, a klinika prosperowała całkiem nieźle.

Ojciec Urszuli, Stanisław Szyngweld, mieszkał w Redłowie, w uroczym domku położonym prawie na czubku klifu. Znał obydwie przyjaciółki córki i wystosował dla nich stałe zaproszenie do swojego domku. Korzystały więc z niego skwapliwie, prawie co roku. I nawet gdy pan Stanisław zamienił swój domek na nieruchomość w stolicy, dalej mogły jeździć do Redłowa, gdyż pan Szyngweld miał w owym domku swój stały pokój, który chętnie oddawał do dyspozycji Bożenie lub Krystynie, po szczegółowym ustaleniu terminu. Cieszył się, że obie chcą tam jeździć, bowiem jego wielkim zmartwieniem było, że rodzona córka przedkłada urlop w jakiejś Grecji czy Turcji nad pobyt w Redłowie.

* Więcej o tym w książce *Domek nad morzem* Marii Ulatowskiej, Wydawnictwo Prószyński i S-ka.

Krysia natomiast jeździła tam bardzo chętnie, kiedy tylko mogła. Uwielbiała ten kawałek świata i dziwiła się – po cichu, żeby nie zepsuć przyjaźni – Urszuli, która wolała inne miejsca.

Po rozwodzie Krysi przyjaciółki kazały jej wziąć cały miesiąc urlopu i wyekspediowały ją tam właśnie. Krysia zaprzyjaźniła się z obecnymi właścicielami domu, a Mateusz zakochał się w Klifie, ich owczarkopodobnym psie. Z Michałem, swoim prawie równolatkiem, szybko znaleźli wspólny język i nieraz obydwaj sturlali się z klifu, bo oczywiście włazili tam, gdzie włazić nie wolno. Upilnowanie ich było niemożliwością, jednak nigdy żadnemu z nich nic się nie stało.

Rozdział 32

Marcin stał ze strapioną miną przed Grzegorzem. Właśnie oznajmił przyjacielowi, że całkowicie zmienił wszystkie swoje życiowe plany. Musi sprzedać klinikę, bo wyjeżdża do Londynu. A w ogóle to chyba się ożeni.

– Posłuchaj, przecież wiem, że to grom z jasnego nieba, ale tak właśnie się stało. Pamiętasz Krysię? Maciejkę? – Tłumaczył Grześkowi, co mu się przytrafiło, a sam prawie nie mógł w to uwierzyć. – No, Maciejewską przecież. Kochałem się w niej przez całe studia. Zresztą nie tylko mi zawróciła w głowie.

– Jaką Maciejewską? Od nas? Z weterynarii? – Grzegorz nic nie rozumiał, a już przede wszystkim nie mógł pojąć, co ma jakaś Maciejka do kliniki i w ogóle.

– Nie, ze stomatologii. Ale to nie ma nic do rzeczy. Przecież wszyscy chodziliśmy do tych samych klubów, nie? Nie tylko weterynarze, kurczę, dla ciebie to tylko jeden kierunek studiów istniał, co? Spotkałem ją i…

Spotkał ją i wydało mu się, że ostatnio widzieli się wczoraj. Chyba nawet była w tej samej sukience, w której ją widział wczoraj. Tylko skąd się wziął przy niej ten chłopiec?

*

Sierpień dwa tysiące dziesiątego roku był wyjątkowo deszczowy, więc jak się trafił jakiś dzień bez deszczu, wszyscy wylegali na trójmiejskie deptaki albo wykładali się na plażach. Szesnastego sierpnia, o dziwo, chyba tylko na Wybrzeżu, zrobiło się naprawdę ciepło i przyjemnie. Marcin wyszedł z kliniki, przekazując pałeczkę zmiennikowi. Stanął i się przeciągnął; spojrzał w górę: niebo było piękne, prawie bez chmurek, słońce przypomniało sobie, że przecież jest lato, i odpracowywało poprzednie dni. Nie, do domu nie, pomyślał Marcin. W tym momencie zaburczało mu w brzuchu, a w powietrzu zapachniało rybami. Tak, był głodny, i tak, pójdzie na dobry obiad, postanowił. Najlepiej na turbota. Wsiadł do samochodu i pojechał w stronę Orłowa.

Lubił tamtejszą restaurację, gdzie można było – o ile znalazło się miejsce – zjeść na tarasie, patrząc na morze. Mimo że Marcin mieszkał w Gdyni już dobrych parę lat, morza nigdy nie miał dosyć.

Bez różnicy mu było, czy to otwarte morze, czy zatoka – fale i kolor wody były takie same. Uwielbiał wylegiwać się na piasku i grzać na słońcu. Często więc przyjeżdżał do Orłowa, gdzie szedł na lewo od mola, poza rybacką plażę, tam, gdzie było wprawdzie więcej kamieni niż piasku, ale za to przychodziło o wiele mniej ludzi. Można było tu nawet słyszeć szum fal. I pachniało jakoś bardziej morsko, może dlatego, że tej strony brzegu nikt nie oczyszczał, więc wyrzucone przez morze wodorosty leżały sobie przy linii wody, obmywane przez fale, które czasem zabierały te rośliny z powrotem. A potem wyrzucały nowe.

Tego dnia, szesnastego sierpnia, Marcin nie poszedł jednak na plażę. Głód skierował go do Tawerny Orłowskiej. Ale – to był taki prywatny rytuał Balewskiego – zawsze najpierw witał się z morzem. Tradycyjnie więc wszedł na molo i pomaszerował na sam koniec drewnianego orłowskiego pomostu. Tam stanął przy barierce i patrząc na wodę, gładziutką i całkiem jak nie morską, wyszeptał swoje „dzień dobry" do Neptuna. Znowu zaburczało mu w brzuchu, więc się odwrócił energicznie i... cofnął się o kilkanaście lat. Przed nim stała jego studencka miłość, Maciejka, czyli Krystyna Maciejewska. Wyglądała identycznie jak przed laty. Rozjaśniona słońcem, błyszczała i promieniała, smukła i śliczna jak dawniej. Wgapił się w nią i chyba nawet otworzył usta, bo zrobiła jakiś ruch palcami przy swoich wargach, pełnych i różowych, bez żadnej szminki.

– Muchę połkniesz. – Zaśmiała się i zmarszczyła czoło. – Marcin, no co ty? Nie poznajesz mnie?

– Poznałem cię natychmiast i sama widzisz, jak się zachwyciłem tym, co widzę. Ależ pięknie wyglądasz, w ogóle się nie zmieniłaś.

– Mama, no chodź. – Przy Krystynie stanął chłopiec, chyba kilkunastoletni. – Chodź, obiecałaś lody w tej knajpie tam, na plaży.

– Marcinie, pozwól, to mój syn, Mateusz. Mateo, ten pan jest moim kolegą ze studiów – dokonała prezentacji.

– A gdzie tata? – wymknęło się Balewskiemu, na co Mateusz spochmurniał i wbił wzrok w stopy.

– Rozwiedliśmy się dwa lata temu. Tata przyjedzie w tę sobotę, zostanie z Matim do końca lata, a ja wrócę do pracy.

– Mamaaa... – Chłopiec machnął ręką w stronę restauracji.

– A może... – odezwał się Marcin, odzyskując pewność siebie, bo trochę go zatkało po tej niezręczności z „tatą". – Miałem właśnie iść na obiad, może pójdziemy razem. Jedliście już?

– Właściwie to teraz chcieliśmy tylko iść na lody, obiad mieliśmy dzisiaj zjeść późnym popołudniem, usiłujemy przejść na takie obiadokolacje – wyjaśniła Krystyna. – Ale dobrze, zjemy obiad, a lody na deser. Co ty na to? – spytała syna, który tylko wzruszył ramionami.

Poszli, a potem już wszędzie chodzili razem, codziennie. Często szedł z nimi jeszcze jeden chłopiec, Michał.

– To syn moich gospodarzy z Redłowa. Kiedyś ci o nich opowiem, przeprowadzili się tu z Warszawy.

– Tak jak ja. I jak Grzegorz Skalski, mój wspólnik z lecznicy. Pamiętasz Grześka?

Krystyna nie pamiętała. Ale co tam, Marcinowi wystarczyło, że pamiętała jego, a to, że spotkali się po tylu latach, wydało mu się PRZEZNACZENIEM. Po dwóch spędzonych razem tygodniach znowu był zakochany jak sztubak w swojej studenckiej miłości. A ona? Ona na razie opowiedziała mu do końca swoją historię. Otóż po rozwodzie, który – jak uczciwie przyznała – kosztował ją więcej, niż przypuszczała, nie mogła sobie znaleźć miejsca. Wszystko przypominało jej tego drania, męża. Widziała go wszędzie i choć tak naprawdę nigdy się nie spotkali nawet przypadkiem, zawsze jej się wydawało, że idzie za nią, przed nią, obok niej. Co drugi tydzień zabierał Mateusza na weekend i te chwile, gdy się widzieli, odbierały jej sen na parę nocy. Przyjaciółki z pracy widziały, co się z nią dzieje, i w końcu Bożena podsunęła jej pewien pomysł.

– Mówię to z bólem serca, ale powiem, bo kocham cię i martwię się o ciebie, więc chcę, żebyś przestała tak rozpaczać. Nie protestuj – uprzedziła – bo obydwie z Urszulą widzimy, że rozpaczasz, i choć to, co powiem, będzie wbrew naszym interesom, powiem to jednak.

– Może rzeczywiście zrób to wreszcie, bo tak się plączesz, że nic nie rozumiem – zniecierpliwiła się Krystyna.

Stojąca obok Urszula nie mówiła ani słowa, tylko kiwała głową.

Bożena wyartykułowała wreszcie opowieść o bracie, protetyku, który wraz z żoną, też zajmującą się implantologią, już dwa lata temu wyjechał do Londynu. Dołączyli tam do dwójki przyjaciół, stomatologów, pracujących w Londynie od skończenia studiów. Ostatnio wydzierżawili odpowiedni lokal, w którym urządzili klinikę dentystyczną. Idzie im – odpukać – bardzo dobrze. I brat chce ściągnąć tam Bożenę, bo przydałby im się jeszcze jeden stomatolog. Bożena jednak nie może wyjechać, bo poznała mężczyznę swojego życia i pragnie ułożyć sobie z nim właśnie to życie, ale tu, w Polsce. Bo on jest... posłem, wyobraźcie sobie, więc nie ma mowy o wyjeździe z kraju. No więc teraz ona, Bożena, namawia Krysię, żeby za nią do tego Londynu pojechała.

Krysia przemyślała wszystko, a ponieważ były mąż jakoś się zgodził na wyjazd syna – ona od przeszło roku jest dentystką w stolicy Wielkiej Brytanii. Mateusz, który angielskiego uczył się od przedszkola, jakoś się zaadaptował i obydwoje są zadowoleni. Na wakacje jednak przyjeżdżają tu, do Polski. A jak do Polski, to do Redłowa. Dzielą swój pobyt na Warszawę i Trójmiasto. Warszawskie mieszkanie wprawdzie zostało wynajęte małżeństwu z kilkuletnim dzieckiem, ale rodzice Krystyny zawsze zmieszczą u siebie córkę i wnuka, więc nie ma problemu.

Potem Marcin opowiedział Krysi, co się z nim działo przez ostatnie lata – a opowieść była dość krótka. Po studiach przeniósł się do Gdyni, cały czas pracuje w tej samej przychodni, z tą tylko różnicą, że teraz lecznica jest jego własnością. Raz mu się wydawało, że jest zakochany, ale dziewczyna nie mogła zrozumieć jego pasji do pracy i znajomość trwała zaledwie pół roku. Potem były jakieś przypadkowe znajomości, nic trwałego jednak do tej pory mu się nie przydarzyło.

Zaczęli się spotykać codziennie i Marcin, który naprawdę był bardzo romantyczny, uświadomił sobie, że wróciło stare uczucie, a dawna studencka miłość, ukryta głęboko w zakamarkach serca, teraz wydostała się na światło dzienne. Miał wrażenie, że kocha Krystynę, a także jej syna, bardzo kocha i nie przeżyje ich wyjazdu.

– Chyba nie po to się odnaleźliśmy, żeby znowu się rozstać – szeptał jej we włosy, stojąc przy końcu orłowskiego molo, gdzie wiatr wiał najprzyjemniej. Chłopcy – Mateusz i Michał – marudzili, że chcą na plażę, a najlepiej to na lody, ale rytuał codziennego przywitania z Neptunem musiał być dotrzymany, więc przeszli całe molo i zatrzymali się na chwilę.

– Już idziemy, biegnijcie zająć miejsca – powiedziała Krysia. – Przecież muszę wracać do pracy, chyba to rozumiesz. – Wzięła Marcina pod rękę i skierowała go w stronę, w którą pobiegli chłopcy.

Rozumiał, oczywiście, ale wiedział też, że nie może po raz drugi pozwolić jej po prostu zniknąć. Koniec sierpnia nadszedł zdecydowanie zbyt szybko i Balewski odwiózł Krystynę i Mateusza na lotnisko w gdańskim Rębiechowie.

– Mam dla was niespodziankę – oświadczył, gdy już było po odprawie i wszystkich formalnościach. – Dziewiątego października przylatuję do Londynu na tydzień. Załatwisz mi jakiś niedrogi hotel?

– Dopiero teraz mówisz? – Krystyna zatrzymała się przed przejściem przez bramkę. – Cieszę się, oczywiście, coś ci wyszukam. Będziemy w kontakcie, wchodź do Internetu – przykazała, jakby sam tego nie wiedział.

Pojechał. Potem ona, z synem oczywiście, przyleciała w grudniu na święta. Nie mieli jednak wtedy zbyt wiele czasu dla siebie, Mateusza zabrał ojciec, a Krystynę rodzice. Jednak kilka wspólnych chwil udało im się znaleźć. Marcin pojechał na całe Boże Narodzenie do Warszawy, ku radości cioci, siostry ojca, z którą widywał się – według niej, niezamężnej i niedzieciatej, starszej już pani – za rzadko.

Codziennie rozmawiali przez Skype'a i pisali do siebie długie mejle. I raptem – najlepsza część tej historii miała dopiero nastąpić. Otóż przyjaciel brata Bożeny jest weterynarzem i również pracuje w Londynie. To

Anglik, nie Polak, ale narodowość nie ma dla żadnego z nich znaczenia. Spotkali się w londyńskim pubie, okazało się, że mieszkają bardzo blisko siebie, a ponieważ pub jest naturalnym miejscem spotkań okolicznych mieszkańców, więc po pewnym czasie bliżej się poznali i polubili. George jest właścicielem kliniki weterynaryjnej na obrzeżach Londynu, a Janusz – ten brat Bożeny, w Londynie John – ma pięknego maine coona[*], co spowodowało, że znajomość obu panów jeszcze bardziej się zacieśniła. I właśnie się okazało, że najbliższy wspólnik George'a miał nieszczęśliwy wypadek samochodowy, niestety zakończony tragicznie. Andrew szuka więc na gwałt jakiegoś współpracownika.

Krystyna opisała mu to w mejlu, a Marcin zrozumiał, że to, czego doświadczał przez ostatnich kilka miesięcy, może mieć ciąg dalszy. Gdyby zastanowił się głębiej, dotarłoby do niego, że rzuca się głową w jakąś nieznaną głębię; że zachowuje się – chce się zachować – jak młody, głupi, zakochany po uszy nastolatek. Nie myślał o tym, że tutaj wypracował już sobie pewną pozycję, że będzie miał możliwość oddania długu ojcu, bo Grzegorz czeka na decyzję banku w sprawie kredytu. Natychmiast przestał przykładać wagę – taką jak dotychczas – do swojego zobowiązania, choć trzeba przyznać, że zobowiązanie to sam sobie narzucił, bo rodzic w istocie niczego od niego nie oczekiwał. Zresztą tym i tak nie musiał się martwić, bo gdyby sprzedał klinikę, miałby pieniądze na zwrot długu. Widział tylko swoją wyidealizowaną dziewczynę (mniejsza o to, że z jedenastoletnim

[*] Rasa kota wywodząca się z Ameryki Północnej, uznana za rasę narodową Kanady.

synem), która właśnie podawała mu na dłoni wspólną przyszłość. Tak to odbierał, nie zadając sobie nawet trudu, aby dokładnie wypytać Krystynę o jej pomysł na dalsze życie. Wspólne życie?

Rozpoczął starania, by sprzedać lecznicę. Krystynie oświadczył, że decyduje się na przeprowadzkę do Londynu, i poprosił, aby spowodowała, iżby ten George zaczekał na niego. Wszystko okazało się prostsze niż w bajce. Dobrzycka przedstawiła Januszowi ofertę Marcina, Janusz omówił ją ze swoim angielskim kolegą. George się zgodził, Krystyna wyszukała Marcinowi mieszkanie, niewielką umeblowaną kawalerkę. I za dwa tygodnie Marcin miał już wyjechać, zostawiwszy Grzegorzowi upoważnienie do sprzedaży kliniki. Wniosek o kredyt oczywiście został wycofany, choć początkowo Grzegorz nawet rozważał możliwość samodzielnego poprowadzenia kliniki. Szybko jednak zrezygnował z tego pomysłu. Nie dałby sobie rady sam, a znajomych w Trójmieście miał, niestety, niewielu.

*

Tak więc po raz kolejny Skalski stanął na rozdrożu, następny etap jego życia znowu zakończył się fiaskiem.

– Ja już jestem skazany na niepowodzenia – żalił się Aleksandrze, która od samego początku wiedziała wszystko o planach i poczynaniach Grzegorzowego wspólnika. Wiedziała od Grzegorza oczywiście.

– Och, nie gadaj głupstw, Grzechu. Młody jesteś, masz przed sobą jeszcze wiele możliwości. Ciesz się, że nie zdążyłeś wziąć tego kredytu, bo zostałbyś z ręką w nocniku. A tak wszystko przed tobą. Czeka cię całkiem nowe życie. Wiesz, podziwiam Marcina i zazdroszczę tej Krystynie, dla której ktoś tak stracił głowę. Dziewczyna po rozwodzie, z dzieckiem, pracująca w obcym kraju. Niby kiepsko, prawda? A tu proszę, jeden urlop i wszystko odwraca się o sto osiemdziesiąt stopni. Bajka, naprawdę. To znaczy mam nadzieję. Mam nadzieję na szczęśliwe zakończenie, bo na ogół takie bajki... nie, tfu, tfu, odpukuję.

A gdy Grzegorz poszedł już do siebie, opowiedziawszy jej całą tę historię, w głowie Aleksandry zaczął kiełkować pewien plan. Tak, musi do tego doprowadzić, nieważne, jakim kosztem, bo zastanawiając się nad swoim najnowszym pomysłem, zdała sobie też sprawę z tego, że gdy uda się go zrealizować, straci bliski kontakt z jedynym przyjacielem, jakiego udało jej się zdobyć w tym całym Trójmieście.

Tęskniła do rodzinnego miasta. Tęskniła do przyjaciółek. I tęskniła już do Grzegorza, choć ten jeszcze był obok, przez ścianę. Ale wcale nie była pewna, czy tam zostanie. Bo jeśli jej plan się powiedzie...

– Może mi się uda, uda mi się, uda mi się – szeptała wieczorem swoją najnowszą mantrę.

Rozdział 33

– Daj się zaprosić na obiad, proszęęę... – Teo uznała, że sprawa jest rzeczywiście ważna, i nie rozłączyła się natychmiast. Odebrała, nie patrząc na wyświetlacz telefonu, była pewna, że dzwoni Luśka. Adaś w nocy gorączkował, przyjaciółka rano pojechała z nim do lekarza i Teo czekała teraz na komunikat o stanie zdrowia malca.

Ale nie była to Jolanta, tylko Karol. Jego telefon i ta dość ekspresyjnie wyrażona prośba zadziwiły Teodorę.

– A co się stało? – spytała odruchowo. – Na obiad? Przecież mówiłam ci, że masz zniknąć z mojego życia, co zresztą do tej pory ci się udawało.

– No, kociąt... – Karol urwał, przypomniało mu się chyba, że ona nie cierpi tych wszystkich bzdurnych, jak mawiała, spieszczonych określeń. – Teo, wiem, ale widzisz... Zająknął się, co wprawiło ją w zdumienie, bo on – prawnik, mistrz słowa – nigdy nie miał kłopotów z formułowaniem zdań i jasnym wyrażaniem myśli.

– Widzisz – ciągnął – chciałem cię prosić o radę. Mówię to najpoważniej w świecie i mam nadzieję, że spotkasz

273

się ze mną. Jeśli nie chcesz pójść na obiad, wyznacz czas i miejsce, stawię się nawet na peronie dworca.

– Ale wymyślił – mruknęła Teo do siebie i zaraz dodała głośniej:

– A niby dlaczego nie miałabym zjeść obiadu, jeśli już zgodzę się na to spotkanie?

Postanowiła się zgodzić, bo ją zaintrygował. Prosić o radę? On, taki mądrala?

– Dobrze, zjem obiad – powtórzyła. – Przygotuj się jednak na spory rachunek, bo mam zamiar zamówić najdroższe dania. Pod Orłem oczywiście.

Teodora była na siebie wściekła. Stała, jak głupia nastolatka, przed otwartą szafą i zastanawiała się, w co się ubrać. Wielkiego wyboru nie miała, bo ciuchy nigdy nie były dla niej ważne i nawet jeszcze przed ślubem, czyli w czasach gdy moda powinna ją obchodzić, nie obchodziła jej, i tyle. Po ślubie ubierała się – jak i przed ślubem – praktycznie i raczej sportowo. Po śmierci męża chyba do tej pory nie kupiła żadnej nowej rzeczy, nosiła to, co wpadło jej w rękę; najczęściej spodnie, bluzkę i jakieś wdzianko. W neutralnych kolorach.

Teraz więc, po spenetrowaniu wnętrza szafy, włożyła... spodnie, bluzkę i granatowy żakiet. Szał komponowania stroju na „wielkie wyjście" szybko minął, złość na siebie także. Teo złapała torebkę, kluczyki, wsiadła do auta i po kwadransie – na trasie wyjątkowo nie było korków – znalazła się na miejscu. Mimo że do umówionej godziny było jeszcze dwadzieścia minut (ona zawsze i wszędzie przychodziła za wcześnie), samochód Karola stał już pod restauracją.

– Ty tu przyjeżdżasz samochodem? – zdziwiła się, gdy już udało jej się zaparkować auto (na Jagiellońskiej, w okolicach ronda, prędzej by było w ogóle na piechotę, zgrzytała zębami). – I jak ci się udaje znaleźć miejsce na parkingu?

– Urok osobisty. – Mrugnął do niej. – Wziąłem wóz, bo po obiedzie muszę pojechać na Sielanki. Ale wszystko zaraz ci opowiem, najpierw zamów te swoje najdroższe dania.

Historia, jaką ją uraczył, wbiła Teodorę w krzesło (bardzo wygodne). Otóż pan Karol, wieczny kobieciarz, utracjusz i kawał huncwota, rozważał zamiar założenia rodziny. Ustatkowania się. Wzięcia pod opiekę... – kogo? Jezu Chryste! – chodziło o Luśkę i Adasia.

– Nie mów nic, dopóki nie skończę – uprzedził, widząc, że Teo otwiera usta. – Chcę powiedzieć wszystko, bo potem może nie dam rady, szczególnie jeśli się na mnie rzucisz.

I popłynęła opowieść, jak to któregoś dnia, w domu, doznał takiego mocnego kołatania serca, że się wystraszył, iż za chwilę będzie miał zawał, a tu nikogo obok nie ma i...

Kołatanie przeszło, ale zasiane gdzieś tam ziarno pozostało. Wciąż jest sam, lata lecą, nic już przed nim, raczej wszystko poza i... Ten malec, Adaś (Karol nie dopuszczał do siebie myśli: „Adaś, mój syn", wciąż jeszcze był to dla niego „ten malec"), jakoś dziwnie bardzo mu się spodobał. Dziwne, bo on przecież nie lubi dzieci i zawsze trzymał się od nich z daleka. Ale malec jest ładny i miły. Dopatrzył się nawet, że kształt nosa ma taki sam jak on.

– Hi, hi, hi! – Teo nie wytrzymała. – Wszystkie maluchy mają podobne nosy.

– Cicho – poprosił i kontynuował swoje przemówienie.

– Wiesz, tak naprawdę to ja tylko ciebie kochałem. Nic nie mów – uprzedził jej protest, widząc, jak prawie zeskoczyła z krzesła. – Gdybyś tylko zechciała, nawet i teraz, pal diabli Adasia, mogłabyś zostać panią Koźmińską, i to jak najszybciej.

– Będę mówić – zeźliła się Teodora. – Po co ty mnie tu zaprosiłeś? I po co mi wygłaszasz te wszystkie swoje deklaracje? Po to, żebym uwierzyła, że tylko mnie kochałeś i kochasz? Pal diabli Adasia? No, nie wytrzymam. – Podniosła się z krzesła i prawie już udało jej się wyjść, gdy Karol objął ją od tyłu.

– Przepraszam, sam widzę, że kiepsko mi idzie. Nie umiem ci wytłumaczyć tego, co czuję, ale proszę, zostań, mówiłem, że potrzebuję twojej rady.

Teo machnęła ręką i wróciła do sali.

– To, że cię kochałem i kocham, powiedziałem tylko po to, żeby ci uzmysłowić, jaką pracę wykonałem, sam nad sobą, w celu przepracowania całego mojego sposobu myślenia. I zmiany sposobu życia.

Potem usłyszała więc, że po tych pierwszych wspólnych świętach ciocia Weronika coraz częściej telefonowała do Karola z poleceniami dotyczącymi pomocy przy dziecku. A to trzeba było wykupić lekarstwa z apteki, a to zawieźć małego na jakieś badanie, a to kończyły się zapasy jedzenia, a one obydwie akurat nie mogły wyjść z domu. Raz nawet zadzwoniła Jola, z prośbą, żeby wpadł na godzinę posiedzieć z małym, bo musiała iść do dentysty, a nie chciała ze sobą targać dziecka. Weronika była oczywiście w Czterech Łapach.

– Zostałeś z Adasiem? – Teo aż się zakrztusiła.

– I może jeszcze powiesz, że zmieniałeś mu pieluszkę?

– Oczywiście, to żaden problem.

– Problem nie, ale... – zaczęła i urwała, bo chciała, żeby wyjaśnił, o co chodzi. – Przepraszam, mów dalej.

– Właściwie to dotarłem do sedna. – Karol skinął na kelnera i poprosił o kawę. O dwie kawy. – Widzisz, przy tych wszystkich wizytach – wiem, że nieprzypadkowych, i wiem, że to robota drogiej cioci, która chciałaby „żeby ta kruszynka miała też ojca" – zacząłem się nawracać na to całe tacierzyństwo. Mały jest słodki, śmiej się, śmiej. – Machnął ręką, widząc jej grymas. – A Jola... cóż, Jola zawsze mi się podobała...

– Tobie każda się podobała – wyrwało się Teosi. – Przepraszam, już siedzę cicho – zmitygowała się natychmiast.

– No więc co do Joli... – Karol umilkł na chwilę, jakby zastanawiając się nad następnymi słowami. – Gdybym powiedział, że darzę ją jakimś uczuciem, znowu byś się śmiała, prawda? Poczekaj chwilę, już kończę. Może mi nie uwierzysz, ale naprawdę coś do niej czuję. I nie wiem, czy to rodzaj wdzięczności za syna – tak, już łatwiej mi nazywać tego malca synem – teraz ci to oświadczam; czy po prostu reakcja na ciocine podchody, bo przecież doskonale wiem, że jestem manipulowany. A może to oznaka starzenia się, wiesz takie: każdy mężczyzna powinien... No powiedz, co o tym myślisz?

– A co Jola o tym myśli? – spytała Teodora, strasz-liwie skołowana. Nie wierzyła w szczerość intencji

Karola, miała go za drania, łajdaka i kobieciarza. Z drugiej strony… głupi nie był, widział przecież, że licznik tyka, że właściwie jest całkiem sam, a tu raptem gotowy synek, ładny i grzeczny (dużo on tam wie o „grzeczności" niemowląt, zaśmiała się z w duchu), miła i ładna żona. Cała rodzina w komplecie. Do tego wniebowzięta ciocia, no cóż, jedyna krewna. Same plusy. Tylko… Tylko coś jej zgrzytało, no.

– Jola nic nie wie o moich zamiarach. A ja, tak naprawdę, nie mam pojęcia, co ona myśli. Co myślała przedtem, jeszcze przed urodzinami mal… Adasia, wiem doskonale. Sądzę, że ta najgorsza wściekłość już jej przeszła. I chyba jest mi wdzięczna za takiego pięknego syna. – Zaśmiał się. – Podczas świąt była całkiem miła. Teraz też udaje nam się rozmawiać ze sobą bez zgrzytania zębami. To znaczy – ona nie zgrzyta. Już nie zgrzyta. Od czasu do czasu nawet się do mnie uśmiecha i mówi coś miłego. No nie wiem, co mam robić. I czy jeśli tak, to kiedy? Już teraz?

– Wiesz co? – Teo gwałtownie wstała od stolika. – Ja muszę sobie to wszystko przemyśleć. Bo jeśli rzeczywiście chcesz mojej rady, nie może ona być pochopna. Na razie powiem ci tylko, że wydaje mi się, że mnie wkręcasz. Tylko nie mogę zrozumieć po co.

– No właśnie. – Karol skinął ręką na kelnera i poprosił o rachunek. – Kartą – odpowiedział na jego pytanie. – Dlaczego miałbym to robić? Wiem – rozżalił się nagle – wy wszystkie już skreśliłyście mnie jako człowieka. Macie mnie za podleca, którym istotnie byłem. Ale nie możesz uwierzyć, że chcę się zmienić?

Teo popatrzyła na niego przeciągle.

– Zadzwonię – powiedziała i szybkim krokiem wyszła z restauracji.

*

– Leksi!!! Leksi! Co za niespodzianka! No nie wierzę, normalnie nie wierzę. Uszczypnij mnie, tylko szybko! – Teodora aż krzyczała z radości wniebogłosy na widok przyjaciółki. Niespodziewany widok. Dawno nieoglądany widok, prawie zapomniany, no nie, jednak „...precz z mej pamięci, nie, tego rozkazu..."*. – Kochana, kochana, jak dobrze, że jesteś. Naprawdę, chyba cię ściągnęłam myślami. Właśnie teraz bardzo cię potrzebuję... Ciociu, popatrz tylko, kogo tu mamy – pisnęła na widok Weroniki, którą przywabiły do dyżurki okrzyki dziewczyny. A Leksi już wisiała starszej pani na szyi.

– Strasznie się stęskniłam. Ach, jak dobrze was widzieć. Możecie się urwać? Chodźmy na obiad, nawet specjalnie nie jadłam w domu, mama chyba się obraziła. Ale co tam, przebłagam ją wieczorem, a teraz chcę się z wami nagadać, poproszę o wszystkie wiadomości, złe i dobre, a najlepiej tylko dobre. – Aleksandra zaczęła rozpinać kurtkę. – Czemu się tak dziwisz, Teo, że jestem? Niedługo mamy imieniny, niechbym tylko nie przyjechała... Stęskniłam się bardzo, udało mi się wyrwać kilka dni urlopu, więc jestem. Rodzice i tak nie mogą zrozumieć, dlaczego ja w ogóle siedzę tam w tej Gdyni.

* Fragment wiersza *Do M...* Adama Mickiewicza.

– Spodziewałam się ciebie, ale imieniny twojej mamy dopiero za tydzień, a ty już się zjawiłaś. Wspaniale się składa, bo jest coś, co muszę wam opowiedzieć i z wami obgadać. No, Leksi, idealnie trafiłaś z tą swoją wizytą – ekscytowała się Teo, a Weronika, w odpowiedzi na pytające spojrzenie Aleksandry, uniosła tylko ramiona w geście wyrażającym całkowitą niewiedzę.

– Niezbyt idealnie, przecież leje i zimno. To ma być lipiec? – narzekała Ola, wieczna zmarzlucha. – To znaczy na razie połowa czerwca, ale przecież to nie kwiecień. Co musisz nam takiego pilnego opowiedzieć?

– Nie narzekaj, co tam pogoda, grunt, że jesteś. Zaraz się wszystkiego dowiesz. Ciociu, idziemy niedaleko twojego ukochanego obiektu w Bydgoszczy. – Teodora objęła starszą panią i skierowała się w stronę wyjścia z Czterech Łap. – Więc zrób sobie trochę wolnego i chodź z nami.

– Idę, idę, nie musisz mnie namawiać. Poszłabym nawet do baru mlecznego, byle z wami. Oli nie widziałam całe wieki i bardzo jestem ciekawa twojej opowieści.

Wybrały się do klimatycznej herbaciarni na Wyspie Młyńskiej, znanej i lubianej przez nie wszystkie. Dojechały w okolice Starego Miasta, zostawiły samochód na Jagiellońskiej i dalej ruszyły na piechotę – przez Rybi Rynek, Stary Rynek do Długiej i już były u celu, na Wełnianym Rynku. Poszły tam, bo miały ochotę na naleśniki, nie na mięso. Poza tym Ola chciała popatrzeć na swoją rzekę i na najwspanialszą wyspę świata, jak mawiała o najpiękniejszym krajobrazowo zakątku Bydgoszczy. Wyspa Młyńska, rewitalizowana tak najaktywniej chyba od dwa tysiące czwartego roku, ze środków z Unii Europejskiej, ze swoimi kaskadami, jazami wodnymi i piękną zielenią przy nabrzeżach, stała się obecnie ulubionym miejscem spotkań bydgoszczan i wszystkich, którzy odwiedzają Bydgoszcz. Te Trzy nie były więc odosobnione w swoich zachwytach wyspą i całą Wenecją Bydgoską.

W herbaciarni wybrały, jak zwykle, salę kominkową, z dominującym kolorem zielonym i delikatnymi ornamentami roślinnymi na ścianach. Usiadły przy oknie, szczęśliwie był tam wolny stolik. Miały stąd widok na kładkę nad Młynówką i budynek opery.

Od czasu gdy zakończono wreszcie budowę opery bydgoskiej, po przeszło trzydziestu czterech latach, Opera Nova – jej okazały gmach, walory akustyczne sali widowiskowej, możliwości techniczne sceny i umiejętności orkiestry, chóru i baletu – budzi zachwyty wszystkich miłośników opery. W Bydgoszczy największą chyba miłośniczką opery była Weronika, która umiała zarazić swoją pasją Te Trzy. Chodziły do Novej dość często, wolały spektakl operowy od wieczoru w kinie. Wieczór w operze był dla każdej z nich świętem, kino – e tam.

– To najmilsza sala w tej herbaciarni – sapnęła zadowolona Weronika, sadowiąc się na stylowej kanapie stojącej pod ścianą, w kącie przy oknie. – Chodź tu, dziecko, siadaj obok mnie – zaprosiła Aleksandrę, a Teodora usiadła na krześle po drugiej stronie stołu, również stylowym. Teo ucieszyła się ze swojego miejsca, bo od pewnego czasu pobolewał ją kręgosłup, więc kanapa, choćby najwygodniejsza, była dla niej mniej komfortowym siedziskiem od dobrze wyprofilowanego krzesła.

Gdy już zamówiły naleśniki i wybrały herbatę, każda inną, żeby wszystkich spróbować, Teodora opowiedziała przyjaciółkom o rozmowie z Karolem.

– Wiecie, to, co mówił, naprawdę brzmiało sensownie. Z pewnością uważacie, że nie należy wierzyć w szczerość jego intencji. Ale... powiem wam, że sama nie wiem... Chciałabym, żeby Luśka miała prawdziwą rodzinę. Żeby Adaś miał mamę i tatę. I żeby ciocia wreszcie była już spokojna o swojego siostrzeńca. Nie mów nic, ciociu, jeszcze nie – uprzedziła, bo Weronika nabrała duży haust powietrza w płuca i zamierzała się odezwać. – Chcę skończyć – kontynuowała Teo. – Wydaje mi się, że Karol chyba naprawdę dojrzał już do tego, to znaczy do założenia rodziny. Boję się jednak, że Jolka go nie zechce. I nie wiem, czy ją przekonywać, a jeśli tak, to w jaki sposób?

– Spróbuję jakoś wysondować Lusię. Co wy na to? Bo może lepiej powiedzieć jej wprost, jakoś ją przygotować, sama nie wiem – zastanawiała się Weronika.

– Chciałabym, żeby Jola miała rodzinę i – masz rację, Teosiu, kochanie – chciałabym, żeby ten mój siostrzeniec, wieczny amant, miał wreszcie rodzinę. Lepsza nie mogłaby mu się trafić. Tylko jeśli znowu przydarzy mu się jakiś skok w bok? Jeśli znowu zrani Luśkę? I jeśli coś takiego zdarzy się, gdy Adaś będzie już na tyle duży, żeby wypytywać, dlaczego mama już nie kocha tatusia albo odwrotnie?

– Ciociu, oj, no wiesz doskonale, że coś takiego może się przytrafić z każdym tatusiem, jakiego Jola mogłaby

zafundować synowi. Nie Karol pierwszy wymyślił zdradę i nie można zagwarantować, że tylko on „tak ma".
– Aleksandra przytuliła się do Weroniki. – Zapewniam cię, że doskonale wiem, o czym mówię. Pamiętasz moją przygodę z Marianem? A ten cały Antoni Luśki? Mało to takich? Niestety, kobiety często dają się złapać na czułe słówka. Chociaż – dodała po chwili – gwoli sprawiedliwości trzeba dodać, że równouprawnienie, o które walczyły i walczą nadal feministki, rozciąga się i na tę sferę życia. Dzięki jednej z takich „feministek" mam gdzie mieszkać w Gdyni... I dzięki niej... – Leksi zaniosła się sztucznym kaszlem, bo o mały włos nie wyrwało jej się coś, o czym teraz jeszcze w ogóle nie chciała mówić. Na szczęście żadna z tamtych dwóch chyba jej nie słuchała, myślami błądziły wokół Lusi i jej ewentualnej rodziny.

Aleksandra biła się z myślami. O swoim incydencie z Karolem, w Gdyni, nie chciała mówić, a już na pewno nie przy Weronice. Jednak nie wiedziała, czy nie odrzucić zdecydowanie pomysłu zeswatania Joli z Karolem. Szkoda jej było przyjaciółki, przecież wiedziała, że on się nie zmienił. Sam jej to powiedział. Lubi kobiety i będzie je lubił nadal. W końcu postanowiła jednak nic nie mówić, może ten Adasiowy tatuś kiedyś zmądrzeje, cóż, zdarza się... chyba...

Stanęło na tym, że Weronika spróbuje wybadać, czy Jola mogłaby w ogóle dopuścić myśl o ponownym, teraz już bardziej formalnym, związaniu się z Karolem.

Po zakończeniu tajnych obrad trzy konspiratorki powałęsały się trochę po Wyspie, mimo zacinającego deszczu i chłodnego wiatru; po czym Teo odwiozła

Weronikę na Sielanki. Leksi uznała za konieczne odpracowanie zjedzonych kalorii i postanowiła, że dzielnie pójdzie do domu na piechotę. W końcu ulica Kościuszki nie była aż tak bardzo daleko, Leksi w Gdyni robiła dłuższe spacery.

Rozdział 34

– Teośka! Cudownie, że cię słyszę, właśnie miałam do ciebie dzwonić. – Aleksandra zapinała ostatnie guziki kurtki. Wprawdzie był lipiec, ale siedemnaście stopni przy zachmurzonym niebie to nie jest pogoda pozwalająca wychodzić z domu bez grubszego okrycia. – Wybierałam się do was, do Czterech Łap, ale właściwie to chciałabym na razie tylko z tobą się spotkać, bez Weroniki. Chcę się poradzić. Jeszcze przed wyjazdem.

– To gdzie? Pod Orła czy do Karczmy Młyńskiej?

– Och, jak dawno nie byłam Pod Orłem – rozmarzyła się Leksi. – Tam!

Wszyscy zaczynają mnie prosić o rady, pomyślała Teosia i trochę się zasępiła z tego powodu. Każdy już ją postrzega jako taką starą ciocię Klocię, przed którą można się wyżalić, a ona pogłaszcze po główce i coś tam doradzi. Ale właściwie, stwierdziła po namyśle, taka jest prawda. Wygląda na to, że teraz już będę żyła tylko cudzym życiem, rozżaliła się, moje własne to jedynie wegetacja. I z takim pesymistycznym nastawieniem do reszty życia pojawiła się na Gdańskiej naprzeciwko Dworcowej.

Leksi już tam była, siedziała przy stoliku schowanym za czworokątnym słupem. Wystawiała głowę, żeby dojrzeć przyjaciółkę. Długo nie czekała, bo Teo była maniaczką punktualności i przyjaciółki wiedziały, że jeśli nie chcą się narazić, muszą przychodzić na wszystkie spotkania bez spóźnienia. Oczywiście na Teodorę też nie czekały, nigdy. Z maleńkimi wyjątkami potwierdzającymi regułę.

– Mogłabym owijać w bawełnę to, co ci chcę opowiedzieć. Umiem opowiadać i lubię mówić, jak wiesz – rozpoczęła Aleksandra, gdy już złożyły zamówienie. – Ale aż mnie roznosi, żeby powiedzieć od razu, o co chodzi.

– No więc gadaj, bo na razie to właśnie owijasz... nawijasz...

– Chyba się zakochałam.

Teo uniosła w górę kciuk w radosnym geście i już otworzyła usta, ale zaraz je zamknęła, bo Leksi syknęła na nią i opowiadała dalej...

*

Dzwonek o mało się nie urwał. Aleksandra z rozmachem otworzyła drzwi, nawet nie patrząc, kto za nimi stoi.

– Tyle razy ci mówiłam, żebyś nie dzwonił jak wściekły. Przecież... – Zamilkła, ponieważ to wcale nie był Grzegorz, którego się spodziewała i na którego czekała, bo miał jej dostarczyć bezy z jakiejś tam, tylko jemu znanej cukierni, piekącej takie pyszności.

Leksi miała na sobie legginsy i powyciągany T-shirt; jedwabna błękitna bluzka i ciemnogranatowe dżinsy

286

znanej marki leżały przygotowane na krześle. Niestety, na tym samym krześle – i to na samym wierzchu – leżał też nowy stanik z koronki.

– Jezusie święty! – pisnęła Ola. – Przepraszam. Która to godzina? – Spojrzała na zegarek. – Jedenasta? – Spojrzała na swoich gości, a byli nimi Marek i Sissi. Marek nieco rozbawiony, dziewczynka zaciekawiona.

– Nie wpuści nas pani? Tato? – Mała zwróciła się do ojca, podnosząc w górę brewki.

– Przepraszam, przepraszam, ależ wchodźcie, proszę bardzo – mamrotała Aleksandra, miotając się w popłochu. Złapała najpierw ubrania z krzesła, przy czym stanik oczywiście spadł jej na podłogę. Doceniła, że Marek nie rzucił się, żeby go podnosić, dyskretnie patrzył w stronę kuchni, skąd dochodził właśnie dźwięk wyłączającego się ekspresu do kawy. – Nie miałam pojęcia, że już tak późno. Zegarek mi się zepsuł. – Podsunęła Markowi pod oczy przegub lewej ręki. – Siadajcie, za chwilę się ogarnę. – Z tymi słowami uciekła do łazienki, kątem oka dostrzegając jeszcze wchodzącego do mieszkania Grzegorza. Pięknie, pomyślała, teraz ten Jackiewicz będzie pewny, że Grzesiek ze mną mieszka. Sama nie wiedziała, dlaczego nie chciałaby, żeby ojciec Sissi tak myślał.

Gdy już przebrana weszła do pokoju, sytuacja była opanowana. Goście siedzieli przy stole, na którym królował talerz z bezami, ale były też inne ciastka, kupione rano przez Olkę w cukierni Wybickiego, przy Świętojańskiej. Przed Markiem i Grzegorzem dymiły kubki z kawą, a przed Elżunią stała szklanka soku z czarnej porzeczki.

287

– Sama sobie ten sok wybrała. – Grześ poderwał się z krzesła. – Siadaj, już robię kawę dla ciebie.

– To twój mąż? – chciała wiedzieć dziewczynka.

– Bardzo miły. Przyniósł mi bezy. Lubię go. A skąd on wiedział, że lubię bezy? I skąd wiedział, jak mam na imię?

– Sissi! – zgromił ją ojciec. – Tyle razy ci mówiłem, że nie można tak wypytywać ludzi. A już na pewno nie tych, których nie znasz.

– Ale, tato – oponowała Elżunia – przecież ja znam panią Olę. Wiem, jak ma na imię i… – Zadrżała jej bródka.

– Pewnie, że mnie znasz. – Leksi wstała i przykucnęła przy krześle Elżuni. – Możesz mnie pytać, o co tylko chcesz. Ten pan to nie mój mąż. To taki najmilszy sąsiad. Jesteśmy jak rodzeństwo, dlatego on wszystko wie o tobie, bo przecież musiałam mu opowiedzieć o pewnej bawarskiej księżniczce. Nie co dzień się poznaje kogoś takiego! – zaśmiała się Aleksandra.

– Ja już uciekam, księżniczko, miło było cię poznać. – Skalski skłonił się w pas przed Elżunią, a ona szybciutko wstała z krzesła i dygnęła uroczo. – Bardzo dziękuję za bezy, choć teraz lubię też inne ciastka.

Spędzili razem miłe dwie godziny, a potem poszli na spacer Bulwarem Nadmorskim, doszli do małej sympatycznej willi-hoteliku, położonej jakieś sto metrów od morza, otoczonej piękną zielenią – i wrócili.

– Następnym razem zapraszam na obiad – powiedziała Leksi i zaraz ugryzła się w język. Po pierwsze – naprasza się. Po drugie – jaki obiad? Przecież ona nie cierpi gotować. Jej mama owszem, ale do mamy za daleko. – Co lubisz? – spytała dziewczynkę i aż wbiła paznokcie w dłoń, spoglądając z ukosa na Marka. No, naprasza się, nie da się ukryć.

On jednak nie wyglądał na niezadowolonego. Przeciwnie, uśmiechał się szeroko.

– Ona lubi wszystko. – Zmrużył oczy, bo nagle słońce zaświeciło wprost na niego.

– Tata! – Elżunia aż się zatrzymała z oburzenia. – No przecież wiesz, że nie lubię cebuli. Nie zjem zupy z cebulą, nigdy, przenigdy. – Aha – zwróciła się teraz wprost do Leksi. – I jeszcze nie lubię sosu pomidorowego ani keczupu.

– Rozumiem. – Aleksandra się uśmiechnęła, bardziej na myśl, że miałaby zrobić zupę z cebulą. Albo w ogóle zupę. Ona i jej gotowanie! Ale dobrze wiedzieć, miała już jasność choćby co do pizzy, bo przez chwilę myślała, żeby ją zamówić, pewna, że wszystkie dzieci takie jedzenie lubią.

– A więc pizzy też nie jadasz? – upewniła się jednak.

– Jadam, ale taką specjalną, bez sosu pomidorowego, tata dla mnie zamawia w naszej pizzerii.

– Bardzo rzadko – odezwał się jednocześnie Marek. – Jestem staromodny i uważam, że pizza to nie jest właściwe jedzenie dla dzieci.

– Och, to czym, według ciebie, powinny się żywić dzieci? – spytała, wyjaśniając dalej, że ona nie ma dzieci, więc nie ma o tym pojęcia.

– Zobaczysz, co moja córka lubi najbardziej, bo to my ciebie zapraszamy na obiad. W sobotę, o drugiej. I nie przyjmuję do wiadomości żadnej odmowy. Możesz przynieść bezy.

– Tata, ja przecież już jem wszystkie ciastka. – Dziewczynka pociągnęła go za rękaw. – A ostatnio moje najulubieńsze są takie z budyniem.

– Babeczki śmietankowe – wyjaśnił Marek i otworzył przed Sissi drzwi samochodu, jako że dotarli właśnie na plac Grunwaldzki. – Dziękujemy za podwieczorek i miły spacer. – Pomógł córeczce zapiąć się w foteliku i odjechali, a Leksi stała, machając im ręką. Machała, machała, machała... Już ich widać nie było, a ona wciąż trzymała rękę w górze. Jezu, pomyślała, zakochuję się.

*

– I od tego czasu – opowiadała Teosi – spotykamy się regularnie. Sissi, jaka to słodka dziewuszka – zachwyciła się – już mówi do mnie „ciociu", a ja ją po prostu pokochałam. Jaka głupia ta moja Izka, nie mogę się nadziwić. Ale uwielbiam ją, znaczy Izkę, że tam gdzieś się zakochała i zniknęła, bo dzięki temu... – Zamilkła, wpatrując się z błogim uśmiechem w przepięknie błyszczący parkiet restauracji.

– A on? – spytała Teodora. – Ten Marek?

– No, nie wiem. Wiesz, mała jest z nami cały czas. Nigdy nie zaproponował mi, żebym została na śniadanie, choć na kolacjach u nich bywam. Mieszkają w Oliwie, na Piastowskiej, blisko do morza i do parku. Przeważnie spacerujemy. Potem wspólny obiad albo kolacja, wyobraź sobie, że Marek lubi gotować. I robi to świetnie. A potem Leksi grzecznie wsiada w swój samochód. Koniec spotkania.

– Może zalej się któregoś razu?

– Ale jak, skoro on do kolacji nie podaje alkoholu, mówi: „Szkoda, że przyjechałaś samochodem, bo nawet wina nie możemy się napić"?

– Wiesz, on chyba się boi zakochać. A może boi się o córkę?

– Ja myślę, że to trójmiejskie powietrze tak wpływa na facetów. Grzesiek też nie ma dziewczyny na stałe. Dwa razy widzę go z jedną, a zaraz potem jest już jakaś inna. – Leksi specjalnie to powiedziała, chciała, żeby Teo usłyszała imię mężczyzny, którym przyjaciółka tak bardzo chciała ją zainteresować. – O, właśnie, skoro o Grzegorzu mowa, to powiem ci jeszcze, że trochę się o niego martwię. Zdaje się, że ma jakieś kłopoty w pracy. Wspólnik się zakochał i wyjeżdża za granicę, żeni się. Chce sprzedać klinikę, więc Grzegorz od nowa będzie szukał pracy. Nie znam jeszcze szczegółów.

Ale Teosia nie podtrzymała tematu, wróciła natomiast do wątku Joli i Karola.

– Co myślisz o Luśce i w ogóle?

Aleksandra oczywiście dokładnie zrozumiała pytanie. I miała sprecyzowany pogląd. Oczywiście była na nie. Nie wierzyła w nawrócenie Karola, choć była skłonna przyznać, że przecież cuda się zdarzają. Karol potrafił być bardzo miły, sympatyczny, pełen empatii, przyjacielski. *Et cetera, et cetera.* Do tej pory uwielbiałaby go nad życie, gdyby nie ta historia z telefonem na oblewaniu mieszkania Luśki. I Adaś oczywiście.

Biła się z myślami, bliska opowiedzenia przyjaciółce gdyńskiego epizodu. Teodora zawsze umiała – i z niej, i z Luśki – wyciągnąć każdą tajemnicę. Nie musiała nawet bardzo się starać, wystarczyło, żeby włączyła ten swój specjalny rentgen w oczach, i już każda z nich pchała się ze zwierzeniami. Teo jednak nawet nie przypuszczała, że Leksi miałaby teraz o czym opowiadać. Nie o Karolu oczywiście. Rentgen pozostał więc niewłączony, a Ola stwierdziła, że jednak nic nie powie. Nic to nie zmieni, niech los sam zdecyduje, co ma być.

– Nie wiem, co myśleć – powiedziała w końcu. – Chciałabym uwierzyć w jego dobre intencje, ale…

– Właśnie o to „ale" chodzi. Teraz już musimy poczekać na efekt działań Weroniki.

Zapłaciły rachunek i wyszły przed hotel.

– Skoczymy na Wyspę? – poprosiła Leksi. – Wiesz, ja pojutrze wyjeżdżam…

Oczywiście poszły.

Rozdział 35

Weronika miała twardy orzech do zgryzienia. Najchętniej wykręciłaby się od swojego zobowiązania, ale obiecała dziewczynom, więc…

Pomogła Joli przy wieczornej kąpieli Adasia, ułożyły go w kołysce, a potem zrobiła kolację i zaprosiła Lusię do kuchni.

– Chodź, chcę z tobą pogadać. W kuchni najprzyjemniej.

Usiadły przy stole, pod którym leżał już puszysty dywanik złożony ze wszystkich sielankowych psów; koty rozciągnęły się na parapecie, owinięte wokół paprotek. Wszyscy zwierzęcy domownicy byli już nakarmieni, a jedzenie dla ludzi leżało na talerzykach. Psie nosy uznały, że nie ma tam nic, o co warto by prosić (pewnie, same sery i pomidory). Koty o jedzenie nie prosiły, były za dumne, i tak wiedziały, że swoje dostaną.

– Ciociu, a czemu to tak, z zapowiedzią? – spytała zaintrygowana Luśka. – Stało się coś? Chora jesteś? – zmartwiła się nagle.

– Nie! – Weronika roześmiała się, trochę sztucznie. – Przynajmniej nic mi o tym nie wiadomo. Po prostu chciałam pogadać, bo właściwie to życie tak pędzi, dopiero rano, już wieczór, nie ma na nic czasu.

– Ciociu, to mów. Bo jeśli o mnie chodzi, to sama wiesz, że nie mam co opowiadać.

– Właśnie, dziecko kochane, wiem. – Weronika pokiwała głową, sięgając po sól do pomidorów. – Tak sobie pomyślałam, że może powinnaś zacząć gdzieś wychodzić. Ja sobie z Adasiem sama poradzę, przecież wiesz. Bardzo mi przykro patrzeć, jak życie przecieka ci między palcami, powinnaś cieszyć się młodością. Nie tylko dzieckiem, choć oczywiście ono jest najważniejsze.

– A gdzie ja mam wychodzić? Przecież dziewczyny tu przychodzą, więc mam kontakt z młodością, jak mówisz. I w kinie bywam, w teatrze też. Na nic innego nie mam ochoty. Lubię być tu, z wami, z tobą i z Adasiem.

– A... przepraszam za obcesowość – starsza pani trochę się zaczerwieniła – nie brak ci mężczyzny?

– Boże! Ciociu! – Teraz zaczerwieniła się Jolanta. – O co ty pytasz? Nawet jeśli tak, to skąd miałabym wziąć jakiegoś mężczyznę? Chyba nie myślisz o...

– Urwała, a Weronika poprawiła się na krześle.

– Myślę! – Hardo pokiwała głową. – Właśnie myślę. Myślę o tym, że rodzina powinna być kompletna. Każdy popełnia w życiu jakieś błędy, nie myśl, że chcę wybielić czy usprawiedliwić swojego siostrzeńca, ale... – Podniosła się z krzesła i zajrzała do kredensu. Wyjęła karafkę nalewki i dwa kieliszki. – Raz możemy pogrzeszyć, a co tam! – Napełniła kieliszki rubinowym płynem. – Dobra, ubiegłoroczna wiśnióweczka, po jednym nie zaszkodzi.

Jola wzięła do ręki kieliszek i nie odezwała się ani słowem. Czekała na ciąg dalszy. Ale ciocia Weronika wiedziała, jak budować napięcie. Chciała dziewczynę zaintrygować. Spokojnie sączyła swoją nalewkę. Wypiła i nalała sobie następny.

– Nie pijesz? – Skinęła karafką w stronę Lusi, a ta spojrzała na swój kieliszek trochę nieobecnym wzrokiem.

– Ciociu, mów zaraz, co tam wykombinowałaś, bo przecież widzę, że to nie jest zwykła pogawędka, tylko coś sobie wymyśliłaś. Nie zaskakuj mnie jakąś rodzinną uroczystością z obecnością Karola ani niczym podobnym.

– Zaskakiwać cię nie chcę i nie będę. Chciałam jedynie powiedzieć, że widzę, jak ten mój nic niewart siostrzeniec patrzy na swojego syna. I bardzo mnie to cieszy. Widzę też, jak patrzy na ciebie. Nie mów mi tylko, że tego nie zauważasz.

– Ciociu... – usiłowała coś wtrącić Luśka.

– Cicho! – rozkazała ciocia. – Pij i słuchaj. Wiem, że to babiarz, powiesz pewnie, że on tak patrzy na wszystkie kobiety. Może i tak, ale przecież oprócz wad ma też pewnie i zalety, jak każdy. Jedno wiem na pewno – głupi nie jest. A musiałby być głupi, gdyby odrzucił gotową rodzinę, jaką podarowało mu życie, chciał nie chciał.

– Przecież nie chciał. – Jola znowu próbowała coś powiedzieć.

– Cicho. – Ciocia po raz trzeci napełniła swój kieliszek. Dolała też Lusi, która po reprymendzie upiła trochę. – Wiem, że i ty nie jesteś głupia. Pytam więc – odrzuciłabyś go, gdyby teraz chciał jakoś formalnie zalegalizować wasz związek?

– Jaki związek, ciociu? – Jola wstała z krzesła. – Zaraz wracam – rzuciła i wyszła z kuchni.

– Śpi? – upewniła się Weronika, gdy dziewczyna wróciła.

– Tak, jak aniołek. – Lusia usiadła i wypiła to, co miała w kieliszku. – Wracając do naszej rozmowy, pytam jeszcze raz – jaki związek? Nasza znajomość nigdy nie była związkiem. Najpierw byłam pod ręką, dobra do łóżka, sprzątania i gotowania. Potem Karol ze mnie zrezygnował, bo nie chciał ciężarnej pomocy domowej. Samego dziecka też nie chciał. Trudno, przeżyłam to, choć doskonale wiesz, że tylko dzięki wam – tobie i Teośce. Teraz trochę okrzepłam, nawet na tyle, żeby go nie zagryźć, jak się tu zjawia. Ale do zakładania z nim rodziny daleka droga. Ciociu, wiem, że chciałabyś, aby wszystko pięknie się poukładało, ot, mama i tata, cała rodzina, i śliczny wnuczek. Ja też bym tego chciała, ale… jeśli to ma być z Karolem, musiałby sobie na to zapracować. Bardzo.

Jola siedziała przy stole, zapatrzona przed siebie, nie zdawała sobie chyba nawet sprawy z tego, że Weronika zmywa naczynia po kolacji. Normalnie to ona by zmywała, a przynajmniej zaproponowałaby pomoc. Sięgnęła po kieliszek i bardzo się zdziwiła, gdy okazał się pusty. Karafka stała jeszcze na stole, Luśka napełniła więc obydwa kieliszki i zwróciła się do cioci, która już wszystko pozmywała.

– Ciociu, a mówiłam ci, że znowu będę pracować? To znaczy jeżeli się zgodzisz.

Weronika pokręciła głową, ale nie zdążyła się odezwać, bo Jola już opowiadała, na jaki pomysł wpadli

Mirka z Kajetanem. Otóż ona, Lusia, miałaby przygotowywać w domu sadzonki i rozsady w hurtowych ilościach, gdyż spółka „Kajtek. Ogrody – projekty, wykonawstwo, pielęgnacja" rozszerzała działalność o sprzedaż roślin. Sklep ogrodniczy będzie się mieścił przy działce rodziców Kajetana, w Myślęcinku. Bardzo jej się spodobał cały ten plan i miała nadzieję, że Weronika pozwoli jej zaadaptować murowany domek, pełniący do tej pory funkcję garażu, składziku i ogólnie pomieszczenia gospodarczego. Oczami wyobraźni widziała już tam półki, na półkach rzędy malutkich doniczek, a w nich... różności.

– Trzeba by tylko zainwestować w jakieś ogrzewanie domku, ale tym zająłby się Kajetan. O ile się zgodzisz, oczywiście. Specjalny piec akumulacyjny by kupił, nie wypytywałam dokładnie. Na razie byłaby to taka produkcja na niewielką skalę, a gdyby dobrze szło, to Kaj mówił coś o jakimś systemie zraszającym. Nie wiem, to szczegóły techniczne, w które nie chciałam wchodzić, bo najpierw muszę poznać twoje zdanie.

– Dziecko, rób, co chcesz, nawet nie pytaj. Zgodzę się nawet na uprawę cebuli, ale z tyłu, za domem – odrzekła z uśmiechem Weronika. O tej cebuli to był taki ich prywatny żart, bo nie lubiły jej obydwie i do potraw używały czosnku, gdzie się dało. – A Karola zaprosiłam jutro na obiad. I nie będzie to żadna zaplanowana uroczystość rodzinna, po prostu obiad – dodała przewrotnie kochana ciocia.

Nie było to prawdą, ale chciała zobaczyć reakcję Lusi i gdy ta tylko przewróciła oczami, nie oponując jednak, zadzwoniła do siostrzeńca ze swojego pokoju, przed pójściem spać. Bardzo się zdziwił, usłyszawszy zaproszenie, przyjął je jednak natychmiast.

*

Aleksandra też miała zadanie do wykonania. Związane było z planem, który uknuła, dowiedziawszy się o kłopotach Grzegorza z pracą. A właściwie on sam jej to nieświadomie podpowiedział.

– Los miota mną po kraju. Warszawa, Towiany, Biskupiec, Gdynia. Co jutro? Może Bydgoszcz? – Uśmiechnął się do uroczej bydgoszczanki, siedzącej przed nim na podłodze. Aleksandra lubiła tak siadać, wygodnie, po turecku, na puszystej wykładzinie w kawalerce Grześka. Zawsze czystej i dobrze odkurzonej, co Leksi, zadeklarowana porządnicka, umiała docenić. Obok rozciągała się Ella, aczkolwiek nie zawsze; jaśnie pani kotka nie zawsze była w humorze. Dzisiaj była, leżała więc przy Leksi i łaskawie pozwalała głaskać się po grzbiecie. Byle nie za długo, sygnalizowała nastroszonymi wąsami, który to sygnał Ola znała już i rozumiała.

Bydgoszcz! – pomyślała. Tak! Przecież Teo ma mieszkanie, które wynajmuje, a klinik weterynaryjnych jest w Bydgoszczy co najmniej kilka. Muszę to wszystko dobrze przekalkulować, postanowiła.

– A kiedy sprzedajecie klinikę? – zapytała.

– W sumie to tylko Marcin ją sprzedaje, ja przecież nie zdążyłem wnieść swojego wkładu. Opowiadam ci o tym od tygodnia – odparł urażonym tonem. – Myślałem, że słuchasz i rozumiesz. – Wstał z kanapy i zaniósł do kuchni pustą szklankę. – Chcesz jeszcze kawy? Może herbaty?

– Przepraszam. – Aleksandra poszła za nim do kuchni. – Przecież słucham i rozumiem. I właśnie nie usłyszałam, kiedy sprzedaż dojdzie do skutku. O to pytam, a liczby mnogiej użyłam, bo przecież obydwaj się tym zajmujecie. Nie bądź taki obrażalski. Martwię się po prostu, że stracę sąsiada. I przyjaciela.

Jutro wyjeżdżała z Bydgoszczy. Nie zdążyła dotąd pogadać z Teosią o Grzegorzu, bo niespodziewanie musiały się zająć układaniem życia Joli. I Adasia. Potem najważniejsze było opowiedzenie przyjaciółce o Marku i bawarskiej księżniczce. Teraz właśnie szła do parku Kochanowskiego, tam właśnie umówiła się z Teo i Weroniką. Ciocia oznajmiła jej przez telefon, że przeprowadziła rozmowę z Lusią i chce wszystko opowiedzieć, ale im obydwu, po południu. Ola miała nadzieję, że dzisiaj w końcu porozmawia z przyjaciółką o planie, który uknuła dla jej dobra. Dobra przyjaciółki, czyli Teosi właśnie.

– Ciociu, a możecie z Teo przyjechać pod teatr? – poprosiła Leksi. – Będę czekała przed Łuczniczką. Wiesz, chcę się nacieszyć tym, co w Bydgoszczy najładniejsze, bo teraz to pewnie przyjadę dopiero na Wigilię.

Weronika zdała im relację z wykonanej misji.

– Wiem, że nie najlepiej mi poszło – zakończyła smętnie. – Ale żadna z nas nie oczekiwała przecież, że Lusia w całości i od razu zaaprobuje ten pomysł. Najważniejsze, że nie okazuje już nienawiści do Karola i nawet pozwoliła mi zaprosić go dzisiaj na obiad. Muszę więc lecieć, bo ten obiad ma być o osiemnastej. To w zasadzie kolacja, ale jak zwał, tak zwał.

– Ciociu, przecież cię odwiozę. – Teodora się podniosła. – Czy może chcesz coś jeszcze kupić, czy od razu do domu?

– Wszystko mam, dziękuję. – Weronika uściskała Leksi. – Jaka szkoda, że już wyjeżdżasz, ciągle mam cię za mało.

– Ciociu, uściskasz mnie przed domem, bo teraz jadę z wami, chciałabym na pożegnanie zjeść jakieś ciastko z Teo. Możesz chyba? – zwróciła się do przyjaciółki. Musiała w końcu pogadać z Teośką o Grzegorzu.

– A może wy też przyjdziecie do nas? – zaprosiła Weronika.

– Nie, nie, bardzo dziękujemy. Niech to będzie ściśle rodzinna kolacja, trzeba Luśkę do tego przygotowywać. – Leksi, która odpowiedziała za siebie i Teo, nie mogła zrozumieć, czym tak bardzo rozbawiła ciocię, która usłyszawszy o rodzinnej kolacji, dostała ataku śmiechu. Opowiedziała dziewczętom, dlaczego się śmieje, i odjechały aleją Mickiewicza w stronę Sielanki.

Pogoda była znośna, więc Aleksandra zaproponowała przyjaciółce, żeby posiedzieć na skwerze Turwida zamiast w kawiarni.

– Jest jeszcze jedna rzecz, o której chciałam z tobą pogadać – przystąpiła od razu do rzeczy. – Pamiętasz może, wspominałam ci, że Grzesiek ma kłopoty, bo stracił miejsce pracy.

– Jak to? – chciała wiedzieć Teodora, więc Leksi opowiedziała o Marcinie, który spotkał po latach studencką miłość i co z tego wynikło. – Jak w kinie

– rozmarzyły się przez chwilę obydwie, po czym Aleksandra spochmurniała. – Wszystko pięknie, tylko biedny Grzegorz zostaje bezrobotnym weterynarzem, bo ten, który kupuje lecznicę, chce ją przerobić na przychodnię dentystyczną. Pewnie, że w Gdyni są inne kliniki weterynaryjne, ale Grzesiek jakoś ogólnie się zniechęcił i sam teraz myśli o wyjeździe z Polski. Mówi, że los tak nim miota po kraju, że może czas już z tego kraju wyjechać. A ja nie chcę, żeby wyjeżdżał. Traktuję go jak brata i sama myśl, że w każdej chwili mogę się do niego zwrócić z każdą sprawą, jest dla mnie ważna. W tym sensie, że wiem, że zawsze mi pomoże. Wiem, gadam chaotycznie, ale to dlatego, że się spieszę. Przez tę całą historię z Karolem nie miałam kiedy dokładnie omówić z tobą tego, co wymyśliłam… – I Ola przedstawiła Teosi swój plan.

Teo miała więc wynająć Grzegorzowi mieszkanie po babci i załatwić mu pracę w klinice, w której pracuje.

– Albo sprzedasz mu to mieszkanie. Na raty, a jeśli on dostanie kredyt, to nie na raty. A co do pracy – zawsze opowiadasz, że nie starcza ci na nic czasu, nie możesz zbyt często bywać w Czterech Łapach i chciałabyś częściej widywać się z Nutką. Nowy pracownik w waszej klinice ujmie ci trochę obowiązków i rozwiąże te wszystkie twoje problemy. A ja będę zadowolona, że masz pod ręką przyjaciela. No i może ja też niedługo wrócę do Bydgoszczy.

– Ej, ej, ej – pokiwała głową przyjaciółka. – Zapomniałaś chyba o bawarskiej księżniczce. I jej tacie.

Leksi zaczerwieniła się po uszy. Bo wcale nie zapomniała o Jackiewiczach. I właściwie to miała nadzieję, że tak szybko do Bydgoszczy nie wróci.

– Co do Grzegorza – mówiła dalej Teo – to mieszkanie miałam wynajęte do końca czerwca, mieszkali tam dwaj studenci. Wprawdzie rozmawialiśmy o przedłużeniu umowy, a właściwie o jej kontynuacji od października, ale niezbyt mam na to ochotę. Sąsiedzi się skarżą na głośną muzykę, a moje rozmowy z chłopakami nie odnosiły skutku. Nie przedłużę więc umowy i gdyby rzeczywiście ten twój Grzegorz chciał, to kto wie? Muszę tam tylko odnowić, odmalować, pewnie wymienić to i owo.

– Grzegorz sam by się tym zajął – ucieszyła się Leksi.

– Ale skąd wiesz, czy chciałby się przenieść do Bydgoszczy? Ustaliłaś to z nim czy sama sobie ułożyłaś taki plan? Przyznaj się.

– No tak, wiedziałam, że włączysz te swoje rentgeny i wszystko ze mnie wyciągniesz. – Aleksandra objęła ją, nie dając okazji do pytania: „Jakie rentgeny?". – Muszę już lecieć, wiesz, pożegnalna kolacja z rodzicami. Zadzwonię do ciebie jutro, jak dojadę do Gdyni.

Czas
przyszły

Rozdział 36

WERONIKA

Styczeń 1966

– Wiesz, Zbyszek prosił, żebym zapytał, czy idziesz z kimś na studniówkę? Bo jeśli nie, to on chętnie by ci towarzyszył, gdybyś zechciała go zaprosić. – Przed Weroniką stał Mirek Hojski, równolatek z klasy B, Weronika chodziła do A. Zbyszek Hojski był jego starszym o rok bratem i zdał maturę już w ubiegłym roku. W liceum Weroniki był znaną postacią, dziewczyny stały do niego w kolejce, a on raptem chce iść z Weroniką na jej studniówkę. O Jezuniu kochany!

– Może ze mną iść – zgodziła się z wyniosłą miną. – Ale sam musi mnie poprosić, co on, nagle taki nieśmiały, czy co?

Okazało się, że właśnie nieśmiały i że zwrócił uwagę na Weronikę jeszcze wtedy, gdy sam chodził do ich liceum. Tyle że wtedy Nika była po uszy zakochana w Januszu Komarnickim i nikogo poza nim nie widziała. Janusz, niestety, nie przeszedł do jedenastej klasy i wielka miłość jakoś się rozwiała, obecnie więc dziewczyna była wolna.

Zainteresowanie szkolnego idola bardzo jej zaimponowało i od momentu rozmowy o studniówce byli parą. Chociaż tak naprawdę to taką bardziej koleżeńską. Chodzili do kina, grywali w brydża, pili tanie wino na prywatkach. I nic więcej. Zbyszek po maturze nie dostał się na studia, zdawał na prawo, egzaminy były bardzo trudne. Ojciec załatwił mu więc pracę w Prezydium Wojewódzkiej Rady Narodowej i Zbysio musiał przeczekać ten rok, mając zamiar w roku następnym – czyli tym właśnie, tysiąc dziewięćset sześćdziesiątym szóstym, ponownie zdawać na studia. Znowu na prawo. Bardzo się przejął tym niepowodzeniem i postanowił sobie, że teraz po prostu musi się mu udać. Uczył się więc naprawdę pilnie i Weronikę zaczynało to nużyć. Bo cóż to za chłopak, który ciągle nie może iść tu lub tam, bo... musi się uczyć. Nika, szczerze mówiąc, zbyt pilna nie była i mimo że był to jej rok maturalny – nie przesiadywała zbyt długo nad książkami. Zawsze coś ciekawszego działo się wokół. A na tę anglistykę i tak się dostanie, bo angielski znała od dziecka. W szkole uczyła się niemieckiego, anglisty wówczas LO nr VI nie miało. Jednak Weronice szkolna nauka angielskiego nie była potrzebna. Mama dziewczyny była z pochodzenia Angielką, tata przywiózł ją sobie jako pamiątkę wojenną, jak żartowano w rodzinie. Obie dziewczynki, Nikusia i Marysia, od urodzenia były więc dwujęzyczne, tata rozmawiał z nimi po polsku, a mama po angielsku. Językiem oficjalnym w domu był oczywiście polski, który mama opanowała doskonale. Z wyjątkiem lekkiego obcego akcentu, ale ten tylko dodawał jej uroku. Obie dziewczynki chodziły też na prywatne lekcje angielskiego, a potem na konwersacje, organizowane w EMPiK-u. Więc filologia angielska była najlepszym wyborem dla Weroniki – o ile, oczywiście, zda maturę. Jednak matura nie była dla niej problemem. Przez egzaminy pisemne przebrnęła śpiewająco, a potem zadziwiła wszystkich swoim opisem szkoły, taki bowiem temat wylosowała podczas egzaminu z języka rosyjskiego.

– Nasza szkoła to, nasza szkoła tamto. I to, i to, i to – opowiadała z przejęciem, oczywiście po rosyjsku, z pięknym akcentem. Weronika miała tak zwane ucho muzyczne i świetnie przyswajała sobie melodię innych języków – angielskiego, niemieckiego, rosyjskiego. Na końcu swojego opisu szkoły oświadczyła, że szkoła jest czerwona (*krasnaja*), czym wprawiła egzaminatorów w konsternację. Budynek liceum był bowiem szary i niczego czerwonego nie miał.

– Piękna, *krasiwaja*, chciałaś powiedzieć? – usiłowała przyjść jej z pomocą pani od rosyjskiego.

– *Niet* – upierała się Weronika – *krasnaja*.

Egzaminatorzy spojrzeli po sobie i szybko wpisali czwórkę do arkusza ocen, nie chcąc ciągnąć tematu, który zaczynał im się jawić jako polityczny. A Weronice chodziło tylko o to, że czerwone były dachówki i chciała tę naszą szkołę tak dokładnie opisać, że już jej się wszystko pokręciło. Jeszcze na balu maturalnym pani od rosyjskiego wypominała dziewczynie tę „czerwoną szkołę".

I właśnie na balu maturalnym, na który Nika poszła oczywiście ze Zbyszkiem, nagle się w nim zakochała.

Zrozumiała to właśnie tej nocy. Objawienie spadło na Weronikę zaraz po wejściu do domu, po namiętnych pocałunkach, jakimi obdarzył ją chłopak.

– Oj, muszę już iść. Puść mnie, bo coś mi tak dziwnie, jakoś słabo.

Rzeczywiście tak się poczuła, myślała jednak, że to zmęczenie po długiej zabawie. To dziwne osłabienie nie mijało jednak nawet w łóżku i Weronika nie mogła zasnąć, cały czas mając przed oczami twarz Zbyszka. Jego rozświetlone oczy, piękny uśmiech, spadające na oczy czarne włosy, odrzucane szybkim ruchem głowy. Jego smukłe palce na strunach gitary, gdy grał piosenkę, którą skomponował dla Weroniki. Słyszała piski zachwyconych koleżanek, bijących brawo po jego występie; widziała ich złe, pełne zawiści spojrzenia. A ona, dziewczyna Zbyszka, do tej pory w ogóle nie doceniała swojego szczęścia.

Od tej chwili stali się prawdziwą parą, nie tylko koleżeńsko-towarzyską. Po egzaminach na studia pojechali razem na wakacje, na Mazury, pod namiot. Tam nastąpił ten ich pierwszy raz; Weronice wydawało się wtedy, że teraz to już będą ze sobą do końca świata. Skończą studia, pobiorą się, będą mieli dwójkę dzieci i tak dożyją do śmierci. Wspólnej, jakoś tak. Nawet wiedziała, gdzie będą mieszkać – na Sielanki oczywiście.

Kwiecień 1966

Weronika stała przed domem, bo z przejęcia nie mogła już wytrzymać w mieszkaniu. Wypatrywała Zbyszka.

To dzisiaj dojdzie do tego epokowego wydarzenia. Cudowne! Premiera Kabaretu O-Wady. Zdzisław Pruss, Wiesław Drzewicz, Czesław Lasota, Krystyna Kołodziejczyk – elita bydgoskiej kultury. Biletów na ich pierwszy występ nie można było dostać normalną drogą. No, ale tata Zbyszka jest wysoką figurą w Miejskiej Radzie Narodowej, więc dla niego zdobycie zaproszenia to drobnostka. A Zbyszek wiedział, że jego Nika wszystkie wydarzenia kulturalne wręcz kolekcjonowała (nowa wystawa malarska, czyjś recital fortepianowy, spotkanie autorskie któregoś z bydgoskich poetów – żadna z tych imprez nie mogła się odbyć bez Weroniki Nowaczyńskiej), więc gdy wieści o powstaniu nowego kabaretu w Bydgoszczy i o premierze przedostały się do miejskiego krwiobiegu, Zbyś natychmiast postarał się, żeby jego ojciec zanotował sobie, że musi załatwić takie zaproszenie. Dla dwóch osób, rzecz jasna.

– Jestem, jestem! – Zbyszek wychylił się z taksówki. – Wskakuj, proszę. Do Mozaiki, na Marcinkowskiego, przy kinie Orzeł – rzucił kierowcy.

– Panie, a co mi pan… Przecież ja bydgoszczak z dziada pradziada jestem. Świetnie wiem, gdzie jest Mozaika – żachnął się taksówkarz i ruszył z piskiem opon.

Zaproszenie, które uzyskał ojciec Zbycha, było dla jakichś ważnych gości, mieli bowiem doskonałe miejsca przy stoliku stojącym tuż obok sceny. Weronika rozglądała się rozgorączkowana, gdyż na takim wydarzeniu jeszcze nie była. Na widowni siedziało mnóstwo oficjeli tudzież cała elita kulturalna miasta.

– O, popatrz, pan Turwid! – Kuksnęła Zbyszka w bok. – Czy wiesz, że mam jego *Noc nad doliną*, z autografem? A tam, o Boże, Józef Makowski. Widziałeś jego rzeźby? W ubiegłym roku byłam na odsłonięciu pomnika ku czci ofiar zbrodni hitlerowskich, na Szwederowie.

– A skąd ty ich wszystkich znasz? – Zbigniew był pod wrażeniem.

– Nie znam, tylko wiem, kto jest kto. Mieszkam w tym mieście i interesuję się kulturą, każdy powinien. – W głosie Weroniki zabrzmiała nutka pogardy, którą jej wielbiciel zrozumiał. I umilkł.

– Oj – nie wytrzymała dziewczyna i ścisnęła Zbyszka za ramię – a tam, popatrz, siedzi pan Jan Piechocki, ojciec mojej nauczycielki języka polskiego, uwielbiam jego felietony w „Gazecie Pomorskiej". O rany, przyszedł z córką. – Nauczycielka Weroniki właśnie na nią spojrzała, ale udała, że jej nie widzi, i nie odpowiedziała na dygnięcie uczennicy, wykonane po mistrzowsku na siedząco.

Weronika skuliła się na krześle, ale zaraz z całych sił zaczęła klaskać, bo program właśnie się rozpoczynał. Po Zdzisławie Prussie na scenę wszedł znany aktor bydgoski, Wiesław Drzewicz. Zdjął mikrofon ze stojaka i tanecznym krokiem podszedł do stolika, przy którym siedzieli Zbyszek z Weroniką. Ukłonił się i rzekł:

– Pragnę serdecznie powitać publiczność, składając gorący pocałunek na dłoni tej oto pięknej młodej damy. – I rzeczywiście ucałował rękę Weroniki, która zapomniała języka w buzi i tylko dygnęła, tym razem na stojąco.

– Jezuniu kochany! – westchnęła z zachwytu, a że pan Drzewicz jeszcze nie całkiem się oddalił, jej

310

westchnienie, wzmocnione przez mikrofon, usłyszała cała sala. Wszyscy wybuchnęli śmiechem i rozległy się gromkie oklaski.

– No właśnie, Jezuniu kochany – podchwycił w mig znany aktor – na razie to panienka dostała największe oklaski, no proszę. – I sam zaczął bić brawo, a Weronika nie mogła już zrobić się bardziej czerwona, niż była.

– Teraz to już na pewno będę miała pogawędkę z moją panią od polskiego – szepnęła do Zbyszka.

Ale nie miała. Pani od polskiego była w porządku i w szkole ani słowem nie pisnęła, przynajmniej nie do Weroniki, na ten temat.

Wrzesień 1966

Weronika stała na peronie i machała chusteczką. Pociąg uwiózł Zbyszka do Warszawy, w tym roku bowiem chłopak postanowił zdawać na to swoje prawo w stolicy, nie w Toruniu. Na Toruń chwilowo się obraził. W Warszawie mieszkał jego wujek, rodzony brat mamy. Wujek ten miał bardzo pożądane znajomości, znał bowiem kogoś, kto znał kogoś, kto mógł załatwić dostanie się na Uniwersytet Warszawski, wszakże pod warunkiem zdania egzaminów. Ale wujek Zbyszka znał jeszcze kogoś, kto wiedział, jakie na takich egzaminach padają pytania, i ten ktoś udzielał prywatnych korepetycji pod kątem przygotowania właśnie do owych pytań. Zbyszek pojechał do stolicy w końcu kwietnia, bo wujek te korepetycje mu załatwił. I w lipcu pan Zbigniew

Hojski zdał te egzaminy i dostał się na swój wymarzony kierunek studiów.

Niestety, studiować miał w Warszawie, Weronika natomiast, po maturze zdanej bezproblemowo i po równie bezproblemowo zdanych egzaminach na studia, dostała się na anglistykę na Uniwersytecie Mikołaja Kopernika w Toruniu.

Teraz właśnie młodzi rozstawali się po raz pierwszy, niezłomnie jednak wierząc, że będą się często widywali. Bardzo często. Cóż, istotnie, spotkali się kilka razy, a potem... Potem kontakt ze Zbyszkiem się urwał. Poznał Katarzynę.

ZBYSZEK

Czerwiec 1967

– Tam, patrzcie, pod tym kasztanem jest świetne miejsce. Zmieścimy się wszyscy. – Andrzej, przywódca grupy, machnął ręką w stronę rozłożystego drzewa.

– Kasztanowcem, kasztan to owoc. – Zbyszek obejrzał się przez lewe ramię, chciał sprawdzić, kto zdobył się na odwagę, by podważyć wiedzę botaniczną wodza. Ujrzał dość wysoką, szczupłą brunetkę, która mocowała się z namiotem.

– Sama jesteś? Daj te śledzie, pomogę ci. – Spodobała mu się, więc zrobił „pierwsze podejście".

I dalej poszło jak z płatka. Byli parą przez całe studia. O Weronice zupełnie zapomniał.

Kwiecień 1970

– Jestem w ciąży. – Katarzyna wygłosiła to oświadczenie przy kolacji, beznamiętnym tonem. – Jesteśmy – dodała, wskazując na Zbyszka, który był już prawie domownikiem w willi na Mokotowie.

Rodzice dziewczyny, jeśli w ogóle przejęli się tą wiadomością, to tylko trochę. Nie okazali żadnych emocji, przynajmniej nie podczas tej kolacji; o czym rozmawiali między sobą, Zbyszek nie miał pojęcia, przez te trzy lata jednak poznał ich na tyle, że był pewny, iż ciąża córki nie wstrząsnęła nimi zbytnio. Ot, ciąża, no cóż, dobrze, że to ostatni rok studiów. Matka wypytała tylko Katarzynę, kiedy poród i kiedy chcą brać ślub. Założyła, że chcą, więc wzięli. Bez zbytniego entuzjazmu, lecz innego pomysłu nie mieli.

Październik 1970

Po obronach obojga, na początku października, rodzina Katarzyny urządziła huczne wesele. Ślub był cywilny, szybki i bez ceremonii. Z Bydgoszczy przyjechał ojciec Zbyszka. Dalszej rodziny pan młody w ogóle nie powiadomił. Przyjęcie weselne, w jednej z najmodniejszych wówczas restauracji warszawskich, było huczne i wystawne. No cóż, Janiccy mieli tylko jedną córkę. A właśnie im przybył syn. Pod koniec października w rodzinie przybył jeszcze jeden mężczyzna, gdyż na świecie pojawił się Maciuś. Do willi na Mokotowie przybyła też pani Wandzia, wyszukana gdzieś przez babcię Maciusia.

Pani Wandzia stała się bardzo ważnym członkiem nowej rodziny, dziecko nie mogło trafić w lepsze ręce. A ponieważ w Katarzynie obudziły się bardzo silne uczucia macierzyńskie i młoda mama koniecznie chciała sama opiekować się synkiem, pani Wandzia stopniowo stała się pomocą „do wszystkiego"; sprzątała, prała, gotowała, a matka Kasi zachodziła w głowę, jak sobie dotąd radziła bez tej wyjątkowej osoby.

Na razie więc wszystko było idealne.

Janiccy zgodzili się nawet na psa, którego zięć przyprowadził do domu – dla Maćka, jak oznajmił. Ale tak naprawdę As był głównie dla niego. Zbyszek od dziecka marzył o psie, do tej pory jednak nie miał na to warunków. Asa znalazł na ulicy kolega z pracy i chciał odprowadzić go do schroniska.

– To taki kundel owczarkopodobny – mówił. – Wygląda na młodego. Nie mogę go zatrzymać, bo wszyscy w domu pracują do późna. Teraz jest babcia, ale za dwa dni wraca do siebie. Mam więc dwa dni, żeby mu znaleźć dom. A może ty go weźmiesz? – Spojrzał z nadzieją na Zbyszka. – Bo właściwie to czemu nie?

No tak, czemu nie, pomyślał Hojski i po pracy poszedł z kolegą, by obejrzeć psa. Na Mokotów przyszedł już z nowym podopiecznym.

– Ale będzie mieszkał w budzie – zapowiedział Janicki. Zbyszek pomyślał, że lepiej w budzie niż na ulicy lub w schronisku, i zgodził się na ultimatum teścia. Zanim jednak przywieziono zamówioną budę, As zdążył już podbić serca wszystkich domowników i buda stała się mieszkaniem bez lokatora. Aczkolwiek czasami As sobie do niej włazł, na przykład gdy chciał się schować przed objawami czułości, okazywanymi przez Maćka.

– Popatrz tylko! – Zbyszek podał żonie jakiś ozdobny kartonik, wyjęty z koperty ze stemplem bydgoskiej poczty. Katarzyna wiedziała, od kogo ten list, bo ojciec jej męża zawsze skrupulatnie wypisywał dane nadawcy na odwrocie koperty.

– No, coś podobnego! – zdumiała się, spoglądając kątem oka na ów kartonik, który okazał się zaproszeniem na ślub. – Ignacy Hojski i Małgorzata Adamiak zawiadamiają... zapraszają... – czytała głośno. – Nawet i tu na pierwszym miejscu – mruknęła sama do siebie.

Zbyszek udał, że nie słyszy, nie chciał żadnych niemądrych sprzeczek. Kasia nie lubiła jego ojca, który tę niechęć odwzajemniał. Dlaczego? Zbyszkowi było wszystko jedno – i tak kontaktowali się dość rzadko, a gdyby nie Maciek, pewnie nie kontaktowaliby się wcale. Wspólnych świąt nie obchodzili, tata Zbyszka był ateistą, podobnie zresztą jak ojciec Katarzyny. W domu Janickich jednak urządzano święta, od momentu gdy nastała tam pani Wandzia, która nie wyobrażała sobie, żeby mogło być inaczej. Szykowała więc Wigilię, a potem wiosną wielkanocne śniadanie „po bożemu", jak mawiała, a cała rodzina robiła, co im kazano. Gdy Maciuś był już trochę większy i umiał się cieszyć z prezentów, choinki i całej tej radosnej otoczki, świąteczna tradycja na stałe przyjęła się w willi na Mokotowie. Ale pan Ignacy tylko się z tego śmiał.

– A daj ty mi święty spokój! – fuknął na syna, gdy Zbyszek któregoś roku zaprosił go na Boże Narodzenie do Warszawy. – Całe życie unikałem tego świątecznego cyrku i na starość nie będę się w to bawił. Nawet dla wnuka – dodał, czym przypomniał synowi, że z całej rodziny tylko wnuk liczy się w jego życiu. Młodszy syn, Mirosław, zaraz po studiach wyjechał do Paryża, by zwiedzać świat przed wejściem w kierat pracy zawodowej – i, niestety, w ten kierat już wejść nie zdążył. Zginął w wypadku samochodowym, wracając z jakiejś dyskoteki. Stało się to, gdy Maciuś miał niespełna rok i jego bydgoski dziadek całe uczucie, jakim darzył młodszego syna, przelał na wnuka. Obchodzenia świąt odmawiał jednak stanowczo. Dopóki chłopiec był malutki, pan Ignacy przyjeżdżał do Warszawy pięć–sześć razy w roku, czasami nawet częściej. Gdy Maciek poszedł do szkoły, Hojski senior wywalczył sobie prawo do tygodnia spędzanego z wnukiem w Bydgoszczy. Katarzyna zgodziła się na to po ostrej awanturze, w trakcie której po raz pierwszy padło słowo „rozwód". Jednak jeszcze wtedy ani Katarzyna, ani jej mąż do takiej decyzji nie dojrzeli. Zbyszek zawiózł syna do Bydgoszczy, ustalając z ojcem, że pierwszy raz spędzi razem z nimi ów wspólny tydzień Hojskich. On i… pani Wandzia, bo zarówno Kasia, jak i oboje Janiccy orzekli, że bez tego anioła stróża Maciuś nigdzie nie pojedzie. Trzej panowie świetnie się razem bawili, Zbyszek przekonał się, że ojciec doskonale sobie radzi z wnukiem, a pani Wandzia w zasadzie tylko miała na wszystko baczenie. Potem te wspólne wakacyjne dni stały się tradycją, a w tym roku Maciek miał po raz pierwszy spędzić swój bydgoski tydzień bez taty i bez pani Wandzi. A tu – proszę – taka niespodzianka. Jednak wnuk i dziadek nie będą sami. Będzie z nimi nowa babcia.

– Mamo, ale ja nie muszę mówić do tej pani „babciu"? – dopytywał się Maciek, który bacznie słuchał rozmowy rodziców.

Czekał na tę rozmowę od chwili, gdy listonosz przyniósł pocztę. Widział, że przyszedł list od dziadka, i chciał się upewnić, że nic się nie zmieniło w ich wakacyjnych planach. Bardzo lubił jeździć do Bydgoszczy, dobrze się z dziadkiem dogadywał i zawsze żałował, kiedy nadchodził dzień powrotu.

– I jadę do dziadka, prawda? Czy już wiadomo kiedy?

– Nie musisz tej pani nazywać babcią, chyba że zechcesz. Oboje zechcecie. A termin twojego wyjazdu do Bydgoszczy ustaliliśmy już dawno, zapomniałeś? Jedziesz tam na pierwszy tydzień lipca. Potem przyjeżdżamy po ciebie z tatą i jedziemy do Jastarni. Nic się nie zmieniło.

– Chyba – mruknął cicho Zbyszek, tak tylko do siebie, i dodał głośno: – Proszą o potwierdzenie pobytu na weselu, jedziemy wszyscy czy Maciek zostaje w Warszawie?

– Tata! No co ty? – Syn spojrzał na niego z wyrzutem. – Jakie zostaje?

– Wszyscy – potwierdziła Katarzyna, a Zbyszek już trzymał w ręku słuchawkę telefonu.

O tym, że sąsiadka, pani Małgorzata, opiekuje się ojcem po jego zawale, Zbyszek wiedział. Sam to z nią uzgodnił i omówił, jeszcze przed wyjściem pana Ignacego ze szpitala. Nawet trochę jej się wtedy naraził, bo zapytał, jaką kwotę życzyłaby sobie miesięcznie za tę pomoc.

– Chłopcze. – Pani Małgosia znała go od dziecka, więc mogła sobie mówić, jak chciała, choć ów „chłopiec" mocno go rozbawił. – Tyś chyba oszalał – dodała, marszcząc brwi. – Przecież wiesz, że nie mam nic do roboty, pogadać też nie mam z kim. Z przyjemnością zrobię twojemu tacie zakupy, pomogę w sprzątaniu, ugotuję. Już się lepiej czuję, bo będę komuś potrzebna, a do tej pory… – Głos jej zadrżał i umilkła.

Ucałował więc jej dłoń, podziękował i następnego dnia przyniósł kwiaty.

– Ale będę mógł telefonować z pytaniem, co słychać? – upewnił się.

– Zdziwiłabym się, gdybyś tego nie robił – odparła. – I jeśli będą potrzebne jakieś pieniądze, na lekarstwa czy dodatkowe badania, ja sama do ciebie zadzwonię.

Na tym stanęło. Zbyszek dzwonił co kilka–kilkanaście dni, aby się upewnić, że wszystko dobrze. W ubiegłym roku miał wątpliwości, czy zawieźć syna na ten bydgoski tydzień wakacji, ale pani Małgosia przekonała go, że tak.

– Twój ojciec już od miesiąca szykuje się na wizytę Maćka – opowiadała. – Układa plan pobytu, kupuje jakieś książki. Spytałam, czy będę mogła pojechać z nimi do Ogrodu Botanicznego w Myślęcinku, bo właśnie tam taki otwarto i bardzo o nim głośno. Zgodził się, więc się nie martw, ORMO czuwa – zażartowała. – Myślę, że bardziej by mu zaszkodziło, gdyby Maciuś nie przyjechał – dodała.

Tak więc Zbyszek wiedział o przyjaźni tych dwojga. Nie przypuszczał jednak, że zrodziło się z tego coś więcej. Wydawało mu się, że w wieku lat sześćdziesięciu – bo tyle miał teraz jego ojciec – za późno już na miłość. Więcej – do głowy by mu nie przyszło, że jego ojciec, człowiek niezbyt otwarty, pozwoli sobie na jakieś uczucie. Potem pomyślał, że może to małżeństwo z rozsądku, żeby zapewnić sobie opiekę na starość, ale potem dotarło do niego, że przecież opiekę jego tata już ma, więc nie musi się żenić z tego powodu. I powoli uświadomił sobie, że sześćdziesiąt lat to jeszcze nie kres życia. A pani Małgosia, pomyślał, jest trochę młodsza. Pamiętał, że kiedy w ubiegłym roku w sierpniu odbierał Maćka od ojca, był zaskoczony korzystną zmianą w wyglądzie sąsiadki. Obcięła włosy, wyszczuplała, nosiła modne spodnie, odmłodniała. Nie myślał wtedy, że to wszystko dla jego ojca, a tymczasem okazuje się, że właśnie tak było.

I teraz zapraszają ich na ślub. Bardzo dobrze.

Czerwiec 1986

– Po resztę rzeczy przyjadę jutro. – Zbyszek podniósł z podłogi dwie wypchane torby turystyczne. – A książki i płyty zabiorę w przyszłym tygodniu, jeśli pozwolisz. Nie mam jeszcze półek w mieszkaniu, a regały dopiero składam.

– Pozwolę. – Katarzyna skinęła głową. – Twój pokój i tak na razie nie jest mi potrzebny.

– Na razie? – nie odmówił sobie jej mąż, jeszcze mąż, ostateczna rozprawa rozwodowa miała się odbyć za dwa dni. – Nie, nie, przepraszam, wycofuję pytanie. W sumie to i tak nigdy nie był mój pokój. Zawsze czułem się tu jak gość. Zauważ, powiedziałem, że jak gość, nie jak intruz.

– Dobre i to. Gościem możesz być zawsze, a przynajmniej dopóki tu mieszka nasz syn.

Rozwodzili się bez orzekania o winie, za porozumieniem stron. I rzeczywiście tak było. To małżeństwo, zawarte i trwające tak naprawdę tylko dla Maćka, wypaliło się ostatecznie. Może dlatego, że Katarzyna w końcu przyznała się do czegoś, co Zbyszek i tak podejrzewał, ale nie zależało mu na żonie na tyle, by się przejmować faktem, że gdzieś istnieje ten trzeci. Przecież od kilku lat tylko mieszkali obok siebie, ze względu na syna i dlatego, że dla Zbyszka było to wygodne, a jego żonie widocznie na „tym trzecim" aż tak nie zależało. Teraz jednak stało się coś, co wbiło w niebotyczne zdumienie nie tylko Zbyszka, ale też jej rodziców. Otóż Katarzyna oświadczyła, że niedługo zostanie mamą po raz drugi.

– Mam już prawie czterdzieści lat – oznajmiła, jakby ktoś nie wiedział. – Chcę mieć to dziecko. Złożyłam wczoraj wniosek o rozwód. Mam nadzieję, że nie będziesz utrudniał.

Zbyszek kupił sobie niewielkie dwupokojowe mieszkanie na Woli. Mniejszy pokój urządził tak, żeby syn mógł tam spać i przebywać, ile zechce. Umówili się z Katarzyną, że Maciek sam będzie decydował, gdzie spędza weekendy, bo w tygodniu bezapelacyjnie miał mieszkać na Mokotowie, choćby ze względu na bliskość szkoły. Syn zniósł i rozwód rodziców, i wiadomość o siostrzyczce wyjątkowo dobrze.

– Tata, jest okej – powiedział. – Nie jestem dziecko, znam życie. Dobrze, że się za łby nie wzięliście.

Rozśmieszył ojca bardzo tą swoją znajomością życia, ale jednocześnie ucieszył tym, że przyjął wszystko tak spokojnie i dojrzale.

Rozdział 37

ZBYSZEK

Maj 2012

Zbyszek poczekał, aż pociąg zniknie mu z oczu, i powoli wyszedł z dworca. Katarzyna i Maciek z żoną Agnieszką pojechali do Warszawy, a on został, bo miał tu wiele spraw do zamknięcia. Rano pożegnali ojca na cmentarzu Świętego Wincentego á Paulo na Bielawkach, potem zjedli obiad Pod Orłem i reszta rodziny odjechała. Zbyszek wrócił do mieszkania ojca i ułożył sobie plan działania. Najpierw musiał załatwić uprawomocnienie testamentu. Na szczęście ta sprawa była prosta. Druga żona ojca, Małgorzata, zmarła przed mężem, cztery miesiące temu. Nie miała żadnej rodziny. Pan Ignacy nie miał nikogo poza Zbyszkiem i Maćkiem. W testamencie, który sporządził po śmierci żony, swoim spadkobiercą uczynił syna. Wstępne formalności u notariusza udało się załatwić wczoraj, a po akt poświadczenia dziedziczenia, czyli stwierdzenie nabycia spadku, Zbyszek miał się stawić jutro. Następnie musi załatwić sprawy we wspólnocie mieszkaniowej, przepisać na siebie mieszkanie ojca, potem spróbować sprzedać to mieszkanie – a może nawet dwa mieszkania. Zaraz po ślubie z Małgorzatą państwo młodzi, w uzgodnieniu z administracją wspólnoty, przebili ścianę między swoimi sąsiadującymi mieszkaniami. Wstawili tam drzwi, uzyskując w ten sposób aż cztery pokoje i dwie łazienki. Jedną kuchnię przerobili na garderobę i mieszkali jak paniska, według Maćka. Katarzyna twierdziła, że powinni raczej wynajmować to drugie mieszkanie, ale państwo Hojscy oświadczyli, że dodatkowe pieniądze nie są im potrzebne i wolą na starość żyć wygodnie. Do stanu sprzed tej przeróbki można było łatwo wrócić, wszystko zależało od woli nabywcy.

*

Zbyszek szedł aleją Mickiewicza, dotarł do Gdańskiej i chciał iść dalej, w Świętojańską, ale spojrzał w prawo i na rogu Gdańskiej ujrzał coś, co było tam już, kiedy jeszcze mieszkał w Bydgoszczy. W czasach szkoły podstawowej przebiegał koło piekarni Bigońskich, bo to ją właśnie ujrzał, dwa razy dziennie i często tam zaglądał, jako że był wielbicielem słynnych na całą Bydgoszcz bułek, tam sprzedawanych. Wzruszył się i szybko przeszedł przez ulicę. Bułka od Bigońskich, pomyślał i aż mu ślinka pociekła. Stuknął jednak nosem w szybę wejściowych drzwi, gdyż piekarnia była zamknięta. Spojrzał na napis na drzwiach, informujący o godzinach otwarcia, i dopiero wtedy dotarło do niego, że przecież jest niedziela. Może inne sklepy otwierały w ten dzień swe podwoje, ale nie Bigońscy. Trudno, przyjdę tu jutro, pomyślał Hojski, absolutnie skoncentrowany na bułce, której smak pamiętał aż do dziś.

Idąc Świętojańską, spojrzał jeszcze w lewo – za jego czasów był tam taki mały sklepik spożywczo-warzywny, U Pani Jadzi. Można tam było kupić mleko z wielkiej kadzi, jeśli się przyszło ze swoim naczyniem, czyli z kanką. Albo przepyszną śmietanę, taką gęstą, do krojenia nożem. Teraz sklepiku nie było, cóż...

Szedł dalej i zaraz za Kościuszki ujrzał budynek swojej dawnej szkoły podstawowej – tyle że teraz była to... Akademia Medyczna. Sfotografował tablicę Collegium Medicum Uniwersytetu Mikołaja Kopernika w Bydgoszczy. Kilka jednostek uczelnianych, między innymi Studium Wychowania Fizycznego i Sportu. Zauważył to właśnie, bo na tym kierunku studiował jego wnuk, syn Maćka, tyle że w Warszawie, na politechnice. O wybór kierunku studiów była prawie awantura rodzinna, bo matka Jasia uważała, że syn powinien iść na medycynę.

Myśli Zbyszka powędrowały w przeszłość, ale po chwili skupił się na tym, co widział przed sobą. Doszedł do końca Świętojańskiej i znowu się zdziwił; przy bibliotece, która mieściła się na rogu Pomorskiej, urządzono jakiś hostel, a drugą bibliotekę, zlokalizowaną za jego młodych lat przy Hetmańskiej, zastąpił serwis elektronarzędzi. No tak, wszystko się zmienia, pomyślał i ruszył w Pomorską. Przynajmniej tu mało się zmieniło, ucieszył się. Jednak po chwili spostrzegł, że owszem, domy stoją te same, niestety w ogóle nie są odnowione ani konserwowane, ale prawie w każdym budynku mieści się coś, czego nie było kiedyś, a więc: jakaś firma prywatna, zakład, gabinet lekarski, sklep, cukiernia. Czyli – zmieniło się, jak w każdym mieście. Dotarł do miejsca, w którym Pomorska dochodzi do Gdańskiej – i znalazł się naprzeciwko hotelu Pod Orłem, minął go i skręcił w lewo, w Parkową. Wszedł do parku imienia Kazimierza Wielkiego i przysiadł na ławce przy fontannie Potop, rekonstruowanej od dwa tysiące czwartego roku. Dzieło Lepckego, tego samego artysty, który był autorem godła miasta, Łuczniczki, rozebrano w tysiąc dziewięćset czterdziestym trzecim roku, a elementy rzeźby zostały przetopione na cele wojenne. Mimo że rekonstrukcja jeszcze nie dobiegła końca, fontanna już bardzo różniła się od tej, która stała tu poprzednio.

Zbyszkowi bardzo podobała się ta nowa Bydgoszcz, zaczął się nawet zastanawiać, czy nie wrócić tu na stałe. Ma przecież mieszkanie, w doskonałym punkcie i bardzo wygodne, z powodzeniem można by w nim otworzyć kancelarię prawną. Swoje warszawskie dwa pokoje sprzeda z łatwością, mógłby też podarować je Jasiowi, zastanawiał się. Postanowił dogłębnie się nad tym zastanowić.

*

Hojski siedział na skwerku Mariana Turwida, znowu oddając się wspomnieniom. Skwer oczywiście bardzo się zmienił, ale Zbyszek skończył liceum przy Staszica w tysiąc dziewięćset sześćdziesiątym piątym roku, więc rozumiał, że przez ten czas wszystko musiało ulec zmianie. Sam gmach liceum był taki jak dawniej, odmalowany tylko i odrestaurowany, bardzo porządnie.

Natomiast już boisko – nie do poznania. No i skwer, za jego szkolnych czasów nazywany po prostu Sielanki, od nazwy przyległej do skweru ulicy, teraz zyskał patrona.

„O, popatrz, pan Turwid!", usłyszał nagle w myślach. Przypomniał sobie pewien występ bydgoskiego kabaretu, przeszło czterdzieści lat temu. Dokładnie czterdzieści sześć lat temu, obliczył dokładnie. Dostał wtedy od ojca zaproszenie na tę premierę i poszedł ze swoją ówczesną sympatią, Weroniką, wspominał. Zyskał tym bardzo w jej oczach, a potem Weronika stała się jego dziewczyną. Kochali się i snuli plany na przyszłość. Wyszło inaczej, cóż, jak to w życiu.

Wyciągnął z kieszeni paczkę papierosów i zapałki. Nie palił dużo, ale zawsze musiał mieć przy sobie papierosy, bo czasami – jak teraz właśnie – po prostu musiał zaciągnąć się głęboko dymem.

– Gucio! Stój, poczekaj! – Zbyszek zobaczył niewielkiego psiaka, który w wesołych podskokach wbiegł na skwer i przystanął, spoglądając w stronę, z której dolatywał głos. Po kilku sekundach na skwerku pojawiła się niewysoka kobieta, zdyszana i nieco zasapana. – Stój, mówię do ciebie! – krzyknęła do psa, a nieposłuszny zwierzak odbiegł kilka kroków i wpadł pod nogi siedzącego na ławce Zbyszka. Ten odruchowo zacisnął rękę na psiej obroży i przytrzymał Gucia – bo chyba tak wołała na uciekiniera jego pani.

– Trzymam go! – zawołał, a kobieta podbiegła i... Zbyszek zaniemówił. – Weronika? Nika, to ty? Nie uwierzysz, ale właśnie o tobie myślałem. No wiesz, tyle lat minęło, a ja cię poznałem bez trudu. Bo to ty, prawda?

– Skoro musisz się upewniać, to jednak z trudem – zaśmiała się Weronika. – Zbyszek, wiem – dodała, gdy wstał i wyciągnął rękę. – Hojski, pamiętam – potwierdziła swoje rozpoznanie. – Ja cię poznałam z trudem, ale tak. Posiwiałeś, masz mnóstwo zmarszczek, jednak coś w twarzy zostało, w oczach, w uśmiechu. No i głos. Głos masz absolutnie ten sam. Nadal śpiewasz i grasz na gitarze?

– A skąd! – Zbyszek stał cały czas i teraz aż się zgiął ze śmiechu. – W ogóle nie pamiętałem, że coś takiego robiłem. Tyle lat… – zadumał się.

Weronika przypięła zbiegowi smycz i przywiązała go do ławki.

– Teraz tu posiedzisz, ani mi się waż myśleć o ucieczce – zapowiedziała, grożąc mu palcem. – To pies ze schroniska, nie bardzo przyzwyczajony do posłuszeństwa. – Machnęła ręką w stronę Zbyszka. – A właściwie to nie tak, on nawet się słucha, tylko uwielbia zabawę i jak się wyrwie, wydaje mu się, że każdy kocha takie gonitwy. To pies sąsiadki, dzisiaj jest pod moją opieką, bo sąsiedzi na dwa dni musieli wyjechać w jakiejś rodzinnej sprawie. Zna mnie i moją gromadkę, lubią się i dogadują bez problemów. Przyszedł listonosz, musiałam podpisać przesyłkę poleconą, a gdy wychodził, ten czort wyskoczył za furtkę, nie zdążyłam go przytrzymać. Dobrze, że go złapałeś, bo mogłabym tak biegać za nim parę godzin. A gdyby nie daj Boże pod coś wpadł, moja kochana sąsiadka chybaby mnie zabiła.

– Nika, posłuchaj – przerwał jej Zbyszek – odprowadź tego łobuziaka do domu i chodźmy gdzieś na kawę. A jeszcze lepiej na wino. Nie mogę uwierzyć, że tak się spotkaliśmy, i to właśnie w chwili gdy o tobie myślałem. Naprawdę. Przypomniałem sobie premierę kabaretu O-Wady. I twój zachwyt. I to, że był tam też pan Turwid, patron tego skwerku. Właśnie od nazwy skweru zacząłem sobie to wszystko przypominać. Ale nie chcę gadać tak na ławce w parku. Możesz wyjść?

– Mogę, rodziców nie ma w domu – rozchichotała się Weronika. – Poczekaj z piętnaście minut, odprowadzę Gucia, włożę na siebie coś odpowiedniejszego i możemy iść na tę randkę. Po – ilu to? – prawie pięćdziesięciu latach!

Wstała, odwiązała smycz i poszła w stronę ulicy, przy której mieszkała przez te wszystkie lata. „Nika"… Odwróciła się po kilku krokach.

– Czy wiesz, że jak wyjechałeś, to już nikt tak na mnie nie mówił. Nie pozwoliłam…

Rozdział 38

WERONIKA

– Ciociu, już się martwiłam, poszłaś i zginęłaś.
– Do przedpokoju zajrzało najpierw kilka kudłatych mordek, a zaraz za nimi Jolanta. – Adaś nie chciał iść spać, bo mu babcia nie przeczytała bajeczki. Moje czytanie widocznie nie wystarczyło. Ale na szczęście przyjechał tatuś i syn był uszczęśliwiony. – Lusia trochę się zaróżowiła, mówiąc o Karolu. Weronika spostrzegła to natychmiast, ale przezornie nie skomentowała.

– Zrób herbatę, opowiem ci wszystko w kuchni – zarządziła, wchodząc do łazienki.

Siedziały do późnej nocy. Weronika opowiadała o latach szkolnych, o studniówce i O-Wadach, o pierwszym wspólnym wyjeździe na wakacje. O całej swojej młodości.

– I już nigdy więcej się nie spotkaliście? Nawet przypadkiem, nawet w przelocie?

– No, wyobraź sobie, że nie.

– To chyba cud, że teraz się poznaliście – chlapnęła Luśka i zaraz nakryła ręką usta. – Oj, to znaczy, chciałam powiedzieć…

– Chciałaś powiedzieć to, co powiedziałaś. – Weronika nawet nie mrugnęła. – Wiem, że ludzie się starzeją, i ta prawda dotyczy zarówno mnie, jak i Zbyszka. Ale zrozum, oboje spojrzeliśmy na siebie oczami z lat sześćdziesiątych, widzieliśmy się takimi, jacy byliśmy w tamtych czasach. Musieliśmy zapaść sobie mocno w pamięć – wzajemnie – skoro w naszych oczach nadal jesteśmy tacy jak dawniej. Nie mogliśmy się nagadać, sama widzisz, o której wróciłam. A jutro spotykamy się znowu.

– Zaproś, ciociu, pana Zbyszka na kolację, bardzo chciałabym go poznać. Proszę.

*

Weronika stała na cmentarzu nad grobem przyjaciółki, która umarła na raka piętnaście lat temu.

– Aniu, Zbyszek przyjechał! – opowiadała jej.

Przez cały ten czas przyjeżdżała na cmentarz i dzieliła się ze zmarłą wszystkim, co zaszło. Ale od momentu, w którym poznała i przygarnęła Te Trzy, robiła to rzadziej. To z nimi dzieliła teraz życie i wszystkie wydarzenia przeżywały wspólnie, ona i jej dziewczęta. Ale o Hojskim po prostu musiała opowiedzieć zmarłej, bo przecież Ania była w owym czasie jej najbliższą – i w zasadzie jedyną – przyjaciółką. I przeżywała zniknięcie Zbyszka z życia Weroniki wraz z nią.

– On się zastanawia, czy nie wrócić do Bydgoszczy – mówiła. – Na stałe. A mnie aż serce drży. Głupia jestem, prawda? – Spojrzała w niebo, ale nic nie odpowiedziało. Weronika jednak wiedziała swoje.

*

– Jolu! Jutro wielka kolacja zapoznawcza – obwieściła Weronika od progu, przytulając skaczącego na nią Adasia i starając się nie potknąć o tańczące wokół jej nóg psy. Tylko koty, jak leżały na parapecie, tak leżały, nawet nie podnosząc powiek. Widać było jednak, że rejestrują to, co się dzieje, bo drgały im wąsiki.

– Wy leniwe piecuchy. – Weronika obdarzyła już powitalnymi pieszczotami ciotecznego wnuka, a potem jeszcze wszystkie futrzaki kłębiące się dookoła, teraz więc podeszła do czworołapów wygrzewających się w słońcu na oknie. – Jedzonko przyniosłam, niewdzięczne stworzenia, może jednak wstałybyście na powitanie? – Ale koty, jak to koty, robiły, co chciały. Teraz postanowiły leżeć, więc leżały. A jedzonko i tak dostaną, przecież wiedziały to doskonale.

– A Teo też przyjdzie? – spytała Lusia.

Na końcu języka miała również pytanie o Karola, powstrzymała się jednak. I dobrze, bo ciocia i tak zaraz sama jej opowiedziała o jutrzejszej kolacji. Na ten pierwszy raz miały być tylko one. I Adaś oczywiście.

– Opowiedziałam Zbyszkowi wszystko o tobie, Karolu i Adasiu. Nie gniewasz się, mam nadzieję? Widzisz, od tak dawna go znam, że wydaje mi się, że jest po prostu częścią mojego życia. Wypełniam luki. Ale jutro będziemy tylko my. Nie chcę, żeby myślał, że pokazuję go jak jakiegoś zwierza w zoo.

– Zwierza ci u nas dostatek! – Jolanta prychnęła i złapała się za odkurzacz. Wysprzątała cały salon i kuchnię, mimo protestów Weroniki.

– Luśka, daj spokój, przecież jest czysto. Poza tym mężczyzna i tak nie zauważy niewielkiej ilości kurzu, nawet gdyby był.

– Oj, ciociu, cicho bądź. A wiesz? Nie wiem czemu jakoś się denerwuję. Chciałabym bardzo, żeby ten twój facet mnie polubił.

– Kto? – Weronika aż usiadła na najbliższym krześle.

– Mój facet? Och, jak to miło zabrzmiało.

*

Hojski przybył punktualnie. Przyniósł dwie wiązanki, dużą i małą, oraz jakieś pudło i wielkiego pluszowego słonia, który z miejsca uzyskał akceptację najmłodszego mieszkańca willi przy Sielanki.

– Róże dla ciebie, bo pamiętam, że lubisz. Herbaciane, nie czerwone, też pamiętam. – Weronice podejrzanie zwilgotniały oczy. – A dla pani kwiatki typowo majowe. – Podał Joli mały bukiecik konwalii, połączonych z bratkami.

– Śliczne – zachwyciła się Luśka, która rzeczywiście ze wszystkich kwiatów najbardziej kochała bratki. – Skąd pan wiedział, że bratki mają u mnie absolutne pierwszeństwo? Zresztą głupio pytam. – Machnęła bukiecikiem. – Przecież wszyscy kochają bratki. Dziękuję. Ciociu, siadaj, zaraz przyniosę wazony – uprzedziła Weronikę, która trzymając róże przed sobą, jak w objęciach, chciała z nimi wejść po schodach. Po co? Jola domyśliła się od razu. Tak piękny bukiet nie mógł stać w zwykłym glinianym wazonie. Te róże zasługiwały na „Julię". To znaczy na kryształowe cudo z karkonoskiej huty szkła.

Gdy Lusia zeszła z kryształem, zastała swojego syna w najlepszej komitywie z gościem. Obydwaj siedzieli na podłodze w kuchni, obok zastawionego stołu, i rozkładali tory kolejki, robiąc użytek z prezentu, który przyniósł Zbyszek.

Jola w ogóle tego pudła z kolejką nie widziała, wpatrzona w wielkiego pluszowego słonia. Weronika – nie widziała – wpatrzona w herbaciane róże. Adaś – zobaczył i słonia, i pudełko, i zapytawszy: „A co tam masz?", z miejsca zorganizował czas sobie i gościowi.

Kolejka składała się z mnóstwa rozmaitych elementów, porozrzucanych teraz po podłodze – i Jola, piastująca w objęciach pokaźny kryształowy wazon, nie dostrzegła któregoś z wagoników, toteż nadepnęła na niego, boleśnie raniąc mały palec lewej nogi.

– Aaa! – pisnęły chórem obydwie; Jola – łapiąc się za palec, a Weronika – łapiąc wazon.

Zrobiło się zamieszanie, Adaś ryczał nad rozdeptanym wagonikiem, Jola syczała, bo Weronika przemywała jej skaleczenie jakimś piekącym paskudztwem, a Zbyszek...?

Rozdział 39

ZBYSZEK

Zbyszek zbladł i usiadł ciężko na krześle, wpatrując się w gołą stopę Luśki. Dwa palce mamy Adasia, środkowy i ten obok, były zrośnięte do połowy. Jego lewa stopa wyglądała tak samo. I lewa stopa jego ojca również. I lewa stopa jego syna. Nawet stopa Jasia, jego wnuka, też wyglądała tak samo.

– Pani Jolu – odezwał się, gdy sytuacja została opanowana, a Adaś siedział nad kolejką jadącą po skręconych już torach, choć w niekompletnym składzie, bez jednego wagonika, ale to w niczym nie umniejszało walorów zabawki. Dorośli natomiast siedzieli przy stole, nad talerzykami pełnymi ciasta. – Pani Jolu, przepraszam, ale muszę spytać, jak ma na imię pani mama?

– Teresa – odpowiedziała nieco zdziwiona Jola, wznosząc brwi w niemej prośbie o wyjaśnienie.

– Wiedziałem! – Hojski podniósł w górę kciuk. – Teresa Balicka, prawda?

334

Lusia skinęła głową i czekała, czy usłyszy coś jeszcze. Usłyszała.

– Chodziłem z pani mamą do liceum. Do równoległej klasy. Weroniko, pamiętasz Teresę?

Weronika spojrzała na niego z politowaniem.

– Z naszej klasy pamiętam może ze trzy osoby, o co ty mnie w ogóle pytasz?

– I taka pani do niej podobna, no po prostu skóra zdjęta. Cały czas się męczę, skąd panią znam. I wreszcie sobie przypomniałem. Teresa Balicka, no tak.

Mówił, żeby zagadać ciszę, a właśnie cisza była mu teraz potrzebna. Ta młoda kobieta wyglądała na jakieś trzydzieści lat, a zresztą nieważne, na ile wyglądała. Jeśli prawdą jest to, co przypuszczał, doskonale wiedział, ile ona ma lat. Szybko policzył w myślach: siedemdziesiąty dziewiąty, rok zawału ojca, kwiecień. Mógłby podać datę jej urodzenia z dokładnością co do miesiąca. Styczeń tysiąc dziewięćset osiemdziesiąt, prawda?

– Przepraszam, ale co? – usłyszał pytający głos swojej córki. Jego córka, święty Boże! Spojrzał na nią ze zdziwieniem.

– Pytał pan, czy prawda. Ale nie wiem, o co chodzi.

– Nic, nic – odpowiedział niezręcznie. Nie zorientował się, że mówi to na głos. Dobrze, że nie ogłosił tego o styczniu. – Chciałem spytać, czy pani jest podobna do mamy, ale byłoby to głupie pytanie, bo sam widzę, że tak. – Uff, wybrnął, tak mu się przynajmniej zdawało.

– A mama teraz nazywa się Biegańska – wyjaśniła dziewczyna. – Ja też.

*

Wiedział od Weroniki, że Jola mieszka u niej z kilku powodów. Bo wygodniej, bo nie lubi brata, bo mama już nie pracuje i całymi dniami by ją zamęczała swoją dość przytłaczającą osobowością. Bo... Weronika ma nadzieję, że jeszcze dlatego, żeby być bliżej ojca swojego syna, którego to ojca – oby, oby! – ciągle kocha, mimo świństwa, jakie jej wyrządził.

Na szczęście Zbyszek wsłuchiwał się we wszystko, co mówiła Weronika, dlatego też teraz właśnie przypomniał sobie, że mama Lusi już nie pracuje. To trochę utrudniało mu plan, jaki powziął, gdy zobaczył Jolantę i jej lewą stopę. Musiał wiedzieć, czy to naprawdę jego córka. To znaczy tak w głębi duszy już to wiedział, chciał jednak mieć stuprocentową pewność.

Dlaczego? No bo... właśnie, w sumie sam nie był pewny dlaczego. A jeśli tak, to co? Ma jej powiedzieć? Obydwoje z Teresą mają jej powiedzieć? A mąż Teresy? Wie, że Jola to nie jego córka, czy nie wie? A może jednak jego? Jeśli Teresa oświadczy, że jego, to co? Żądać badania DNA? Czy on na pewno musi znać prawdę? Czy naprawdę musi mieć córkę? Czy w ogóle chce ją mieć?

Zaraz, uprzytomnił sobie. Jeśli to rzeczywiście moja córka, to mamy z Weroniką wspólnego wnuka. No, prawie wspólnego, bo przecież Karol to tylko jej siostrzeniec, nie syn, przypomniał sobie.

Miał w głowie kłębowisko myśli. Tę kolację u Weroniki ledwo przeżył, nie mógł normalnie rozmawiać z Jolantą, bo myślami był znowu w tamtych czasach, tuż po zawale ojca, w szpitalu i potem... no tak, potem – a potem córka, jasne.

Stał przed domem Teresy. Upewnił się, że w dalszym ciągu mieszka przy Gdańskiej. Podczas kolacji na Sielanki Jolanta, umiejętnie wypytywana (Zbyszek umiał to robić, był wszak prawnikiem), opowiedziała mu to, co już wiedział od Weroniki. Że młodszy wredny brat, jego wredne dzieci, mama, która woli syna, tylko nie chce tego przyznać.

– Tata zawsze kochał mnie bardziej – rozżaliła się przy którymś kieliszku czerwonego wina. – A mama tylko Jacuś i Jacuś. Placuś, kurczę. Na mnie przeważnie krzyczała. A tata nigdy. Jak się Placusiowi urodziło drugie dziecko, to mama myk, na emeryturę, babciować małemu. A jak ja zaszłam w ciążę, to pierwszym pytaniem było, kto mi przy tym dziecku pomoże, skoro zafundowałam je sobie bez męża. Ech...

Teresy w ogóle by nie poznał, gdyby nie to, że Jola opowiedziała mu o najnowszym pomyśle swojej mamy, która postanowiła ufarbować włosy.

– Miały być kasztanowe, a wyszły po prostu czerwone. Ojciec oświadczył, że nie pokaże się z mamą na ulicy, a mamę tylko to zezłościło i zaparła się czterema łapami. Oświadczyła, że właśnie takie włosy jej się podobają i na razie koloru nie zmieni.

Z kamienicy, stojącej naprzeciwko Polskiego Radia, wyszła kobieta z ogniście czerwonymi włosami. Przeszła na drugą stronę i weszła do sklepu spożywczego.

Zbyszek stanął przed sklepem, a gdy stamtąd wyszła, zderzył się z nią, niby przypadkiem.

– Bardzo przepraszam. – Ujął ją pod łokieć. – Nie uderzyłem pani?

Przyjrzał jej się uważnie. Tak, to chyba Teresa. Chyba. Tęższa, sporo zmarszczek, trochę przygarbiona. Ale oczy, brązowe i przenikliwe, pozostały takie same. Te oczy wbiły się teraz w niego, pełne zdumienia.

– Zbyszek? Hojski? – spytała. – To ty?

– Dzień dobry – udał, że nie wie, kim ona jest. – A...? – Zawiesił głos.

– No tak, z poznawaniem mnie do tej pory masz trudności – wypomniała mu, bo przecież wtedy, trzydzieści trzy lata temu, w szpitalu, też jej z początku nie poznał.

– Zażartowałem, na pamiątkę naszego spotkania w szpitalu. Masz trochę czasu? Chodź gdzieś na kawę, Teresko – zaakcentował jej imię, a ona uśmiechnęła się miło i przez chwilę wyglądała tak jak wtedy, przeszło trzydzieści lat temu.

Poszli w stronę Starego Miasta i w okolicach placu Wolności, po prawej stronie Gdańskiej, wypatrzyli niewielką kawiarnię.

– O, wejdźmy tutaj – zaproponowała Teresa. – Ktoś mi mówił, że mają przepyszne serniki.

– Co u ciebie, opowiadaj – powiedział Zbyszek. – Pracujesz jeszcze?

To, że przed południem nie była w pracy, nic nie znaczyło. Pielęgniarki mają dyżury w różnych godzinach. Wiedział przecież, co mu odpowie, ale chciał, żeby myślała, że nic o niej nie wie.

– Ach, nie, już od dwóch lat nie. Gdy urodził się wnuk, postanowiłam pomóc synowej i przeszłam na emeryturę.

– Czyli masz syna. I wnuka.

– Dwoje wnucząt. To znaczy troje, bo trzeci wnuk jest od córki.

– O której nic mi nie powiedziałaś – wyrwało się Zbyszkowi, zanim się opamiętał. Zezłościła go tym zlekceważeniem trzeciego wnuka. Było dokładnie tak, jak opowiadała Jolanta, syn był najważniejszy.

– A dlaczego miałabym ci mówić? – Teresa nieco zbladła, ale głowę trzymała wysoko i patrzyła na niego hardo.

– Choćby dlatego, że ma zrośnięte dwa palce u lewej stopy. – Zanim zdążyła się zdziwić, rozzłościć czy zareagować w inny sposób, uniósł lekko prawą dłoń. Gest był jednoznaczny, Teresa ma poczekać i nic nie mówić. – Byłem na kolacji u Weroniki Nowaczyńskiej. Tam, ku swojemu zdziwieniu, zobaczyłem młodą kobietę z małym chłopcem. Przedstawiono mi ją jako Jolantę Biegańską; nazwisko nic mi nie mówiło, ale pani Jola tak nieszczęśliwie nadepnęła na zabawkę synka, że skaleczyła się w palec u nogi. Weronika przybiegła z jakimiś medykamentami, zaczęła opatrywać skaleczenie, a ja przypadkowo spojrzałem na stopę tej kobiety.

– I co z tego?

– Nasze kontakty trwały krótko i zapewne nie przyjrzałaś mi się dokładnie. A nawet jeśli, to oczywiście po tylu latach możesz nie pamiętać. Ja też mam zrośnięte dwa palce lewej stopy. Jak wszyscy w mojej rodzinie, od ojca począwszy, bo dziadka nie znałem. Te same palce, środkowy i sąsiedni. Dla mnie to wystarczający dowód. Daty też się zgadzają. Spytałem Jolę, spod jakiego jest znaku, na co wyrecytowała mi datę urodzenia.

Teresa siedziała jak zamurowana. O tym, że żyje, świadczył tylko tik w prawym oku. Potarła mocno drgającą powiekę.

– Czy możemy zostawić to tak, jak jest? – spytała cicho. – Nie zamierzam zaprzeczać, choć przez chwilę chciałam. Jolanta jest twoją córką. Nawet gdybym chciała cię zawiadomić o ciąży, nie wiedziałabym, jak to zrobić. Nie znałam przecież twojego adresu, nie dałeś mi też żadnego numeru telefonu. Rozumiałam to, wiedziałam przecież, że masz żonę i syna. Niczego sobie nie obiecywaliśmy, ja miałam chłopaka, za którego chciałam wyjść za mąż. Pobraliśmy się, gdy tylko Jurek wrócił ze Szwecji, a on uwierzył, że Jola jest jego córką. Kocha ją bardzo, chyba bardziej niż rodzonego syna. Co się zmieni, jeśli dowiedzą się prawdy? Zranimy tylko ich uczucia, na co nie zasługują.

– Masz rację. – Zbyszek nerwowo potargał sobie włosy, których, mimo upływu lat, nadal miał sporo. – Właściwie i tobie nie powinienem zaburzać spokoju. Chciałem jednak mieć pewność. Musiałem. Rozumiesz to?

Teresa wolno pokręciła głową.

– Teraz rozumiem tylko to, że do końca życia będę się obawiała. O Jerzego, który ma chore serce i nie wiem, jak przyjąłby taką wiadomość. O Jolę, która wprawdzie jest silna i dzielnie radzi sobie z samotnym macierzyństwem, ale…

– Nie bardzo ją wspierasz, prawda? – zapytał ostro, wpadając jej w słowo. Chciał, żeby Teresa wiedziała, że córka tak mocno nad tym boleje, że mówi o tym w sumie nieznajomemu mężczyźnie. – A ja jej pomóc nie mogę, choć bardzo bym chciał. Bo owszem, masz rację, nie możemy teraz rujnować życia dwojga ludzi, byłoby to okrutne.

Skinął na kelnerkę. – Chcesz coś jeszcze? – spytał Teresę. – Herbatę, sok, ciastko, cokolwiek?

– Chciałabym tylko, żeby ten dzień się nie wydarzył. Chciałabym, żebyś naprawdę myślał tak, jak mówisz. Chciałabym, żeby…

– Masz tu moje namiary. – Zbyszek podał jej wizytówkę. – Ja dotrzymam słowa. Nikomu nic nie powiem. Ale obiecaj mi, że gdyby kiedykolwiek moja córka – wypowiedział te słowa ze smutkiem – czegoś potrzebowała, ona lub Adaś; gdyby, nie daj Boże, któreś z nich zachorowało; gdyby potrzebne były na coś pieniądze, skontaktujesz się ze mną.

Teresa schowała wizytówkę i wyszła z kawiarni. Szła przygarbiona, ze schyloną głową, Zbyszek poczuł wyrzuty sumienia. Mógł sobie podarować tę rozmowę. I tak miał pewność co do swojego ojcostwa. Ale przecież, usprawiedliwiał się, obiecałem jej, że nic nie powiem. Poza tym ma teraz możliwość kontaktu ze mną, wie, że pomogę, jakby co.

Zastanowił się przez chwilę nad tym, co by się stało, gdyby wiedział o ciąży Teresy i narodzinach córki. Pewnie nie uwierzyłby, że to jego dziecko. Na oglądanie lewej stopy nie wpadłby, rozstaliby się w gniewie i koniec pieśni.

A gdyby uwierzył, że to jego dziecko? Przecież nie zostawiłby Katarzyny i Maćka, nie przeprowadziłby się do Bydgoszczy. I co? Wysyłałby Teresie jakieś pieniądze? Ależ ona z pewnością by ich nie przyjęła, przecież postanowiła już o ojcostwie dziecka, więc jak by tłumaczyła otrzymanie pieniędzy od jakiegoś faceta?

Rozważał różne scenariusze i wyszło mu, że w sumie stało się najlepiej dla wszystkich. Szkoda tylko, że w końcu się o tym dowiedział. Nie uważał się za winnego, bo Teresa postanowiła niczym go nie obciążyć, mogła czy nie. Był przekonany, że gdyby naprawdę chciała znaleźć go w Warszawie, mogłaby to uczynić bez trudu. Wystarczyło przecież zapytać jego ojca o numer telefonu syna, pod byle pretekstem medycznym. Poza tym tata miał jego telefon pod obwolutą dowodu osobistego, przecież ktoś ze szpitala do niego zadzwonił. Tak, gdyby chciała, toby mogła. Nie chciała, przeprowadziła wszystko inaczej, i z tą myślą, pocieszony i rozgrzeszony, wyszedł z kawiarni.

Miał córkę i małego wnuka. Ta świadomość musiała mu wystarczyć. Poza tym – wiedział, gdzie mieszka jego córka, a że postanowił być w bliskim kontakcie z Weroniką, będzie tym samym widywał się z córką.

Rozdział 40

Wrzesień 2013

TE TRZY

Znowu stały na swoim skwerku, stawiły tu się piątego września o siedemnastej, jak było ustalone.

– Leksi, wspaniale, że udało ci się przyjechać. Dobrze się czujesz? – Teo spojrzała z troską na przyjaciółkę, dźwigającą przed sobą spory już brzuszek ciążowy.

– No, co ty! – prychnęła pani Jackiewicz. – Przecież to nasze piętnastolecie. Spróbowałabym nie przyjechać – zaśmiała się wesoło. – A czuję się świetnie. I Mikołaj też. Zresztą mam opiekunkę. Sissi jest ze mną. No i tatuś oczywiście też. Samej nie chcieli mnie puścić. Marek specjalnie zwolnił córkę na trzy dni ze szkoły. Przyjechaliśmy wczoraj wieczorem, wyjeżdżamy w niedzielę.

– Mikołaj – rozczuliła się Luśka. – Śliczne imię, Adaś będzie miał kolegę.

– No, zanim zaczną się kolegować, jeszcze trochę czasu minie – wtrąciła Teo. – To co, Pod Orła?

Bez słowa ruszyły przez Markwarta, a potem 3 Maja i dalej Księdza Skargi; przecięły park Kazimierza Wielkiego i Parkową, aż doszły do swojej kultowej restauracji. A tam – kaczka z jabłkami, tradycyjnie, jak co pięć lat.

TEODORA

Teo objęła przewodnictwo i rozpoczęła swoją relację.

– Pewnie was nie zaskoczę, ale z oficjalnym obwieszczeniem tej wiadomości specjalnie czekałam do dziś.

– Żenisz się! – pisnęła Aleksandra, próbując docisnąć się do stołu, w czym nieco przeszkadzał jej… Mikołaj oczywiście.

– Daruję ci to przerywanie, bo jesteś w ciąży i nie wolno cię denerwować. Ale owszem, żenię się. A raczej to Grzegorz się żeni, choć w istocie ze mną.

– Szkoda, że nie możemy pić alkoholu, bo taka wiadomość wymaga toastu – ogłosiła Luśka.

– A ty dlaczego nie możesz pić? – Leksi spojrzała na nią podejrzliwie.

– No, przez solidarność z tobą – wyjaśniła Jola, kręcąc się nieco nerwowo na krześle. – To kiedy ten ślub? – zwróciła się do Teosi.

– Chcieliśmy w grudniu, ale przecież Leksi będzie wtedy rodzić, więc chyba przełożymy na styczeń, choć ten miesiąc nie ma litery „r" w nazwie.

– Nie pozwolę na coś takiego! – Aleksandra aż uniosła się z krzesła. – Jaki termin grudniowy wchodzi w grę?

– Jesteśmy zapisani na siódmego, ale...

– Żadne „ale", ja przecież mam rodzić po dwudzie-stym, dlatego zresztą Mikołaj, bo to taki prezent świą-teczny. Zresztą i tak przyjeżdżam do Bydgoszczy na po-czątku grudnia, rodzice nie chcieli słyszeć, że miałabym rodzić w innym miejscu niż ich szpital.

ALEKSANDRA

Sierpień 2012

– Hej, Sissi, słoneczko, daj buzi! – Aleksandra stała przed domem przy Piastowskiej w Oliwie.

– Ciocia! Tato, tato, ciocia przyszła! – Dziewczynka otworzyła furtkę i pobiegła w głąb ogrodu, by obwieścić dobrą nowinę.

– A ty dzisiaj bez ciastek? – zażartował Marek, wy-chodząc z kępy ligustrów, które właśnie przycinał. – Zarosły nie wiem kiedy. – Machnął energicznie se-katorem.

– Przepraszam, bez ciastek i bez uprzedzenia. Telefon mi się wyładował, bo rozmawiałam przeszło godzinę i... – Pociągnęła nosem. – Przepraszam, chyba będę płakać – uprzedziła.

– Ciociu, ciociu, nie płacz... – Elżunia sama miała łzy w oczach. – Co się stało?

– Chodźmy do domu, zrobię kawę – zarządził Ma-rek. – Albo co – dodał po chwili, nie wiedząc tak na-prawdę, co ma robić. Kobiece łzy były czymś, z czym sobie nie radził zdecydowanie.

– Oj, księżniczko, będę płakać, bo przyszłam się pożegnać.

– Jak to? – Marek aż przystanął, a jego córka złapała Aleksandrę za rękę i przytuliła się mocno. – Wyjeżdżasz? – spytała. – Ale wrócisz, prawda?

– Chyba właśnie na stałe nie wrócę, będę jednak do ciebie przyjeżdżać.

– Ale ja nie chcę – rozszlochała się dziewczynka. – Tata, nie pozwól…

Tata nic nie rozumiał, to znaczy zrozumiał tylko, że do szczegółowego wyjaśnienia tego wszystkiego nie wystarczy kawa. Wyjął z lodówki butelkę wina i wyciągnął dwa kieliszki.

– Samochód zostawisz u nas, odwiozę cię taksówką – oznajmił. – Teraz mów, co się stało. Po kolei i od początku.

– Czyli tak jak lubisz. – Leksi uśmiechnęła się słabo. – Zupełnie jak moja przyjaciółka Teośka.

Popijając wino, które okazało się bardzo pomocne w opowiadaniu tej historii, Leksi zrelacjonowała rozmowę z Izą, byłą żoną Marka. Izka oznajmiła, że jest w ciąży, kupują właśnie większy dom pod Berlinem i wie z pewnością, że do Gdyni absolutnie nie wróci.

– Wysłałam mojej znajomej, która jest notariuszem, pełnomocnictwo do sprzedaży mieszkania. Trochę pieniędzy nam się przyda. Oczywiście gdybyś chciała, masz pierwszeństwo w kupnie. Skontaktuj się z… – Tu podała namiary na panią notariusz.

– Nawet nie przeprosiła, że stawia mnie przed faktem dokonanym. Nie wiem, kiedy ktoś kupi to mieszkanie, teoretycznie może nawet jutro lub pojutrze.

Wiem, że powinnam jej być wdzięczna, bo przecież prawie lata mieszkam u niej za darmo. Nie ma wobec mnie żadnych zobowiązań, to raczej ja mam. Ale... tak nagle, no... – Leksi wytarła nos i dopiła wino, podnosząc kieliszek w górę na znak, że prosi o dolewkę.

Marek otworzył lodówkę, wyjął ser, szynkę, pomidory i zrobił kilka kanapek.

– Zjedz coś, pewnie jesteś głodna.

Aleksandra spojrzała na niego i widząc, że zmarszczył czoło, posłusznie wzięła do ręki kawałek chleba z serem.

– Tata! Tata! – Elżunia stanęła przed ojcem i złapała go za rękaw. – Przecież ciocia może mieszkać u nas. Sam wiesz, że na górze są dwa puste pokoje. Jeden po tej... Izie, drugi dla gości. Nawet jak babcia przyjedzie, to będzie miejsce. No, tata! – Dziewczynka szarpała Marka za rękaw, a Leksi gapiła się w nią jak w anioła objawiającego dobrą nowinę.

– Ja... – zaczęła, ale Marek jej przerwał. Wstał, podrzucił córkę w górę i stanął przed krzesłem, na którym siedziała Aleksandra. – Podrzuciłbym i ciebie, ale tak się opiłaś tego wina, że jesteś za ciężka. Moja córka jest genialna. Oczywiście, że przenosisz się do nas, miejsce jest. I nawet nie będę wymagał, żebyś w zamian gotowała – zażartował. – Tylko nie płacz znowu, bo teraz już nie masz powodu.

– Jestem genialna, jestem genialna! – Sissi skakała wokół stołu, a Leksi jednak płakała.

TE TRZY

– No i tak to było – zakończyła szczęśliwa Aleksandra, a przyjaciółki, z sympatii, nie wypomniały jej, że opowiada tę historię chyba piąty raz.

Zajęły się teraz głównym daniem i paplały o tym i owym. Jola opowiadała, jak rozwija się firma Kajetana. Teraz, gdy Adaś poszedł już do przedszkola, jego mama wróciła do pracy. Całkiem zrezygnowała ze swojej połówki czy tam ćwiartki etatu w urzędzie miejskim, bardzo rozwinęła natomiast uprawę sadzonek i rozsad. Weronika śmiała się, że gdyby nie jej murowany domek gospodarczy, przekształcony obecnie w szklarnię, rodzina Koźmińskich w ogóle zapomniałaby o swojej cioci. Co oczywiście nie było prawdą.

– To może teraz czas na moją niespodziankę? – Luśka już nie mogła wytrzymać, kiedy opowie przyjaciółkom o...

JOLANTA

Grudzień 2012

– Ciociu, strasznie smutne będą te święta. Bez naszych dziewczyn, no makabra. – Jola szpikowała schab czosnkiem, a Weronika ucierała mak. Szykowały się do Bożego Narodzenia, choć obydwie nie miały świątecznego nastroju.

– Cóż, Leksi jest zajęta przygotowaniami do ślubu, a Teo pojechała do rodziców. Na szczęście spotkamy się wszyscy razem w Gdyni, tuż po Bożym Narodzeniu. Nowy Rok przywitamy u Jackiewiczów, dobrze, że mają spory dom, to się wszyscy pomieścimy. Wiesz, że zaprosili też Karola?

– Tak, ciociu, Olka pytała mnie o zdanie, ale ja przecież nie mam nic przeciw temu. – Lusia powiedziała to smutnym głosem, a Weronika po raz kolejny pomyślała, że ten jej siostrzeniec to jednak głupek do kwadratu.

Tenże głupek do kwadratu postanowił jednak, że chyba już najwyższy czas na stabilizację, i na przyjęcie gwiazdkowe przybył z pierścionkiem zaręczynowym.

Gdy nastał czas wręczania prezentów, Adaś szalał pod choinką z najnowszym modelem „samolotu z wiatlakiem", jak mówił na helikopter, Karol zaś wyciągnął z kieszeni pudełeczko i zwrócił się do Joli:

– Nie mam dla ciebie jakiegoś wymyślnego upominku świątecznego, właściwie nie wiedziałem, co ci kupić. Mam jednak coś, co chciałbym ci wręczyć, nie na Gwiazdkę, ale na całe życie. – Wyciągnął rękę z pudełkiem, a Weronika, która od razu domyśliła się, co tam jest, syknęła: – Nie w pudełku, głuptasie. Wyjmij go i włóż jej na palec.

Najbardziej wzruszony wydawał się Zbyszek Hojski, zaproszony przez Weronikę na całe święta.

– A co tam będziesz sam w Warszawie siedział. Przyjeżdżaj! – rozkazała mu przez telefon, a on chętnie skorzystał z zaproszenia. Tak prawdę mówiąc, bardzo na nie liczył.

Teraz, będąc świadkiem tych oświadczyn, rozpromienił się ze szczęścia, bo przecież cały czas pragnął, żeby życie jego córki wreszcie się ułożyło.

– Stary, dobry ruch, gratuluję! – Uścisnął Karolowi dłoń i puścił oko do Weroniki, która i tak tego nie widziała, popłakiwała bowiem ze wzruszenia, dyskretnie ocierając oczy.

– Tobie też gratuluję, córeczko – wymknęło mu się.

– Nie gniewaj się – popatrzył na Jolę – ale wszystkie was traktuję jak córki i wszystkim życzę szczęścia, przecież wiecie. – Uff, jakoś wybrnął.

KAROL

Marzec 2013

Patrzył na swoją – za chwilę – żonę, prowadzoną do ołtarza przez dumnego jak paw ojca. Za nimi, po bokach, szły dwie młode kobiety w różowych sukienkach. Uparły się na ten różowy kolor, twierdząc, że to książkowy kolor sukien wszystkich druhen. Po raz pierwszy były druhnami, Teo i Leksi na swoich ślubach druhen nie chciały. Myślał, że właściwie na miejscu Joli mogłaby być każda z nich. Przeżył swoje i one też. Ale przed ślubem spotkał się – po raz ostatni – z jedną i z drugą. Umówił się z obydwoma w tym samym miejscu, o tej samej godzinie.

Pierwsza, jak zwykle, przyszła Teodora. Zajęła miejsce przy stoliku, zniesmaczona tym, że musi czekać.

– Teo? – Stanęła przy niej Aleksandra.

– Czy ten drań umówił się z nami… – Teodora nie zdążyła dokończyć zdania, bo przy stoliku pojawił się Karol, uśmiechnięty od ucha do ucha.

– Tak, to taki mój żart przedślubny. Moja ostatnia perwersja. Uznałem, że skoro i tak wszystko o sobie wiecie, nie ma sensu, żebym każdą z was z osobna prosił o to samo.

– A my, jak zwykle, zrobimy, co sobie życzysz – odpowiedziała z przekąsem Leksi.

– Nie nadymaj się. Chcę tylko tego, co z pewnością jest i waszym życzeniem. Zakładamy kłódki na przeszłość, dobrze? – poprosił. – A klucze wyrzucamy.

Obydwie uznały to za jedyne możliwe rozwiązanie.

TE TRZY

Wrzesień 2013

– No wiem, wiem, opowiadałam o tym sto razy! – śmiała się Luśka po przypomnieniu historii oświadczyn Karola. – Ślub nie był tak romantyczny jak tamte święta. Ale przede mną jeszcze coś fantastycznego. W marcu przyszłego roku ponownie zostanę mamą. Jak dobrze pójdzie, oczywiście… – Szybko odpukała w spód stolika.

– Ale się uwijacie! – zaśmiała się Teodora. – Muszę się brać do roboty. Choć teraz, jak o tym pomyślę… boję się.

– Roboty? – błysnęła dowcipem Lusia.

– Tak, roboty. Przy dziecku.

Teo zamyśliła się głęboko. Kochała Grzegorza, oczywiście, przecież nie zgodziłaby się na ślub, gdyby było inaczej. Ale gdzieś tam, w głębi duszy, stale pielęgnowała pamięć o Wiktorze. I wydawało jej się, że urodzenie dziecka, którego ojcem byłby ktoś inny, stanowiłoby sprzeniewierzenie. Nie mówiła tego przyjaciółkom, bo wiedziała przecież, jaka byłaby ich reakcja. Kazałyby jej popukać się w głowę, mocno. Szczególnie Leksi, która uznała Grześka za brata i uwielbiała go po prostu.

– Gdybyś miała tylko siostry – tłumaczyła przyjaciółce – na dodatek młodsze, rozumiałabyś potrzebę posiadania starszego brata. Grzegorz jako brat jest idealny, zresztą w ogóle jest idealny, całe twoje szczęście, że ci go wyszukałam.

– Tak przypuszczałam, że przypiszesz sobie całą zasługę. – Teo mieszała kawę, spoglądając na Leksi spod oka. – Jakbym ja wcale nie była taka cudowna, mądra i prześliczna, sama z siebie.

– Ja mam brata i w ogóle nie rozumiem potrzeby posiadania kogoś takiego – odezwała się Jola jednocześnie. – Choć, przyznaję, mój Placuś nie umywa się do Grzesia, Grzesia mogłabym sobie ubratowić, i to chętnie. Jacka-Placka oddam natomiast, gdyby tylko ktoś go zechciał.

WERONIKA

– Możemy się przysiąść? – Przy stoliku pojawiła się Weronika. Nie sama, obok niej stał Zbyszek, wyglądał na zmieszanego.

– Ciociu! – Teodora szybko wróciła do rzeczywistości, w sumie bardzo zadowolona, że zdarzyło się coś, co pomogło jej przestać myśleć o Wiktorze. – Zapraszamy, oczywiście.

Zrobiło się małe zamieszanie, dziewczyny zaczęły dosuwać krzesła, na co szybko pojawił się kelner i zaproponował przeniesienie się do innego, większego, stołu. Potem nowo przybyli zamówili coś do jedzenia i spokojnie zjedli, rozmawiając o pogodzie i tej wrednej polityce.

– Przepraszamy za zakłócenie waszego tradycyjnego spotkania. – Weronika upiła łyk kawy z porcelanowej filiżanki i popatrzyła na Zbyszka. – To moja inicjatywa, wiedziałam przecież, że dzisiaj o tej porze będziecie tu wszystkie trzy. Zależało mi, żeby to, co powiem, miało uroczystą oprawę. Po waszych minach, moje kochane, znamy się przecież dobrze, widzę, że chyba wiecie, co chcę oznajmić. Tak, Zbyszek poprosił mnie o rękę. Ale ja postanowiłam, że się was poradzę. Kocham Zbyszka, kochaliśmy się prawie pięćdziesiąt lat temu i teraz okazało się, że taki kawał czasu to po prostu chwilka. Spotkaliśmy się po latach i uczucie odżyło. Tylko nie wiem, czy to – jak wy mówicie – nie obciach. Dwójka starych pryków? Ślub? A po co? Może wystarczy, jak po prostu razem zamieszkamy? Z tym że Zbyszek w ogóle nie chce słuchać o takim – jak to się nazywa? – konkubinacie? Mówi, że nie będzie żył na kocią łapę, choć nic nie ma przeciwko kotom. To żart. – Weronika spojrzała na swoje trzy dziewczyny, zdziwiona, że nic nie mówią. – Żart o kotach, oczywiście, ale ślub? Jak myślicie? To też śmieszne?

– Ciociu... – zaczęły wszystkie trzy, ale po chwili umilkły, oddając głos swojej przywódczyni. – Jakie śmieszne? – Teodora przywołała kelnera i poprosiła o karafkę wina. – Ciężarne nie piją – oznajmiła – ale ja tak. I wy, przyszli państwo młodzi. Wujku – zwróciła się do Zbyszka – wybacz tę poufałość, ale teraz wszystkie będziemy tak cię nazywać, więc się przyzwyczajaj. Jeśli przyjechaliście samochodem, to wrócicie na piechotę. Cicho – uprzedziła, widząc, że Zbyszek otwiera usta. – Jeszcze mówię. Jeszcze nic nie powiedziałam. A chcę oświadczyć, że to najmilsza wiadomość dzisiejszego dnia. Przebija wszystko, co tu dziś powiedziałyśmy, łącznie z wiadomością o moim ślubie. Ciociu! – Wyciągnęła rękę, ujęła dłoń Weroniki i podniosła do ust. – Na miłość zawsze jest pora. Na ślub też. Urządzimy wesele, jakiego Bydgoszcz jeszcze nie widziała, moja w tym głowa.

– No widzisz! – Zbyszek uśmiechał się od ucha do ucha. – Tego się właśnie obawiałem. Mówiłem ci, że tak będzie. Ślub stulecia, o święci pańscy!

– Bardzo się cieszę – pisnęła Jola, wstając. Obeszła stół, zbliżyła się do krzesła, na którym siedziała Weronika, i uścisnęła ją ze wszystkich sił. – Bo bardzo się martwiłam, że mieszkasz sama na Sielanki, od kiedy my z Adasiem przenieśliśmy się na plac Wolności. I w ogóle się cieszę, ze wszystkiego.

Luśka tylko przyłożyła dłoń do serca i uśmiechała się do tych dwojga, którzy odnaleźli się po prawie pół wieku. Jakie to cudowne, uznała. Co za dzień, nie zapomnę go do końca życia. Pomyślała jeszcze, że przecież każda z osób siedzących przy tym stole teraz jest szczęśliwa. Mimo wszystko.

I wypowiedziała tę myśl głośno.

– Mimo wszystko! – Te Trzy stuknęły się kieliszkami; do toastu przyłączyli się też Weronika i Zbyszek.

Potem

ALEKSANDRA urodziła synka, Mikołaja. Sissi zakochała się w braciszku od pierwszego wejrzenia i jest wielką pomocą dla swojej nowej mamusi. Zaraz po ślubie spytała ojca, czy może do cioci Oli mówić „mamo". Olę bardzo wzruszyła jej prośba.

MAREK twierdzi, że nigdy w życiu nie był taki szczęśliwy.

JOLANTA urodziła córeczkę, Ewę. Adaś początkowo się boczył, gdy usłyszał, że będą mieli imieniny w tym samym dniu. Ale później rozchmurzył się i stwierdził, że to tak jakby miał siostrę bliźniaczkę. Prawda, mamo?

KAROL bardzo kocha syna, ale na punkcie Ewuni oszalał. Mówi, że teraz ma swój prywatny raj, z Adamem i Ewą. Obyś tylko nie okazał się wężem, pomyślała Jola, tak do końca nieprzekonana do tej cudownej przemiany męża. Na razie jest dobrze. I tym zamierza się cieszyć.

TEODORA po wielu badaniach dowiedziała się, że nie może mieć dzieci. Postanowili więc z Grzegorzem wziąć do siebie Danusię-Nutkę. Rozpoczęli już procedurę adopcyjną.

GRZEGORZ osiągnął sukces jako autor kryminałów. Jego książki – a wydał już ósmą – podbiły serca czytelników, pozostając na długo na listach bestsellerów. Obecnie pierwszy kryminał jest tłumaczony na język rosyjski.

WERONIKA i ZBYSZEK mieszkają na Sielanki. Mieszkanie Zbyszka, odziedziczone po ojcu, wynajmują. Zbyszek postanowił zapisać je w spadku Jolancie. Opowiedział Weronice całą historię o Lusi. Obiecałem Teresie, że nikomu o tym nie powiem, wyjaśnił jej, dodał jednak, że nie chce mieć przed żoną żadnych tajemnic. Ufa, że Jola o swoim prawdziwym ojcu dowie się tylko wtedy, gdy będzie to absolutnie niezbędne. I nie wcześniej niż po jego śmierci.

Od autorki

Książkę tę dedykuję moim bydgoskim znajomym i przyjaciołom, a przede wszystkim:

Basi Jendrzejewskiej – za wszystkie miłe wspólne chwile,

Zdzisiowi Prussowi – za jego wspaniałe opowieści i za czas z lat sześćdziesiątych ubiegłego wieku,

Joannie Konwalskiej-Rona i †Markowi Ronie – za to, że zaistnieli w moim życiu, ubarwili je i umilili. *Marku*, nie zapomnę o Tobie, jestem dumna, że Cię znałam,

Lucynce Partyce – za to, że tak miło mnie przygarnęła.

Chciałabym także wspomnieć moich najstarszych i najdawniejszych przyjaciół, tych z LO nr VI i tych poznanych po maturze. Nie mam już jednak z nimi kontaktu, nie wymieniam więc ich z imienia i nazwiska, bo nie wiem, czyby sobie tego życzyli.

Wszystkich, którzy:
– zdawali maturę w Liceum Ogólnokształcącym nr VI w 1966 roku, szczególnie tych z klasy XIA,

– pracowali ze mną w Prezydium Wojewódzkiej Rady Narodowej, w Wydziale Handlu i Usług,

– znali mnie w latach 1960–1970

i którzy być może jakimś cudem trzymają teraz tę książkę w ręku, serdecznie proszę o kontakt – www.mariaulatowska.pl – wtedy (i dzisiaj zresztą też) znana jako RYSIA.